의료 관광

마케팅의 이해

M e d i c a l　T o u r i s m　M a r k e t i n g

임형택(선문대학교 국제레저관광학과 교수) 지음

군자출판사

의료관광마케팅의 이해

첫째판 1쇄 인쇄 2014년 10월 20일
첫째판 1쇄 발행 2014년 11월 3일

지 은 이   임형택
발 행 인   장주연
표지디자인   김민경
출 판 기 획   변연주
발 행 처   군자출판사
         등록 제 4-139호(1991. 6. 24)
         본사 (110-717) 서울특별시 종로구(창경궁로 117) 인의동 112-1 동원회관 B/D 6층
         전화 (02) 762-9194/5   팩스 (02) 764-0209
         홈페이지 | www.koonja.co.kr

ISBN 978-89-6278-934-8
정 가 28,000원

머리말

　최근 경제성장에 따른 소득증대로 삶의 질이 향상되어 감에 따라 건강과 치료를 위한 의료 서비스와 휴양 및 여가 문화체험이 결합된 새로운 관광형태인 건강관리여행이 급속히 대두되고 있다. 의료관광객은 일반 관광객에 비하여 대체로 체류 기간이 길고, 체류 비용이 높은 것으로 조사되어 외국인 관광객 유치에 역점을 두고 있는 국가에서는 적극적인 관심을 표명하고 있다. 특히 선진국과 비교하여 비용이 저렴하면서 높은 수준의 의료서비스와 관광휴양시설을 갖추고 있는 싱가포르, 태국, 인도, 말레이시아 등 아시아 국가들에서 이러한 움직임이 더욱 활발하게 나타나고 있다.

　한편 우리 정부는 2009년 초에 미래 한국을 이끌어 갈 '신 성장 동력산업'으로 신재생 에너지 등의 녹색 기술 산업, IT 융합 시스템 등의 첨단 융합산업과 함께 글로벌 헬스 케어, 관광, 교육 등의 서비스산업을 선정하여 집중 육성하기로 발표하였다. 또한 정부는 이러한 글로벌헬스케어산업의 육성을 위해서 관련 제도의 개선, 외국인환자 유치, U-헬스 의료 인프라 구축 등 체계적인 추진전략을 수립하겠다고 밝혔다. 이러한 정책수립과 실행 노력 결과, 의료관광이 법적으로 허용된 첫해인 2009년에 60,210명의 외국인 환자를 유치하여 547억 원의 진료 수입을 올렸고, 2013년에 이르러 유치인원은 당초 예상했던 20만 명을 넘어 211,218명으로 집계되었다. 이는 2012년도의 159,464명보다 32.5% 증가한 실적이었다. 또한 의료기관의 신고에 따른 총 진료수입은 3,934억 원으로 2012년의 2,673억 원에 대비하여 47.2% 증가한 실적을 보여주었다. 이것은 2013년에 한국을 방문한 외래 관광객이 1,114만 명으로 전년 대비 9.3% 증가한 것과 비교해도 꽤 높은 수치임을 알 수 있다.

　이러한 외국인 방문객 가운데 입원치료를 하지 않고 당일 의료기관을 방문한 외래환자의 비율은 90% 정도에 이른다. 이를 볼 때 의료관광은 직접적인 의료서비스를 받는 것 외에도, 숙박 및 식음료, 미용 및 건강증진, 쇼핑 및 레저 활동 등 관광서비스 분야로까지 확대되고 있다고 하겠다. 또한 의료관광은 핵심 산업과 관련 산업의 융합으로 인해 고용에 미치는 유발계수가 제조업과 다른 산업에 비해 훨씬 높은 것으로 나타났다.

　따라서 이 책에서는 최근 많은 사람들의 주목을 받고 있고 국내 서비스산업 가운데 비교적 국제 경쟁력이 있다고 여겨지는 의료서비스를 기반으로 하는 의료관광 분야를 설명하고자 한다. 의료관광 산업의 전반적인 내용을 다루는 가운데 마케팅 분야를 중점적으로 다루고 있다. 의료관광을 추진하는 의료기관과 의료업자의 경우 외국인환자에 대한 수용여건을 갖추기 위해 노력해야 할 뿐만 아니라, 국제 경쟁 환경에 대응하기 위한 홍보 및 마케팅 노력 또한 매우 중요하다. 최근에 모든 조직체는 고객만족을 중심으로 경영전략을 재구축하고 있다. 이것은 격변하는 시장 환경에서 고객의 만족을 추구하는 마케팅의 본질을 이해하고 실천하는 것이 중요함을 증명하고 있는 것이라고 할 수 있다.

　책의 구성을 보면, 먼저 의료관광에 대한 이해를 시작으로 국내 및 해외의 의료관광 추진 현황을 살펴보았다. 의료분야는 대체로 정부의 관여가 큰 분야인 만큼 공공 및 민관 협력 입장에서 의료관광이 지금까지 추진된 내용을 설명하고 있다. 그리고 의료관광의 홍보 방안과 타깃 시장별 마케팅 실행 과정을 알아보았다. 또한 국내 의료관광객 유치 주요 시장을 중심으로 필요한 마케팅 전략 및 활동방안을 제시하였다. 끝 부분에는 현재 국내에서 경쟁력을 갖추고 상품화가 이루어지고 있는 의료관광 상품의 사례를 제시하였으며, 전문 치료 외에도 선택 진료와 웰니스 관광도 넓은 의미의 의료관광 상품의 범위에 포함시켰다. 아무쪼록 이 책이 의료관광을 이해하고 의료관광을 추진하려는 사람들에게 꼭 필요한 책이 되기를 진심으로 바란다. 책이 나오기까지 노력을 아끼지 않은 출판사 관계자에게 감사를 드린다.

2014. 10.
임 형 택 씀

CONTENTS

제4장
의료관광 홍보 · 마케팅

제5장
의료관광 상품 사례

제 **1** 장

의료관광의 이해

0절 의료관광 구성

●●●● 경제성장에 따른 소득증대로 삶의 질이 향상되어 감에 따라 현대인들의 라이프스타일은 건강추구 형태로 변화되어 왔다. 이에 따라 건강과 치료를 위한 의료 서비스와 휴양 및 여가와 문화체험이 결합된 새로운 관광형태인 '건강관리여행(healthcare tourism)'이 급속히 대두되고 있다. 이러한 여행 형태 가운데 의료서비스가 중시될 경우 이를 '의료관광(medical tourism)'이라고 하는데, 이는 관광과 의료서비스가 접목된 용어라고 할 수 있다. 여기서는 의료관광에 대한 이해를 넓히기 위하여 우선 의료관광의 개념과 범위를 살펴본다. 그리고 의료관광에 해당되는 유형과 범위를 알아보고, 의료관광 상품을 구성하고 있는 내용과 이와 관련된 산업의 구조를 파악해본다.

1. 의료관광 개념 및 배경

오래전부터 사람들은 여러 가지 이유로 거주하고 있는 곳에서 멀리 떨어진 지역으로 이동하여 의료서비스를 받거나 건강증진 활동을 해 왔다. 최근에는 교통과 통신의 급속한 발달로 인해 이러한 현상이 매우 활발하게 되었으며, 이제는 이러한 활동이 국경을 넘어서까지 발생하는 경우가 많아졌다. 특히 다른 지역과 비교하여 비용이 저렴하면서 높은 수준의 의료서비스와 고급 휴양시설을 갖춘 지역에서 더욱 활발하게 이루어지고 있다. 이들은 일반적인 관광객들과 달리 체류기간이 대체로 길고, 체류하는 동안 일반관광객보다 지출액도 많아 고부가가치

관광 상품으로 일컬어진다. 국내에서는 2009년에 '의료법' 개정으로 영리를 목적으로 외국인 환자에 대한 국내 의료기관으로의 유치행위가 허용되었으며, 이에 대한 중앙 및 지방 정부의 육성정책에 힘입어 최근에 급속히 성장하고 있다.

1) 의료관광의 개념

의료관광이라는 용어는 여러 분야에서 조금씩 사용되어 왔으나, 2007년에 창설된 미국의 '의료관광협회'(Medical Tourism Association; MTA)에서 본격적으로 사용하면서 널리 알려지게 되었다. 현재 국내 학계 및 언론에서는 보편적으로 의료관광이라고 부르고 있지만, 일부에서는 '글로벌 헬스케어'(global healthcare) 또는 '국제의료서비스' (international medical service)라고 부르기도 한다. 또한 국제 간 이동 당사자인 의료관광객에 대해서도 의료여행객, 외국인환자 또는 해외환자라고 일컫기도 한다.

따라서 의료관광은 연구자와 관련 기관마다 조금씩 다르게 정의하고 있으며, 적용 범위에 따라 건강관광, 건강관리관광, 웰니스관광(wellness tourism)의 용어와도 혼재되어 사용되고 있다. MTA에서는 의료관광을 환자가 국내에서보다 저렴한 가격에 양질의 의료서비스를 받을 수 있다는 믿음으로 해외로 치료를 받으러 나가는 현상이라고 정의하였다. '관광진흥법'에서는 "해외 거주 외국인이 국내 의료기관의 진료, 치료, 수술 등 의료서비스를 받은 환자와 그 동반자가 의료서비스와 병행하여 관광 활동을 하는 것"이라고 정의하고 있다. 대체로 의료관광은 "의료서비스를 받는 행위를 주목적 또는 부수적인 목적으로 하며, 국제적인 이동을 수반하는 일체의 행위와 그 현상"이라고 정의할 수 있다. 여기서 의료서비스는 의료인의 전문적인 진료 행위와 병원의 서비스를 구매하게 되는 것인데, 일반적인 상품구매와는 달리 병원의 시설, 규모, 의료장비, 의사의 전문적 서비스등 보다 구체적이고 다양한 구매형태를 띤다. 이러한 의료관광에 대하여 여러 학자 및 관련 기구들은 다음 표와 같이 정의한 바 있다. 또한 대체로 이러한 정의들은 공통적으로 의학적 서비스와 국제적 이동에 초점을 맞추고 있다.

〈표 1-1〉 의료관광 개념 정의

학자(연도)	의료관광 개념
Hall(1992)[1]	관광활동의 주요 동기가 건강증진을 위한 행위로서 거주지를 떠나 체류하면서 여가활동을 하는 것
Goodrich(1993)[2]	건강과 관련된 서비스와 시설을 의도적으로 홍보함으로써 관광객을 유치하려는 것이며, 의료관광에서 건강관리관광으로 다시 건강관광으로 전개
Mueller(2001)[3]	웰니스 관광은 질병을 예방하는 차원의 관광 행위이며, 의료관광은 건강을 회복하는 차원의 관광 행위임
Henderson(2004)[4]	의료관광은 건강관리관광에 포함되는 개념이며, 건강관리관광은 다시 의료관광, 성형수술, 스파 및 대체의학 치료 등으로 구분
미국의료관광협회 (MTA) (2008)	환자가 국내에서보다 저렴한 가격에 양질의 의료서비스를 받을 수 있다는 믿음으로 해외로 치료를 받으러 나가는 현상
한국문화관광연구원 (2006)	의료서비스와 휴양·레저·문화 활동 등 관광활동이 결합된 새로운 관광 형태
한국보건산업진흥원 (2007)	의료 분야에서 관광자원으로 활용 가능한 부분을 발굴하여 개발하고 관광을 상품화하여 서비스 및 제품을 제공하는 행태
관광진흥법 (2009)	해외 거주 외국인이 국내 의료기관의 진료, 치료, 수술 등 의료서비스를 받은 환자와 그 동반자가 의료서비스와 병행하여 관광하는 것
저자	의료서비스는 받는 행위를 주목적 또는 부수적인 목적으로 하여, 국제적인 이동을 수반하는 일체의 행위와 그 현상

1 Hall, M. (1992). Adventure, sport and health tourism. Special Interest Tourism, London: Bell Haven Press.

2 Goodrich, J. (1993). Socialist Cuba: A study of health tourism. Journal of Travel Research, 32(1), 36-41.

3 Mueller, H. (2001). Wellness tourism: Market analysis of a special health tourism segment and implications for the hotel industry. Journal of Vacation Marketing, 7(1), 5-18.

4 Henderson, J. (2004). Healthcare tourism in Southeast Asia. Tourism Review International, 7, 111-121.

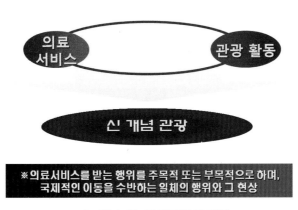

의료관광(Medical Tourism)이란?

의료 서비스 ─ 관광 활동

신 개념 관광

※ 의료서비스를 받는 행위를 주목적 또는 부목적으로 하며, 국제적인 이동을 수반하는 일체의 행위와 그 현상

〈그림 1-1〉 의료관광의 개념

2) 의료관광 유사개념

의료관광에 대하여 의료서비스의 적용 범위와 여행 목적에 따라 웰니스 관광, 건강 관광, 의료 여행, 그리고 국제 진료 등의 개념으로 사용되기도 한다.

(1) 웰니스 관광(Wellness tourism)

웰니스(wellness)란 신체의 건강에 국한하는 협의의 개념이 아니라 건강한 생활을 추구하기 위한 모든 영역을 포괄하는 광의의 개념이다. 세계보건기구(WHO)는 웰니스에 대하여 "운동, 영양, 휴양을 통합하여 추구해 나가는 것"으로 규정하였다. 따라서 웰니스 관광에는 보양·의료·미용 등 건강증진관광, 자연휴양자원을 이용한 친환경관광, 전통음식의 시식과 조리를 포함한 음식관광, 그리고 전통문화와 농어촌 및 사찰 체험을 통한 체험관광 등 다양한 유형의 관광활동을 모두 포함하고 있다.

(2) 건강관광(Health tourism)

건강관광은 주로 레저 분야에서 사용되어 온 개념으로 의료관광과 웰니스관광을 포함하는 보다 광의의 의료관광 개념으로 이해할 수 있다. 여기서 웰니스관광은 의학적 문제를 가진 사람이 자신의 건강증진과 예방을 위해 여행하는 것을 말하며, 요가(yoga)와 미용 관련 치료 또는 운동치료 등을 의미한다. 반면에 의료관광은 의학적 질병치료에 초점을 맞춘 것으로 물리치료, 수술 등을 포함하는 개념

으로 본다. 그리고 이 둘이 결합된 중간개념으로 생활습관 관련 재활치료까지 건강관광에 포함된다고
볼 수 있다.

(3) 의료여행(Medical travel)

의료여행은 목적지에 상관없이 의료서비스를 받기 위해 이동하는 모든 현상이라고 할 수 있다.
선진국에서 저개발국가로 이동하거나 반대로 저개발국가에서 선진국으로 이동하는 양방향의 이동
을 모두 포함한다. 이러한 시각에서 치료 이외의 관광요소는 배제되기도 한다. 그러나 의료관광에
서와 마찬가지로 의학적 치료를 요하는 질병과 부상 등의 신체적 상태와 환자의 여행의지를 공통적
으로 고려한다.

(4) 국제진료(Global healthcare)

국제진료는 의료여행과 같은 의미로 사용되는데, 관광이라는 의미는 배제되거나 축소되고
의학적 치료를 위해 국경을 넘어 이동하는 개념으로 받아들여진다. 국내에서는 의료관광이 건
강관광과 동일한 개념으로 인식되는 사회적 경향에 대한 반발로 보건의료계 일부에서 이 표현
을 선호하고 있다. 보건산업백서(2008)에서 보건의료 산업을 국가 성장 동력으로 육성하기 위
해 외국인환자 유치를 제안했을 때 기대하는 것은 외국인환자 유치를 추진하는 과정에서 의료
기술과 의료기기 산업이 발전하고 이를 통해 산업 인프라와 인력 인프라가 업그레이드되는 것
이었다. 이런 의미에서 보건의료 분야에서는 중증환자 치료가 의료관광의 핵심이라고 할 수
있다.

3) 의료관광의 배경

의료관광은 건강과 평안을 도모하기 위한 여행의 형태로 아주 오래전부터 시작되었다. 고대
및 중세 시대에는 순례자들이 치유를 목적으로 여행하는 형태였고 정치와 철학을 논하는 사교
의 장으로도 활용이 되기도 하였다. 이후 온천, 스파(spa), 마사지(massage) 등 물을 이용한 치
유 여행은 모든 지역에서 각자 나름대로 전통을 이어왔다. 심지어 일부 지역에서는 결핵, 기관
지염 등 전문 질환을 위한 치료의 형태로 나타나기도 하였다. 그러나 이러한 모든 여행은 휴양
개념이 전부일 뿐이었다.

산업혁명 이후, 의학기술이 발달함으로써 치료를 목적으로 이동하는 현상이 본격적으로 나
타나기 시작하였다. 주로 후진국이나 개발도상국에서 선진국의 앞선 의료기술의 혜택을 받고

자 방문하는 의료관광객이 주를 이루었고, 이들은 그 사회의 극소수 부유층이라고 할 수 있었다. 이들을 대상으로 서비스를 제공한 의료기관들은 지역주민들을 위한 공공의료서비스 기관들이 될 수 없고 모두 민간에서 운영하는 병원들이었다.

그러나 이러한 추세는 1980년대 들어오면서 큰 변화를 경험하였다. 오히려 의료관광의 흐름이 선진국에서 개발도상국으로 바뀌게 된 것이다. 선진국 내에서의 비싼 의료비, 오랜 대기시간 등의 문제점이 부각되고 동시에 개발도상국의 의료기술이 급속도로 발전하면서 의료관광 흐름의 역진현싱이 가능하게 되었다. 구바, 멕시코, 코스타리카 등이 특화된 의료서비스를 가지고 미국인을 대상으로 의료관광 시장을 개척하기 시작하였고, 이어서 태국, 싱가포르, 인도 등 아시아 국가들이 급부상하였다.

이처럼 최근에 의료관광이 보편적으로 발생하게 된 배경은 국제화와 라이프스타일의 변화, 그리고 의료비용의 증가 때문이라고 할 수 있다. 교통과 통신의 발달로 거리에 대한 제약이 줄어들었고, 삶의 질이 향상됨에 따라 건강을 추구하는 형태로 삶의 목적이 변화되었으며, 선진국에서의 긴 대기시간으로 인한 불편함이 이동을 촉진하는 요소가 되었다. 아울러 의료서비스의 비용과 품질에 대한 정보를 인터넷을 통해 쉽게 접근할 수 있게 된 것도 의료관광을 촉발시키는 요인중의 하나로 볼 수 있다.

Why
Medical Travel?

» **Globalization**
» **Lifestyle Changes**
» **Rising Cost of Care**
» **Long waiting time**
» **Internet**
» **An Aging Society**

〈그림 1-2〉 의료관광의 배경

2. 의료관광 유형 및 범위

의료관광은 단지 의료와 관광의 개념이 결합된 것이라고 생각할 수 있다. 그러나 의료와 관광의 범위를 어떻게 구성하느냐에 따라 의료관광의 범위는 매우 다양해진다. 의료의 범위에 대해 환자를 직접적으로 치료하는 행위로만 제한할 수 있는 반면, 미용이나 다이어트와 같은 비수술적인 치료를 의료서비스에 포함시킬 수 있다. 심지어 건강을 관리하고 유지하도록 하는 점에서 치유나 휴양 같은 분야도 이 범주에 포함시키기도 한다.

1) 의료관광의 분류

의료관광이란 의료관광객이 자국의 의료기관 대신 해외의 의료서비스나 관련 상품을 구매하는 것을 포함하여 방문 대상 지역의 의료, 문화, 사회, 관광 상품 등을 체험하는 행위를 아우르는 광범위한 활동을 뜻한다. 의료관광에서 의료서비스는 근본적으로 의료인의 전문적인 진료행위 외에도 병원의 설비 및 인적자원, 의료장비 등의 서비스를 구매하게 된다. 그리고 외국인환자의 방문 유형을 목적별로 살펴보면 대체로 순수치료목적, 관광 및 기타 목적과 병행한 치료 활동, 환자간호목적 동반자 등으로 구별해 볼 수 있다.

〈표 1-2〉 의료관광 목적별 유형

유형	세부내용	의료 부문
순수 치료 목적	특정 의료기관 또는 의료인 방문 치료 행위	중증 및 전문 시술
치료 및 관광 목적	간단한 미용중심 치료와 관광 활동 병행, 요양 및 휴양 개념(웰니스 관광)	경증 시술, 스파 및 대체의학
환자 간호 목적	치료받는 환자 간호 또는 보호자	-
잠재 방문	비즈니스 등 타 목적 활동 이후 의료서비스 수행	응급치료, 검진

(1) 순수치료형태

이는 특정 병원이나 의사를 찾아서 입국하는 경우로 주로 자국에서의 치료가 용이하지 않은 난치병 환자나 고난이도의 의료기술을 필요로 하는 수술환자, 또는 차별화된 프리미엄급의 치료나 서비스를 원하는 환자들을 대상으로 의료서비스를 제공하는 경우이다. 이들은 의료진과 병원의 지명도, 의료수준, 의료서비스의 질을 가장 우선시하며 주로 세계 각국의 고소득층이 이용한다.

(2) 치료와 관광 병행

관광과 휴양이 발달된 지역에서 많이 나타나며 외국인들을 대상으로 피부관리나 메디컬스 파 등의 긴단한 치료와 관광이 결합되는 경우이다. 최근에는 위험도가 높지 않으면서 장기간의 치료가 필요하며 치료 외의 휴양이나 관광 등 서비스가 필요한 상품이나 전통의학과 관광자원을 결합한 웰니스 상품도 다양하게 개발되고 있다.

(3) 동반자 간호형태

이들은 직접적으로 의료서비스를 받지는 않지만 치료를 받고 있는 가족이나 동료의 간병을 목적으로 입국하는 경우로 환자의 간호 및 지원이 목적이다. 이들은 환자 당사자보다 훨씬 일반 관광객과 같은 생활을 한다.

(4) 잠재 방문형태

다른 목적으로 방문한 관광객이 사고나 긴급상황으로 인하여 원래 목적과는 별도로 응급치료를 받게 되는 경우이거나, 출장이나 사업 등 의료서비스를 염두에 두지 않고 해당지역을 방문하였으나 체류기간 중에 의료서비스에 관한 정보를 얻어 치료나 검진을 겸한 후 귀국하는 경우이다. 이들은 의료관광의 잠재적 수요자가 되며, 자국으로 돌아가서도 주변인들에게 영향을 끼치므로 해당 지역의 의료관광 접점으로 작용하기도 한다.

〈표 1-3〉 한국 의료관광 상품 유형

	유형	육성 분야	경쟁요소	유치 대상 국가
선택 치료형	미용치료 및 성형수술	미용 및 성형 기본적 수술(외래)	의료 기술 가격 경쟁력 관광 및 휴양 연계	미용 : 일본 성형 : 중국
	웰빙형/ 건강검진	스파 및 테라피 한방치료 건강 검진 센터	노화 지연 및 건강 증진 질병 방지 및 억제 효과 건강검진 프로그램	웰빙 : 관광객 한방 : 일본, 기타 검진 : 교포, 기타
수술 치료형	각종수술 재활치료	중증 및 입원 수술 요양 및 재활 프로그램	높은 의료 수준 해외 의료 네트워크	극동러시아, 몽골, 베트남, 중동지역 등

2) 의료관광의 범위

의료관광의 범위는 의료서비스의 행위와 공급 유형에 따라서 구분이 된다.

(1) 의료서비스 행위별 분류

의료서비스는 일반적으로 '치료 및 의료시술', '피부 및 성형', '건강검진 및 건강관리'로 구분할 수 있다. Henderson(2004)[5]은 의료관광을 건강증진을 목적으로 여행하는 것이라고 정의하고, '의료관광', '미용 및 성형', '온천 및 대체요법'의 세 가지로 분류하였다. 이 중 의료관광은 암 치료, 심장수술, 장기이식수술, 건강검진과 같은 의료서비스에 속하는 것들이며, 가슴확대 및 주름 제거술, 지방 흡입술의 경우는 미용 및 성형수술에 속한다. 또한 피부관리, 운동 및 식이요법, 마사지, 온천요법, 요가 등은 대안치료법에 해당한다.

(2) 공급유형별 분류

의료서비스의 국제 교류 활동은 공급 유형에 따라 구별해 볼 수 있는데, 의료서비스가 전달되는 시점에서 공급자와 소비자의 위치를 기준으로 다음과 같은 네 가지 유형의 의료서비스로 분류된다. 이 가운데 여기서 다루게 될 의료관광 형태는 두 번째에 해당된다고 할 수 있다.

---

5 Henderson, J.(2004). Healthcare tourism in Southeast Asia. Tourism Review International, 7, 111-121.

① 의료서비스 공급자와 소비자가 각각 다른 지역에 거주할 때 발생한다. 정보통신망을 이용한 원격진료나 영상사진 판독을 타 지역에서 시행하는 경우가 이에 해당된다.

② 의료서비스를 구매하기 위하여 외국의 의료기관을 직접 방문하는 상황이다. 본인이 직접 의료기관과 접촉하거나, 전문 에이전트를 통해 의료기관을 찾을 수 있다.

③ 의료서비스 구매자를 공략할 목적으로 의료서비스 공급자가 직접 해외에 진출하는 것이다. 이것은 의료기관이 외국에서 합작투자를 하거나 교육훈련 등의 컨설팅을 제공하는 방식을 말한다.

④ 외국의 의료전문가가 의료서비스 소비시장에 찾아와서 직접 서비스를 제공하는 방식이다. 주로 의료봉사 활동이 이에 해당된다.

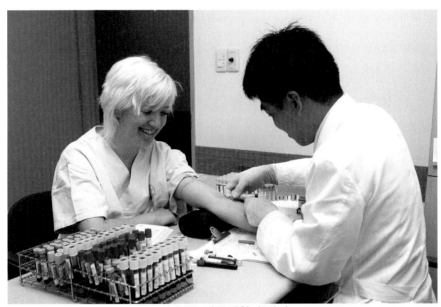

〈그림 1-3〉 외국인환자 검진

3. 의료관광 상품구조

국경을 초월한 의료서비스의 이용이 늘어나면서 글로벌 의료관광 시장은 급격하게 성장하고 있다. 세계의료관광 시장은 연 12%씩 성장하고 있어 2015년에는 미화 약 일천억달러 이상의 시장규모가 될 것으로 예상된다.[6] 싱가포르, 태국, 인도 등 일찍부터 의료관광 정책을 시행하고 있는 국가들은 글로벌 시장에서 우위를 점하기 위하여 다양한 전략과 정부차원의 지원을 추진하고 있다. 의료관광은 직접적인 진료수익 외에도 관광수익, 취업 유발 등 국가경제에 미치는 파급효과도 매우 크다.

1) 의료관광 상품구성

온천 · 산림 · 해양 등 건강을 회복하며 휴식할 수 있는 자연경관인 '물리적 환경', 교통 · 통신 등 '사회기반시설', 요양 또는 치료를 위한 시설과 도구를 갖춘 '의료시설', 전문 병의원의 의학적 '치료행위', 그리고 이러한 의료 시설을 보완할 수 있는 전문 숙박시설과 방문자의 요구에 맞게 조절된 식사 등 '부대시설'을 의료관광의 필수요소라고 할 수 있다. 그러므로 이러한 의료관광 상품이 제대로 구성되기 위해서는 수준 높은 의료서비스와 인프라 시설, 관광자원, 저렴한 가격이 요구된다.

환자가 신뢰할 수 있는 최고 수준의 의료 기술력은 의료관광의 가장 기본이 되는 필수요소라 할 수 있다. 또한 진료를 위한 병원시설 뿐 아니라 진료를 받는 동안에 머물 수 있는 숙박시설, 그리고 건강관리와 진료 후 요양에 필요한 스파, 마사지, 운동시설 외에도 병원까지의 접근 용이성도 중요한 요소라 할 수 있다. 이러한 의료관광이 급속하게 발전하게 된 요인으로는 국가 간 이동의 용이, 소비자 의식 및 주권의 향상, 정보통신의 발달, 의료기관의 국제 인증 및 품질 확보, 국제 비즈니스 네트워크 구축, 그리고 의료기관의 상업적 노력과 전문 업체의 등장 때문이다. 그리고 의료관광 상품의 구성요소로 의료 산업의 기술력, 의료관광 시설, 의료관광 비용, 관광자원, 그리고 서비스체계등을 들 수 있다.

의료관광은 의료기관에서 제공되는 의료서비스와 의료시설 외부에서의 모든 일상생활이 결합된 형태이며, 이를 넓은 범위에서 관광이라는 개념으로 이해할 수 있다. 따라서 외국인환자가 진료 전후에 관광객으로서의 일상생활을 즐길 수 있도록 다양하고 편리한 관광 편의시설이 필요하다. 특히, 편안한 휴양을 즐길 수 있는 주변 여건과 자연환경, 문화 및 레저 활동은 반드시 갖추어져야 할 관광자원이라 할 수 있다. 그러나 무엇보다도 의료관광시장을 공략하기 위해서는 상대적으로 저렴한 비용을 제공하면서, 선진국과 대등한 의료 기술과 시설을 갖추는

---

6 Mckinsey & Company, 2012.

것이 가장 중요한 요소이다. 따라서 의료관광 상품을 구성하는 요소는 외국인환자, 의료관광 발생지역, 의료관광 목적지역, 의료관광 상품, 의료관광 상품 공급자(의료기관 등), 의료관광 에이전시, 의료관광 관련 서비스(의료서비스, 관광 서비스, 정부정책과 사회문화적 요소 등 포함), 그리고 의료관광 서비스 인력 등으로 정리해 볼 수 있다.

2) 의료관광 산업구조

의료관광 관련 핵심 산업은 의료 및 보건 서비스와 미용 관련 산업을 들 수 있으며, 관광과 관련된 산업으로는 쇼핑, 식음료, 숙박, 오락 및 유흥 등이 있다. 의료관광은 핵심 산업과 관련 산업의 융합으로 이루어졌으며, 부가가치가 높고 취업 및 고용 등에 미치는 유발계수가 전체 산업 및 제조업에 비해 높은 것으로 나타나고 있다. 이는 의료관광이 의료서비스와 직접적으로 관련되는 산업의 발전을 유발하고, 의료 목적 방문객의 관광활동으로 인해 부수적으로 관광 산업에 영향을 주기 때문이다.

의료관광산업의 구조는 의료관광 상품 수요자인 '외국인환자'와 이들이 이동하는 공간인 '의료관광 발생지와 목적지', 그리고 외국인환자에게 유·무형의 서비스를 제공하는 의료관광산업에 속하는 '의료관광 상품과 상품 공급자', '중개자', '관련 서비스', 그리고 '의료인을 포함한 서비스 인력' 등 세부적으로 구별된다. 그러나 이들 관련 산업 전체를 송출 시장과 목적지 시장으로 구분하여 설명하는 것도 가능하다.

(1) 송출 시장

의료관광산업 구조는 외국인환자가 거주하는 지역과 외국인환자를 유치하는 지역의 의료관광 환경 실태와 시장 주체의 역할을 살펴봄으로써 구분해 볼 수 있다. 먼저 높은 의료비용과 적절한 시기에 맞춘 치료의 어려움 때문에 자국에서 의료서비스를 받을 수 없는 사람에게 외국에서 의료서비스를 받을 수 있도록 지원을 하는 보험사, 전문 에이전시 등으로 구성된 송출 시장 구조가 존재한다.

(2) 목적지 시장

외국인환자를 유치하는 지역 역시 외국인환자에게 의료서비스를 제공하는 의료기관, 숙박·교통·관광을 지원하는 관광사업체, 의료관광을 수출 산업으로 육성하기 위해 제도 및 기반시설을 구축하는 국가 및 도시, 민간과 정부의 협의체와 같은 조직들로 구성된 목적지 시장 구조가 있다.

의료관광 상품 및 관련 서비스의 수요자인 외국인환자는 의료관광 시스템의 핵심적인 역할을 한다. 의료관광은 과거 소득수준이 낮은 지역에서 높은 지역으로 주로 이루어졌지만, 최근에는 의료수준의 보편화 · 의료기술의 발달 · 비용문제 및 대기시간으로 인해 그 반대로 이동하는 현상이 함께 나타나고 있으며, 이들 지역은 의료관광 목적지에서의 표적시장이 되어 마케팅 활동의 대상이 되고 있다.

3) 의료서비스의 특징

의료서비스만이 지니고 있는 고유의 특징과 일반서비스 분야와 같은 공통의 특징에 대하여 살펴본다.

(1) 의료서비스 고유 특징

의료서비스는 일반서비스에 비해 몇 가지 측면에서 차이가 있다. 우선 의료서비스는 일정기간 고도의 전문적 교육을 받은 인력이 필요하다. 그리고 의료서비스는 인간의 생명과 건강을 다루는 것이므로 공익성이 강하다. 또한 의료산업은 다른 서비스 산업에 비해 복잡하고 다양한 서비스를 제공하고 있다. 의료서비스만이 가지고 있는 특징을 보다 세부적으로 살펴보면 다음과 같다.

① 인간의 신체와 관련된 서비스를 제공하기 때문에 실패가 발생하면 원상복구가 불가능하다.

② 질환이나 사고에 따른 치료나 진료 방법의 결정에 있어서 개인이 가지는 특징이나 병력, 신체구조, 연령 등에 따라 상이하므로 획일적인 서비스를 제공하기가 어렵다.

③ 의료서비스는 일반서비스처럼 빈번하게 구매가 발생하는 것이 아니라, 신체적 이상이 있을 때만 단기적으로 이용한다. 일부의 질환은 장기간에 걸쳐 구매되는 경우도 있으나 평생 경험하지 못하는 경우도 있다.

④ 응급이나 갑작스러운 질병의 발생 등에 따라 계획하지 않은 이용이 발생하는 경우도 있다.

⑤ 의료서비스의 구매의사결정에 있어서 이용자의 단독적인 의사결정보다는 가족이나 의

료진에 따라 의사결정이 되는 관여도가 높은 서비스에 해당된다.

⑥ 서비스의 이용가격이 일반서비스에 비해 비싼 편이다.

⑦ 서비스 이용 전에 서비스의 품질을 확인하고 거래하는 것이 불가능하다.

⑧ 서비스 이용 전후에 있어서 기대와 결과에 대한 불일치 감정이 강하게 발생할 수 있는 특수성을 가지고 있다.

(2) 의료서비스 일반 특징

의료서비스도 본질적으로 일반서비스와 공통된 속성을 가지고 있다. 일반적으로 유형적 상품과 구별되는 무형성(intangibility), 생산과 소비가 동시에 발생하는 비분리성(inseparability), 모든 서비스가 매번 다르게 나타나는 이질성(heterogenity), 그리고 판매되지 않은 서비스는 사라지게 되는 소멸성(perishability)을 들 수 있다. 이에 따라 의료서비스에 나타난 일반서비스의 특징을 다음과 같이 설명해 볼 수 있다.

① **무형성**: 유형의 재화와 달리 의료서비스는 구매하여 사용하기 전까지는 의료서비스의 정확한 품질을 알 수 없다.

② **비분리성**: 의료서비스는 생산과 동시에 소비되어야 하기 때문에 구매고객과 의사의 시 · 공간적 일치성이 충족되어야 한다. 따라서 아무리 먼 해외에 거주하는 고객이라도 직접 방문하지 않고서는 의료서비스를 받을 수 없다.

③ **이질성**: 동일한 의료서비스를 반복적으로 시행하더라도 품질 면에서 일관된 서비스를 제공하기 어렵다는 것이다. 의료서비스의 품질은 같은 처방에 따라 시행되더라도 공급과정을 수행하는 사람, 기술, 서비스 공급상황에 따라 변할 수 있다.

④ **소멸성**: 실시간으로 이용되지 않는 의료서비스는 저장이 불가능하므로 시간이 지나고 나면 서비스의 공급기회가 없어지는 것을 의미한다. 서비스의 소멸성으로 인해 수요가 몰려 공급능력을 초과하는 경우는 병목현상이 나타나기도 하고, 수요가 적을 때는 유휴의 인력과 병상, 고가 의료장비의 미가동과 같은 현상이 나타난다.

4) 의료관광 고려요소

의료관광객이 목적지를 선정함에 있어 핵심적으로 고려하는 사항은 이동거리, 의료비, 의료서비스 내용이라고 할 수 있다. 환자들은 비교적 자기가 살던 곳에서 가까워 이동에 큰 불편이 없는 곳을 선택하는 편이다. 또한 문화나 환경이 비교적 익숙한 곳에서 치료 받기를 원한다. 또한 외국인환자는 의료비에 대해서도 매우 민감하게 반응한다. 여러 의료기관의 의료비를 비교하여 목적지를 선택하게 되는 것이다. 이때 의료비용 외에도 여행비용 및 체류비용까지 함께 고려를 하게 된다. 또한 의료서비스의 내용은 빠질 수 없는 요소이다. 환자들은 어느 정도의 비용으로 특정 의료서비스를 받게 될지를 함께 문의한다.

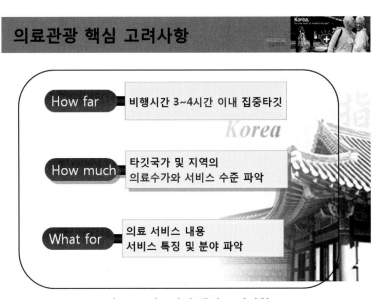

〈그림1-4〉 의료관광 핵심 고려사항

실제의료관광을 고려할 때 환자들의 의사 결정에 가장 크게 영향을 미치는 요소를 다음과 같이 "5A"로 정리해 볼 수 있다.

(1) 합리적 가격(Affordable)

환자들은 보다 저렴하고 합리적 가격을 찾아 이동하게 된다. 이 문제는 선진국에서뿐만 아니라 의료 후발 국가에서도 똑같이 제기되고 있는 문제이다.

(2) 적시성(Available)

의료관광을 하는 것은 자기가 거주하는 지역에서 의료서비스가 적절하지 않기 때문이다. 환자는 해당 질환에 대하여 최상의 진료를 받을 수 있는 조건을 찾아 이동하게 된다.

(3) 접근 용이성(Accessible)

의료서비스를 받기 위한 대기시간 뿐 아니라 정보탐색에 대한 접근도 중요한다. 또한 이동거리도 중요하게 고려하는 요소이다.

(4) 수용성(Acceptable)

위 모든 요건이 충족되어도 종교적인 이유라든지, 정치·사회적인 이유로 인해 환자의 이동이 용이하지 않을 수 있다. 그리고 윤리적인 문제가 제기되는 경우도 있다.

(5) 부가적 혜택(Additional)

의료관광을 통해 얻게 될 효과를 광범위하게 적용해 보는 경우이다. 일반적으로 훌륭한 환자 관리, 현대적인 시술 및 최신 치료 기술, 개별화된 인적 서비스 등과 같이 추가적인 혜택으로 인해 의료관광이 발생한다.

4. 의료관광 상품 특징

의료관광 참가를 목적으로 하는 외래방문객을 유치하기 위해서는 의료관광을 주된 목적으로 하는 상품을 개발할 필요가 있으며, 이는 의료관광의 강력한 촉진도구로써의 역할을 수행하게 된다. 이러한 상품은 참가자의 특성 또는 의료서비스의 특성에 따라 다양한 방법으로 구성될 수 있다. 또한 의료관광 상품의 구성내용 중 의료가 차지하는 비중이 어느 정도인지에 따라 상품의 성격이 달라질 수 있다. 상품 구성요소 중 의료 서비스가 핵심적인 경우와 의료관광 참여와 함께 다른 활동도 겸하는 경우로 구분할 수 있다.

1) 의료관광 상품 구성요소

소비자들은 상품을 구입할 때 상품을 구성하는 요소들을 비교·평가하거나 이 요소들을 결합하여 전체적인 이미지를 형성한 다음 경쟁제품과 비교하여 의사결정을 내린다. 의사결정을 내리기 위해 어떤 절차를 거치는 지에 관계없이 상품 구성요소들은 소비자의 상품선택에 영향을 미친다.

(1) 의료관광 상품의 차원

일반적으로 서비스 상품은 핵심 상품, 유형 상품, 확장 상품의 세 종류에 대한 상품차원의 특징을 모두 가지고 있다. 이에 대한 각각의 의미를 살펴본다.

① 핵심 상품

핵심 상품(core product)은 소비자가 그 상품을 통해서 얻으려고 하는 가장 핵심적인 혜택인데, 이는 구매자가 진정으로 원하는 것이다. 즉 소비자는 단순히 상품만을 소비하는 것이 아니라 상품이 주는 혜택을 함께 소비하는 것이며, 상품이 주는 혜택이나 효용을 소비하기 위하여 상품을 구매하는 것이다. 핵심 상품을 구성하는 가장 중요한 요소인 혜택은 상품이 원만하게 기능을 수행할 때 소비자의 기능적인 욕구를 만족시켜 줄 수 있다. 따라서 마케터는 상품의 이면에 내재되어 있는 기본적인 욕구를 찾아내어야 하며, 상품 자체의 특성이 아닌 편익이나 혜택을 판매한다는 점에 유의하여 항상 소비자가 추구하는 핵심적인 혜택이나 서비스가 무엇인지를 먼저 생각해내야 한다. 의료관광에서 핵심 상품이란 의료관광에 참가해서 받게 되는 '수술 및 시술'과 '정보 및 즐거움' 같은 것이라 할 수 있다.

② 유형 상품

유형 상품(tangible product)은 고객이 상품으로부터 추구하는 핵심적인 혜택이 구체적인 물리적 요소들로 전환된 실제 제품이다. 유형제품을 구성하는 요소들로는 제품품질, 제품특성, 제품스타일과 디자인, 포장, 상표명 등이 있다. 의료관광에서 실제 상품이란 그 상품에만 내재되어 있는 특징적인 편익을 의미한다. 특정 의료관광만이 지니고 있는 독특한 프로그램이나 특성과 스타일 등이 실제 상품이라고 할 수 있다.

③ 확장 상품

확장 상품(augmented product)은 실제 상품이 경쟁 상품과 구별되도록 추가적인 편익을 결합한 상품을 말한다. 즉 실제 상품에 대한 보증, 애프터서비스, 대금결제 등과 같이 상품의 본질과는 다른 또 다른 차원의 편익을 더하게 되면 그것이 확장 상품이 된다. 또한 접근성, 상호작용, 물리적 환경, 인적 교류의 기회 등도 이에 포함된다. 최근에 기업들은 시장경쟁이 치열해짐에 따라 소비자가 원하는 핵심 편익을 제공하더라도 동일한 상품만으로는 경쟁우위를 확보하기가 점점 어려워지고 있다. 따라서 추가적 편익을 결합한 확장 상품의 경쟁으로 나아가고 있다.

(2) 의료관광 상품의 구성요소

의료관광 상품은 경우에 따라 단일 상품으로 나오기도 하지만, 대부분의 경우 다양하고 이질적인 여러 요소를 종합하여 생산된다. 그러므로 의료관광 상품과 관련하여 유관업체와의 원활하고 긴밀한 협조체제를 이룩함으로써 의료관광객의 욕구에 부응하는 상품을 공급하도록 해야 한다.

① 의료관광 인프라 및 부대시설

의료관광 인프라는 우선 병원 및 관련 의료시설이 핵심시설이다. 그리고 고객이 진료를 받는 동안 체류할 수 있는 숙박시설, 건강관리 및 요양과 관련된 시설, 운동시설 등과 같은 보조시설이 이에 속한다. 또한 병원이 있는 곳까지 접근할 수 있는 교통시설 또한 이에 속한다고 볼 수 있다.

② 고객 맞춤 비용

의료관광의 성공 여부는 타깃 분석과 고객의 라이프 스타일 유형 분석을 통한 마케팅 전략 수립에 있다고 할 수 있다. 특히 마케팅 요소 중에 고객에게 적절한 가격을 제시하여 경쟁력 있는 상품을 구성하는 것이 가장 중요하다. 의료관광 상품은 국가 내에서 뿐만 아니라 주변 목적지 경쟁국과의 비교 우위에 있는 것을 제시하게 된다.

③ 고객 서비스

의료시설과 종사자들은 환자에 대한 권리를 보장하고 환자에 대한 서비스로 환자에게 진료와 의료시설에 대한 만족도를 높여야 한다. 의료관광의 주체인 의료관광객은 의료기관 측면에서는 환자이지만 의료관광 산업 전체의 측면에서는 고객에 해당되므로 고객으로서의 권리가 보장되도록 해야 한다. 즉, 의료관광에 관련된 종사자들은 고객서비스 마인드를 기본적인 업무 덕목으로 삼고 고객을 접객해야 하며 세심하고 철저한 전문적 서비스로 고객에게 만족을 주어야 한다.

④ 특색 있는 음식

의료관광객은 진료서비스와 더불어 음식에 대해서도 무척 예민한 편이다. 각자의 체질에 맞는 맞춤 건강식을 찾으며, 치료를 목적으로 하는 보양식에 대한 요구가 높다. 또한 관광객의 입장에서 방문 지역의 특색을 담고 있는 전통음식을 찾을 수도 있다. 이에 대한 사전 욕구 파악을 통한 서비스가 필요하다.

⑤ 관광자원

의료관광 상품에서 관광자원은 부수적인 요소라고 할 수 있다. 그러나 방문객들은 병원에서 치료만을 목적으로 하는 것이 아니라 진료 후 또는 진료기간 중에도 병원이 위치한 지역을 중심으로 관광행동을 원할 수 있다. 특히 건강과 밀접한 관계를 가지는 청결한 주변 환경 및 매력적인 자연적 관광자원, 지역사회의 전통문화 및 예술을 감상할 수 있는 문화적 관광자원, 지역사회의 산업발전과 도시생활과 관련된 사회적 · 산업적 관광자원 등을 들 수 있다.

〈그림 1-5〉 공공기관, 항공사, 여행사, 의료기관 공동 의료관광 홍보 브로슈어

2) 의료관광 상품특징

의료관광 상품은 의료관광객에게 만족을 가져다준다는 측면에서는 근본적으로 일반 상품과 동일하나 몇 가지 다른 특성도 아울러 가지고 있다.

(1) 상품의 복합성: 유형성과 무형성의 공존

의료관광 상품은 복합적인 재화로 구성되어 있다. 의료시설과 호텔 및 휴양 시설 등의 유형의 재화 외에도, 인적서비스라는 무형적인 특성을 동시에 가지고 있어서 구매하기 전에 점검해 볼 수도 없고 시험해 볼 수도 없는 특성이 있다. 따라서 무형의 의료관광 상품은 문의 및 상담, 각종 안내 및 홍보자료와 체험 고객의 정보 등을 통해 구체화된다.

(2) 유사성과 모방성

의료관광 상품 및 서비스는 대체로 유사한 점이 많고 쉽게 모방할 수 있다는 특성이 있다. 구성요소가 거의 유사하며, 후발업체도 쉽게 기존 업체의 상품을 모방할 수 있다. 대체로 시장 도전자는 시장 주도자가 보유하고 있는 상품과 서비스를 개발하기에는 시간과 투자금액이 많이 소요되므로 투자위험을 피하여 기존 상품을 모방하는 경향이 있다. 따라서 시장 주도자는 신상품과 서비스의 개발에 지속적으로 많은 노력을 해야 하며, 시장 도전자가 모방하기 어려운 서비스, 전문성, 신뢰성으로 상품을 차별화하여야 한다.

(3) 인적 서비스의 중요성

의료관광 상품은 인적서비스의 중요성이 무엇보다 강조된다. 이는 생산과 소비가 동시에 이루어지는 특성 때문에 서비스의 기술, 판매방법, 상담 및 접객 매너, 안내기술 등에 따라 매출액의 증감에 영향을 받을 수 있으며 재판매에도 결정적인 요인이 되기 때문이다. 또한 인적의 존성이 크기 때문에 무인 시스템에는 한계가 있으며, 상품의 품질을 일정하게 유지하기가 어렵다.

(4) 가격체계의 불안전성

의료관광은 국가와 지역마다 가격이 다르기 때문에 가격체계가 상호 균형을 이룰 수가 없다. 또한 의료관광객에 따라서 동일한 의료관광 상품이나 서비스에 대해서 각자 느끼는 가치 판단이 다르기 때문에 높은 가격에도 저항을 받지 않는 경우가 생기기도 한다.

(5) 수요의 탄력성

의료관광 상품은 다른 상품과 비교할 때 우등재화에 속한다. 그래서 의료관광 상품의 수요

증가율은 소득수준의 증가율보다 빠르다. 잘 살게 될수록 의료관광 수요는 더욱 더 증가한다는 것이다. 어느 수준의 소득 임계치를 넘어 의식주 등의 기초욕구가 충족되고 난 다음에는 자기실현욕구가 급증하기 때문이다.

(6) 공급의 비탄력성

의료관광 상품은 수요변화에 따라 공급량을 신축적으로 조절할 수 없는 성격을 지녔다. 의료관광 시설이나 단지는 공급량을 빠르게 조절할 수 없다. 또한 저장되지 않는 특성으로 인해 재고가 불가능한 상품으로 수요에 비해 공급의 비탄력성을 가지게 된다.

3) 의료관광 상품의 위험성

의료관광 상품의 구매는 상품의 무형성과 가격체계 및 품질의 불안전성 등으로 인해 상품을 구입할 때 매우 높은 위험성을 내포하고 있다. 그리고 이러한 위험은 연령, 수입, 그리고 경험에 따라 다르게 인식된다. 마케팅 관점에서 이런 위험들은 상품과 촉진 전략에 의해 최소화 할 수 있고, 정보를 획득함으로써 해결할 수 있다.

(1) 경제적 위험

모든 의료관광객들은 의료관광 상품을 구매할 때, 그 상품이 주는 이익에 대한 댓가를 제공할 수 있는지에 대한 재정적 위험에 직면하게 된다. 의료관광은 소비하기 전에는 결과를 알 수 없는 값비싼 상품이다. 이런 위험은 의료관광 상품의 구매가 소득에서 차지하는 비중이 매우 높은 중간 이후 소득층에게는 더욱 높아진다.

(2) 심리적 위험

의료관광객은 이미지가 나쁜 나라나 평판이 좋지 않은 지역의 의료시설을 이용하는 것을 꺼리는 경향이 있다. 이러한 행동은 의료관광 상품의 구매가 자신이 나타내고자 하는 이미지를 반영하지 못한다고 느낄 때 나타난다.

(3) 물리적 위험

어떤 의료관광 목적지는 그 당시 질병이나 범죄의 위험 때문에 위험스러운 곳으로 인식될 수 있다. 그리고 어떤 국가나 지역의 의료시설은 다른 곳의 의료시설보다 안전한 곳으로 생각되기도 한다. 어떤 사람들은 안전하다고 느끼는 지역의 의료시설을 선택하여 물리적인 위험에 대한 지각을 줄이기도 한다.

(4) 실행 위험

의료관광객은 다른 국가의 의료시설의 품질을 미리 평가할 수 없다. 이런 종류의 위험은 상품이 환자가 원하는 편익을 제대로 제공하지 못할 것이라는 생각과 관련이 있다. 대부분의 의료관광객은 자국의 높은 비용, 긴 대기시간, 낮은 의료기술 수준으로 인해 다른 지역으로 의료관광을 하게 된다. 그러나 제반 상황을 제대로 파악하지 못한 채 의료관광을 실행에 옮기게 될 때 위험 요소로 작용하게 된다.

〈그림 1-6〉 의료관광 상품개발 사례

4) 의료관광 상품의 분류

의료관광 상품은 대체로 전문치료 상품, 건강관리 상품, 그리고 웰빙추구형 관광 상품으로 구분해 볼 수 있다. 일본 지역 방문객은 주로 건강관리 상품을 이용하고, 중국과 동남아는 성형 분야와 전문시술 분야, 그리고 러시아와 몽골을 포함한 미주 유럽 지역 외국인환자는 검진 후에 전문시술을 받는 것으로 나타났다.

〈표 1-4〉 한국 의료관광 상품 사례

지역	주요 진료 분야	상품 종류
일본	피부과, 한방과	Medical skin care, 미용관광
중국 / 동남아	성형외과, 내과, 안과, 산부인과 등 (전문병원)	성형시술, 척추관련수술, 불임시술, 안과시술, 대장항문, 모발이식 등
미주/유럽/대양주 러시아/몽골 중동 및 중앙아시아	종합병원	종합검진, 암, 심장, 뇌혈관 수술, 양성 자암치료
기타	힐링센타	건강관광(Health tour) (메디컬 스파 및 테라피)

(1) 전문치료 상품

특정 질병이나 만성질환이 있는 환자들이 전문적인 치료를 위해 의사의 진단과 시술을 받는 경우이다. 여러 가지 암 질환을 치료하거나 심혈관계시술, 관절 및 척추 시술, 안과 및 치과 시술 등이 이에 해당된다. 응급수술은 아니지만 대체로 암수술과 외과적인 방법으로 시술을 하는 경우가 대부분이다.

이러한 전문 치료 상품은 의료서비스 수준이 대체로 낙후되어 있고, 지리적으로 가까운 곳이 우선적이다. 특히 우수한 의료수준에 대한 홍보가 이루어질 경우 성장가능성은 매우 높다.

(2) 선택의료(미용성형 및 검진) 상품

질병이 아닌 외모를 좋게 보이기 위해 피부미용, 미용성형, 두발이식과 같은 시술을 받는 경우와, 질병의 유무를 알기 위하여 검진을 받는 경우는 선택치료의 하나이다. 현대의 많은 사람들은 미용치료나 시술을 통해 아름다움을 유지하고 자기만족을 추구하고 있다. 이들 분야는 질병과 직접적인 관계가 없고 의료보험으로 처리가 되지 않는 분야이므로, 가격이 매우 중요한 의사결정 요인이 되어 저렴한 외국 의료기관을 찾게 된다. 또 예방 차원에서 신체 각 부위에 대한 검진을 해 봄으로써 혹시 모를 질환을 초기에 발견하기 위해 이 상품을 이용하기도 한다.

(3) 웰빙추구 상품

웰빙추구 상품은 일반적으로 경관이 좋은 곳에 의료서비스 인프라가 갖추어져 있거나 혹은 그렇지 않은 곳에서 편안하게 휴양을 즐길 수 있는 상품을 말한다. 이러한 상품에는 건강증진을 위하여 다양한 상품이 존재하며 웰니스관광 상품이라고도 한다.

〈그림 1-7〉 웰니스관광 시설

02절 의료관광 형성

●●●● 의료관광을 이해하기 위해서는 이를 유발하는 요인들을 구분하여 살펴볼 필요가 있다. 이 절에서는 먼저 의료관광의 형성요인을 살펴보고 의료관광의 형태와 의료관광이 실제 진행되는 과정과 커뮤니케이션에 대하여 알아보도록 한다.

1. 의료관광 형성요인

의료서비스에 대한 수요의 증가와 의료산업의 경쟁과 개방으로 인하여 의료서비스를 받고자 하는 소비자의 국제적 이동과 그에 따른 경제적 파급효과는 갈수록 증가하고 있다. 이에 따라 의료관광은 각국의 주요 성장 전략 산업으로 주목받고 있다. 의료관광은 선진 의료수준과 관광의 융합(convergence)을 통해 고부가가치 산업으로 발전할 수 있으므로, 각국 정부에서는 잠재력이 높은 사업 분야로 판단하고 있다. 여기서 융합이란 일반적으로 둘 또는 그 이상의 개체나 어떤 현상이 함께 이루어지는 것을 말한다. 이러한 융합은 단순히 어떤 기술이나 제품을 합치는 것이 아니라 다른 기술이나 제품을 합쳐 기존 제품들의 합보다 더 큰 시너지를 창출해내는 것을 의미한다.

1) 의료관광 발생요인

의료관광은 우선 자기가 살고 있는 지역의 의료서비스가 여러 가지 측면에서 충족되지 않았을 경우 발생하게 된다.

(1) 비용의 차이

의료 서비스를 받기 위해 해외로 나가게 만드는 요인 중에 가장 먼저 거론될 수 있는 것은 자기가 살고 있는 지역의 높은 의료비이다. 의료서비스 내용이 유사하다면 의료비가 가장 중요한 차별적 요인이 된다. 의료비는 자본비용과 숙련노동자의 인건비의 차이에 의해서 결정된다. 따라서 이들의 원가를 낮게 유지하는 것이 경쟁의 원천이 된다.

일반적으로 의료비가 비싼 지역의 환자들이 비용이 저렴한 의료서비스를 제공하는 지역으로 이동을 하게 되는데, 선진국에서 개발도상국으로 이동하는 경우가 이에 해당된다. 미국의 경우 의료비가 다른 나라에 비해 상대적으로 높기 때문에 해외로 의료관광을 가게 된다. Reisman(2010)[7]은 미국의 의료비가 높은 이유로 임금, 규제, 보험과 관리비의 네 가지 요소를 언급하였다. 우선 미국의 의료비에서 인건비가 55%를 차지한다. 반면에 싱가포르의 경우 44%가 인건비이고 태국의 영리병원에서는 18%에 불과하다. 그리고 미국은 병원이나 의료 인력에 대한 규제가 엄격하기 때문에 새로운 혁신을 시도하거나 운영상의 융통성을 발휘하기가 힘들다. 반면에 동남아 국가들은 대체로 규제가 느슨하여 다양한 경영 합리화를 통해 비용을 절감해나간다. 또한 미국은 의료사고를 대비한 배상 보험료가 높게 책정되어 있고, 고가의 장비 등으로 인해 관리 비용도 다른 나라에 비하여 무척 높은 편이다. 결국 이러한 비용적 측면의 요인이 선진국의 의료비를 높게 만들고, 이러한 의료비를 감당하기 힘들어지면, 상대적으로 비용이 저렴한 서비스를 제공하는 곳으로 환자들이 이동하게 된다. 일부 아시아 병원의 진료비 수준은 미국 등 선진국 병원에 비해 진료과목에 따라 20~80% 수준에 불과하다.

---

7 Reisman, D. (2010), Health tourism: Social welfare through international trade, Cheltenham: Edward Elgar.

〈표 1-5〉 주요 국가 병원별 종합건강검진 가격 비교

구분	국내 K병원		싱가포르 R병원[2]		태국 B병원[3]		일본 T병원[4]	
상품명[1]	Premium (M)	Premium (F)	Premium (M)	Premium (F)	Premium (M)	Premium (F)	Premium (M)	Premium (F)
검진항목 개수	129	140	102	107	39	40	97	96
검진가격 (만원)	460	490	696.8	790.9	78.2	85	99.99	202.7

1 : 호텔 또는 병원 1박 포함
2 : 싱가포르는 각 연령에 맞추어 가장 적합한 건강검진 상품을 판매하고 있음
3 : 태국은 병원별로 검진가격에 대한 협상이 가능하여 가격변동 폭이 큰 편임
4 : 일본은 호텔 객실 타입에 따라 검진비가 많이 달라짐

출처: 의료관광 실무매뉴얼, 2010, 한국관광공사

(2) 대기시간의 차이

긴 대기시간도 해외로 의료관광을 떠나게 만드는 요인이 된다. 그동안 자국 내에서의 규제나 고비용으로 인한 의료체계의 불합리성을 받아들이던 환자들이 대기시간 없이 시급한 치료를 받거나 저렴한 비용으로 치료를 받기 위해 이동함으로써 의료분야에서도 소비자 주권을 행사하고 있다. 또한 영국, 캐나다 등은 전 국민을 대상으로 하는 건강보험체계가 잘 갖추어져 있으나, 수술을 받기 위해서는 장기간의 대기시간이 요구된다. 이에 따라 빠른 의료서비스를 받기 위하여 해외를 선택하는 경우가 갈수록 증가하고 있다. 프레저(Fraser) 연구소에 의하면 캐나다에서는 보통 진단에서 치료까지 걸리는 기간이 2006년도의 경우 평균 18주였다고 한다.

(3) 의료수준의 차이

해외로 의료관광을 떠나게 만드는 또 다른 중요한 요소로 자국의 낮은 의료서비스 수준을 꼽을 수 있다. 초기 의료관광의 모습에서는 의료수준이 낮은 후진국이나 개발도상국에서 의료기술이 뛰어난 선진국으로 보다 나은 서비스를 받기 위해 이동하였다. 지금도 의료 수준이 낮은 많은 나라에서는 주변의 의료기술이 뛰어난 지역으로 이동하는 모습이 여전히 발생하고 있다. 인도네시아, 베트남, 캄보디아와 같은 지역에서 싱가포르와 태국을 찾는 것도 이러한 사례이다. 또한, 중국, 러시아, 중동 지역과 같은 곳에서는 경제력은 높지만 의료수준은 낮아 환자들이 보다 나은 의료서비스를 받기 위해 해외로 나가게 되는데 이 또한 여기에 해당된다.

(4) 제한적 의료서비스

의료서비스를 받기 위해 해외로 나가는 또 다른 요인은 자국에서의 의료서비스가 제한적이기 때문이다. 즉, 다른 지역에서는 이용할 수 있는 의료서비스가 자국에서는 접근이 용이하지 않기 때문이라 할 수 있다. 이러한 것으로는 첫째, 자국에서 특정 의료기술이 개발되지 않은 경우이다. 줄기세포치료나 첨단수술기법의 경우 자국에서 기술이 충분히 발달하지 못했을 경우, 환자들은 신기술을 이용한 치료를 받기 위해 이동을 한다. 둘째, 자국에서 새로운 의료기술이 개발되었으나 이를 인증하는 절차가 복잡하거나 기간이 오래 걸릴 경우 이런 신기술 치료를 받기위해 이동한다. 일본의 경우 신기술을 인증하는데 미국에 비하여 두 배 이상의 시간이 소요된다고 한다. 셋째, 자신이 이용하고자 하는 의료서비스가 자국에서는 불법으로 간주되는 경우이다. 장기이식, 대리출산이나 안락사와 같은 경우인데, 반인륜적이거나 범죄와 연관될 수 있기 때문에 일반적으로 허용되지 않는다.

(5) 특정 치료에 대한 부정적 인식

자국에서 특정 치료에 대한 부정적 인식이 지배적이면 이런 치료를 비밀리에 받기 위해 해외로 나가고자 하는 동기가 생기게 된다. 미용을 위한 성형수술의 경우 아직까지 많은 지역에서 부정적인 이미지가 지배적이다. 따라서 비밀리에 해외로 나가서 성형수술을 하는 것이 자신의 프라이버시를 지키고 주위의 비난을 피하는 대안이 될 수 있다. 성전환수술 역시 주위의 호기심과 비난을 무릅쓰고 수술을 받기 보다는 익명성이 보장되고 자유롭게 받아들이는 분위기의 지역으로 가서 시술을 받고 싶어 하며, 낙태수술이 합법적인 곳임에도 불구하고 문화적으로 금기시되는 분위기와 사회적 낙인으로 인해서 다른 지역으로 옮겨 시술을 받기도 한다.

(6) 준거문화의 차이

이민자의 경우 언어의 어려움, 건강과 질병에 대한 태도의 차이, 의료에 대한 믿음의 차이, 차별받는다는 인식 등으로 인해서 이민 와서 살고 있는 나라의 의료기관보다는 자신이 원래 살았던 고국으로 돌아가서 의료서비스를 받고 싶어 한다. 특히 이민 1세대의 경우에는 본국에서 일상적으로 받았던 의료서비스 문화에 익숙하기 때문에 이러한 현상이 강하게 나타난다. Wallace 등(2009)[8]은 멕시코 이민자들이 멕시코로 치료를 받기 위해 방문하는 이유를 조사하

---

8 Wallace, P., Mondez C. & Castaneda X. (2009), Heading South: why Mexican immigrants in California seek health ser-
   vices in Mexico. Medical care, 47(6), 662-669.

였는데, 무보험과 대기시간 이외에도 언어장벽과 문화차이가 주요 요인인 것으로 밝혀졌다. 즉, 경제적 이유 이외에도 의료문화를 요인으로 지적하였다.

2) 의료관광의 촉진요인

의료관광의 활성화를 촉진하는 것들로는 다음과 같은 요인들이 있다. 이러한 요인들 자체만으로 의료관광이 이루어지는 것은 아니지만 의료관광이 활발하게 일어나도록 만드는 중요한 요인이 된다.

(1) 교통과 운송의 발달

세계화, 소득수준의 향상, 여가 활동의 증가 등으로 인하여 국가 간 여행이 보편화 되었으며, 교통여건의 개선 및 교통비용의 절감으로 도시 간 이동시간이 줄고 편리성도 대폭 증가하였다. 보다 많은 사람이 빠른 속도로 편안하게 이동할 수 있는 수송수단이 발달하고 인프라가 구축되었는데 이는 결국 관광 활성화에 크게 기여하였다. 또한 최근 고속철도나 저가항공사의 출현으로 여행객들의 선택의 폭은 훨씬 넓어졌다. 편리한 교통편을 통해 많은 사람들이 오가는 과정에서 서로 상대국의 의료서비스 내용을 알게 되고 입소문을 통해 빠르게 전파된다. 또한 훌륭한 교통 인프라는 건강이 좋지 않은 사람들이 보다 수월하게 다른 지역으로 이동하여 의료서비스를 받게 하는 효과를 가져 온다.

(2) 정보통신매체 발달

인터넷, 휴대전화 등 정보통신매체의 발달로 각국 간의 의료비와 서비스 품질의 비교가 용이함에 따라 소비자의 능동적인 선택이 가능해졌다. 인터넷과 미디어의 해외 의료 정보 제공으로 소비자는 자신들이 원하는 치료방법과 결과물에 대한 보다 자세한 정보를 얻을 수 있게 되었으며, 지역별·국가별로 비교하여 가격 및 서비스 품질 우위를 판단할 수 있게 되었다.

의료관광 시장에서는 의료서비스에 대한 정보를 얻을 수 있는 다른 소스가 부족하기 때문에 인터넷이 중요한 역할을 하고 있다. 인터넷을 통해서 잠재적인 의료관광객들이 외국의 의료시설, 의사나 환자의 후기 등을 접하고 의사결정을 하게 되는 경우가 많다. 잠재적인 외국인환자들은 인터넷을 통해서 목적지 병원과의 온라인 의사소통을 하게 되며, 방문 전에 상세한 정보를 얻고 병원에 대한 신뢰를 구축하게 된다.

(3) 의료관광 비자 제도

의료관광 활성화를 위하여 의료관광 주요 국가들이 의료비자(medical visa) 제도의 도입을 통해 해외환자의 이동편의성을 높여주고 있다. 일반적으로 관광시장의 활성화는 비자와 같은 출입국 절차에 대한 제도적 규제에 많이 달려있다. 방문 목적이 치료일 경우 비자 발급상의 절차를 간소화하면 보다 수월하게 의료관광객을 유치할 수 있다. 일반적으로 의료 비자를 발급받기 위해 필요한 서류로는 다음과 같은 것이 있다.

① 치료의 목적으로 방문 국가에 일시적으로 머물게 된다는 것을 증명하는 서류

② 치료비용을 지불할 수 있는 경제적 능력을 보여주는 서류

③ 자국에서의 경제적, 사회적 근거를 보여주는 서류

④ 귀국할 것을 알려주는 자국에서의 거주증명 서류

(4) 의료관광 중개회사 등장

의료관광 시장이 성장함에 따라 의사, 간호사, 전문컨설팅 그룹들이 의료관광 컨설팅회사나 알선회사를 설립하여 개별 환자 및 기업들에게 의료관광 정보를 제공하거나 해외치료를 주선하고 있다. 특히 선진국에서는 목적지별 국가에 따라 특성화된 회사들이 활발하게 활동하고 있다. 그 예로 미국의 전문에이전트인 Medical Tourism International과 Global Choice Healthcare사는 코스타리카 의료관광을 알선하고 있으며, 미국의 Indo-US Health와 영국의 Taj Medical Group은 인도 의료관광을 전문으로 주선하고 있다.

(5) 의료관광 네트워크 구축

최근 의료관광과 의료기관들의 국제적 네트워크가 활발히 구축되고 있다. 개발도상국의 의사들은 교육이나 연수를 받은 선진국 병원에 자신의 환자를 소개하고 있다. 거꾸로 선진국에서 면허를 받고 활동했던 의료진이 본국으로 돌아가 네트워크를 활용하여 선진국의 환자를 유치하기도 한다. 또한 여행사 및 호텔과 의료기관이 협력하여 해외환자를 유치하기 위한 공동 마케팅에 나서기도 하고, 의료기관과의 네트워크를 형성하여 환자의 편의를 제공하는 등 다양한 효과를 발휘하기도 한다.

(6) 의료서비스 인증 제도 확산

인증제도는 환자 중심의 서비스와 적정 수준 이상의 표준화된 서비스 제공에 대한 신뢰를 심어줄 수 있어 서비스 균질화가 어려운 의료관광 시장에서 환영을 받고 있다. 따라서 해외환자 유치에 적극적인 병원들은 의료서비스에 대한 국제품질인증을 취득하여 병원의 시설 및 장비를 현대화하고 표준화된 선진국 수준의 의료서비스를 제공하고자 노력하고 있다. 또한 많은 의료기관에서 의료 선진국에서 학위 또는 수련을 받은 의료진을 확보하여 해외환자 및 알선기관의 신뢰를 얻고 있으며, 의료관광의 가장 중요한 요인인 언어문제도 동시에 해결하고 있다.

1991년까지 전 세계적으로 8개에 불과하였던 의료기관인증프로그램은 2010년에 이르러 44개로 증가하였다. 미국에서 시작된 이런 의료서비스에 대한 표준 프로그램은 도입된 이후 캐나다, 호주, 영국 등 전 세계적으로 확산되고 있다. 대표적인 국제 인증으로는 JCI(Joint Commission International)[9]가 있다.

〈표 1-6〉 아시아 주요국 국제인증 획득 및 자체 인증기관 현황

국가	국제인증 획득	자체 인증기관
싱가포르	JCI 국제인증 병원(16개)	Singapore Accreditation Council(SAC)
태국	JCI 국제인증 병원(11개), ISO9001 및 ISO14001 인증(1개)	Hospital Accreditation Thailand institute(HAT)
필리핀	JCI 국제인증 병원(3개)	Philippine Council on Accreditation of Health Organizations(PCAHO)
말레이시아	JCI 국제인증 병원(6개)	The Malaysia Society for Quality in Health (MSQH)
일본	JCI 국제인증 병원(1개), ISO9001 인증 (85개), ISO14001 인증(21개)	일본헬스케어품질협회
한국	JCI 국제인증 병원(30개)	-

9　JCI(Joint Commission International, 국제의료기관평가위원회)는 전 세계를 대상으로 엄격한 국제 표준 의료 서비스 심사를 거친 의료기관에게 발급되는 민간 인증기관이다. 환자의 안전과 양질의 의료서비스 제공을 목적으로 하며, 환자가 병원에 들어서는 순간부터 퇴원까지 치료의 전 과정을 11개 분야 1,033개 항목에 걸쳐 세밀하게 평가한다.

3) 환경 개선요인

의료관광은 주변 상황요인에 따라 영향을 받게 된다. 이러한 환경요인에 따라 의료관광이 활성화되기도 하고 제한받기도 한다.

(1) 글로벌 경제상황

의료관광은 글로벌 경제상황에 크게 영향을 받는다. 글로벌 경제여건에 따라 국제적인 인구이동이 촉진되며 의료관광객의 증감이 일어난다. 이러한 상황은 여행객의 교류를 억제하는 요인으로 작용하기도 한다. 실제로 2008년 세계적 금융위기 이후 3년 동안 미국과 유럽에서 해외로 나간 의료관광을 위한 여행객의 수가 줄어들었음이 밝혀졌다. 글로벌 경제상황에 따른 자국의 경제 여건에 따라서 통화가치는 늘 변하게 된다. 글로벌 금융시장의 불안은 해외에서의 자본 차입여건을 악화시켜 자국 금융기관의 유동성 경색을 초래할 수 있고, 이는 결국 통화가치의 약세와 환율 상승으로 이어진다. 자국의 환율 상승은 여행비용에 영향을 미치는 중요한 요소가 된다.

(2) 휴양 및 여가 선호

스파, 마사지, 요가 등 휴식을 통한 재충전에 대한 인식이 높아지면서 휴양관광(wellness tourism)도 의료관광의 넓은 범위에 포함되고 있다. 휴양관광은 휴양과 스파 등 건강증진을 위한 활동이 주축을 이루고 있다. 대표적인 휴양관광 상품인 스파의 경우 도시생활에 대한 스트레스 해소와 휴식을 주요 목적으로 삼고 있으며 휴양과 미용 목적을 동시에 달성하기도 한다.

2009년 intelligence.com이 조사한 바에 따르면 전 세계의 스파 시장은 나날이 규모가 커지고 있으며, 연간 8~32% 정도 성장세가 예상된다고 밝혔다. 2009년 홍콩의 'Asia Spa' 잡지는 아시아 최고의 휴양관광과 메디컬 스파 목적지로 태국을 꼽았다.

(3) 여행 불안요인

관광객은 다른 나라로 여행하면서 자국과 다른 문화를 경험한다. 문화는 사고방식, 삶의 방식, 전통, 언어, 음식 등 여러 가지를 의미한다. 외국으로의 여행에서 가장 큰 염려 사항은 의사소통과 음식의 차이이다. 따라서 외국인환자는 목적지 국가의 의료수준 뿐 아니라 사회문화

전반에 대한 차이로 인해 염려를 하게 된다. 의료관광객은 의료관광의 의도나 목적지 선택을 하는데 있어 이러한 불안감으로 인해 영향을 받을 수 있다.

2. 의료관광의 형태

의료관광은 환자가 치료를 목적으로 자국의 의료기관을 대신하여 해외의 의료서비스를 받는 것을 말하며, 이와 관련하여 방문 대상 국가의 의료, 문화, 사회, 관광 상품 등을 체험하는 행위를 모두 포함하는 광범위한 활동을 뜻한다. 이때 환자들이 다급하거나 중대한 시술을 위해 방문하는 경우도 있고, 휴양을 위한 관광중심의 방문일 경우도 있다. 또는 단순히 구전에 의해 소개될 때도 있다. 공통적인 것은 소비자가 구매하고 싶은 매력적인 상품이 존재한다는 것이다. 이때 매력적인 상품이란 단순히 진료내용만을 의미하는 것이 아니라 진료 상품과 연계된 서비스 상품까지 포괄하는 것이다.

공공의료 시스템에 의해 신속한 서비스가 어려운 서유럽 국가에서는 헝가리, 체코 등의 동유럽 국가로 이동하고, 의료비가 너무 비싼 미국에서는 의료비용과 이동비용이 저렴한 인근 중남미 국가로의 이동이 많다. 반면, 의료서비스가 낙후된 경우에는 전문적인 치료나 휴양을 위하여 선진의료 국가로 이동하기도 한다. 최근에는 싱가포르, 태국, 인도 등 일부 아시아 국가들이 국제 인증 및 유명 의료진을 갖추고 저렴한 비용 등을 강점으로 내세워 의료강국으로 자리매김하고 있다.

1) 인접 국가

근거리 국가는 평소 방문할 기회가 상대적으로 많고 이동시간이 짧아 가벼운 치료나 휴양 등의 목적으로 빈번하게 이동하게 된다. 국내의 경우 일본인과 중국인은 한국에 대한 관심도가 높고, 온·오프라인을 통하여 정보를 쉽게 접할 수 있으므로 상대적으로 교류가 많이 이루어지고 있다.

일본의 경우, 한국의 병원들을 소개하는 방송이나 신문기사가 많이 나오기도 하며 실제로 국내 피부과, 성형외과, 척추병원 등에서 자체적으로도 적극적인 홍보를 시행하고 있다. 그러나 일본인들의 문화적 특성상 수술에 대한 부담 없이 치료만을 받을 수 있는 피부과나 한방병원 등을 선호하는 경향이 있다.

최근 방문객이 급속도로 늘고 있는 중국의 경우에는 한류 열풍으로 미용, 성형, 피부 관리 등에 대한 관심이 높게 나타나고 있다. 베이징 지역은 갑상선, 위장장애에 관한 진료 수요가 많고, 상하이 지역은 미용 및 성형에 관한 관심이 높으며, 내륙 지방은 폐환자 등의 전문치료를 요하는 경우가 많아 지역별로 차별화된 접근전략이 필요하다.

2) 의료서비스 후발 국가

해당 국가의 낙후된 의료서비스 수준으로 만족할 만한 치료를 보장받지 못하여 인근에 의료서비스가 발달한 지역을 방문하는 경우이다. 국내를 찾는 극동러시아와 몽골 지역이 대표적이며, 일부 동남아시아, 중앙아시아 지역도 이에 해당된다. 암수술, 뇌혈관질환, 심장질환 등 전문시술을 위해 방한하는 경우가 많으나 최근에는 건강검진, 미용 및 성형을 위해서 방문하는 사례도 점차 늘고 있다.

3) 의료서비스 선진 국가

자국 내 의료서비스 비용이 워낙 높아 의료비 절감과 관광의 목적으로 이동하는 경우이다. 이들 지역에서는 건강보험 혜택을 받을 수 없거나 대기기간이 길어 자국에서 충분한 의료서비스를 받지 못해서 해외 의료기관을 선택하는 경우이다.

미국은 보험에 가입되지 않은 경우가 전체의 17%에 이르고, 자국에서의 의료비가 지나치게 비싸 주변 국가로 매년 70만 명 정도가 이동하는 것으로 파악되고 있다. 북미 지역의 한국 방문이 동포를 중심으로한 건강검진 상품이 주를 이루고 있는 것도 이와 같은 맥락이라고 볼 수 있다.

반면, 중동 지역은 자국의 의료서비스보다 전문화되고 임상수준이 높은 국가에서 진료를 받고자 하는 경우가 많다. 매년 50만 명 정도가 중동 지역에서 의료관광을 위해 해외로 나가는 것으로 집계되고 있다. 최근에는 바레인, 요르단, UAE 등 인접 국가들이 의료관광을 목적으로 하는 관광객 유치에 적극적으로 나서고 있다. 이 지역에서는 한국으로 방문할 때 전문시술 분야의 진료를 희망하는 경우가 많다.

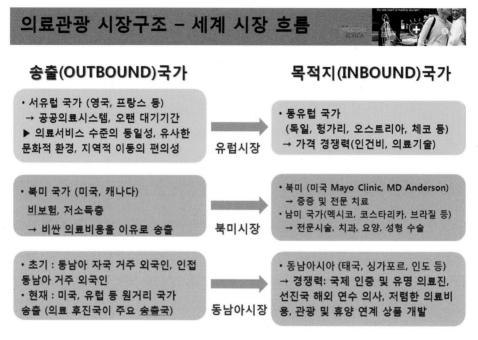

〈그림 1-8〉 세계 의료관광 시장구조

3. 의료관광 진행 및 커뮤니케이션

의료관광 코디네이터는 의료시장에서 외국인환자를 유치하고 관리하기 위한 구체적인 진료서비스 지원, 관광 활동 지원, 국내외 의료기관의 해외 진출 지원을 담당한다. 즉, 의료관광 마케팅, 의료관광 상담, 리스크 관리 및 병원행정업무 등을 담당하게 된다. 이러한 핵심역할을 수행하는 코디네이터 지원을 통해 이루어지는 외국인환자의 실제 의료관광 진행절차와 문제 발생시 처리상황에 대하여 알아본다.

1) 의료관광의 진행절차

의료관광의 형태 중 의료서비스와 관광서비스를 함께 이용하는 외국인환자에 대한 진행절차를 통해 일반적인 의료관광의 단계별 특성을 알아본다.

(1) 정보수집 및 상담

의료서비스를 받기 위해 해외로 나갈 의향이 있는 잠재적 소비자(외국인환자)는 의료시설 및 의료기술 등 의료관광의 기본 인프라에 대한 정보 수집부터 시작한다. 이때 해당 의료서비스 뿐만 아니라 해당 국가나 도시의 위치, 기후, 물가, 교통 등의 정보도 함께 수집하게 된다. 아시아 의료관광 경험자를 대상으로 진행한 조사결과[10]에 따르면 여행 전에 미리 의료서비스의 이용을 계획하며 정보수집을 할 때 경험자의 58.7%가 지역보다는 의료서비스에 관한 내용을 우선 고려하는 것으로 나타났다. 또한 2012년에 한국 의료관광을 경험한 외국인환자를 대상으로 실시한 조사에 의하면 의료서비스에 대한 정보는 주변인의 추천이 57.6%로 가장 높게 나타났다. 이는 신체적 안전과 직결되어 있어 서비스 민감도가 높은 의료서비스의 특징을 반영하는 것이다. 그 외 인터넷, 신문 및 잡지를 통한 정보접촉 빈도도 비교적 높게 나타났다.

〈표 1-7〉 의료관광 정보 수집 경로(중복응답)

구분	지인을 통해	인터넷	신문/ 잡지	여행사/ 유치업체	TV방송	홍보책자	SNS	기타
비율(%)	57.6	49.9	17.8	12.4	11.6	8.8	4.1	8.0

출처: 한국의료서비스 만족도 조사, 2012, 한국관광공사

기본 정보수집을 통해 어느 정도 목적지와 의료서비스에 대한 윤곽이 잡히면 전문의료기관 혹은 전문에이전시나 여행사를 통한 상담 및 상품예약에 들어간다. 그 밖에 치료 외 여유시간을 위한 관광 및 휴양 정보나 숙박, 음식 및 쇼핑정보 등을 수집한다. 외국인환자가 의료서비스 기관을 선택하는 방법은 네 가지 형태로 나타난다. 이는 대상지역과 상품 종류에 따라 그 선택 형태가 다름을 알 수 있다.

① 해외 및 국내 유치업체를 통한 의료기관 선정

② 국내 유치업체를 통한 의료기관 선정

③ 해외 유치업체를 통한 의료기관 선정

④ 소비자가 직접 의료기관을 선정

10　의료관광객마케팅조사보고서, 2008, 한국관광공사

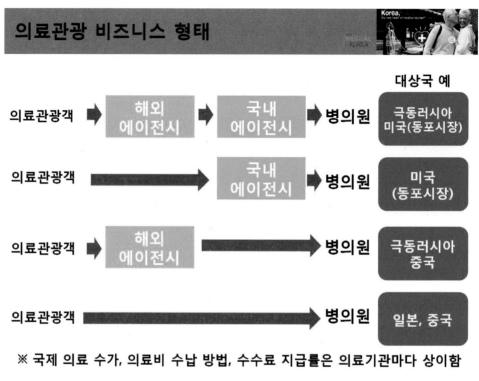

〈그림1-9〉 외국인환자 의료기관 접촉 형태

(2) 출국 및 입국

의료서비스를 받기 위한 목적지와 체류기간 등이 확정되면 외국인환자는 목적 국가로 이동하기 위한 출국준비를 하게 된다. 여권 및 비자를 준비하고 의료서비스를 받기 위한 기본 서류 등을 준비하는 단계이다. 이 단계부터는 각국별로 요구하는 것이 다르기 때문에 의료관광 코디네이터와 같은 전문가의 도움을 받을 수 있으며, 체류기간이나 진료 성향에 따른 의료비자 (medical visa)를 신청할 경우도 있다. 또한 체류기간을 고려한 항공권 및 숙박 예약이 이루어져야 한다.

모든 출국준비를 마치고 목적지 국가에서 입국수속을 밟고 국내로 들어오면 미리 지정된 숙소로 이동하게 된다. 이동하는 경우에도 여행사나 에이전시와 사전에 협의하여 마중을 나오거나, 대중교통을 이용 할 수도 있다. 거동이 불편하거나 중환자, 응급환자의 경우 앰뷸런스를 이용하여 목적지로 이동하는 것이 가능하다.

(3) 의료서비스

다른 나라에 입국한 외국인환자는 이제 의료관광의 본래 목적인 의료서비스를 받기 위해 해당 의료기관으로 이동한다. 최근에는 호텔 내에 의료기관이 입주하는 경우도 늘고 있으며 숙박시설을 갖춘 검진센터 등도 운영되고 있다. 또한 의료기관의 숙박시설 운영도 허용되어 의료기관이 인근에 외국인환자를 위한 숙박시설을 건립하여 편의를 제공하는 서비스가 가능해졌다.

의료진의 상담 및 의료시술 전 과정에서 의료관광 코디네이터 또는 각 병원의 코디네이터가 외국인환자의 모든 예약일정 및 병원업무를 지원하게 된다. 이들은 의료보험과 연계될 수 있도록 하거나 사전 미팅을 통해 외국인환자의 요구사항을 파악하여 병원과 의료진에게 전달하는 역할도 담당하게 된다. 외국인환자 유치 의료기관의 경우 외국어가 가능한 의료진이 상담 및 시술을 진행하나 의료관광 통역사나 의료관광 코디네이터가 통역을 진행하기도 하며, 필요할 경우 외국인환자의 자국 의사와 상담도 진행된다.

(4) 요양 및 관광

의료시술이 끝났거나 다음 시술을 위한 회복기간에 외국인환자는 건강의 호전을 위하여 휴양하면서 몸조리에 들어가게 된다. 이 기간 동안 사전에 계획한 내용이나 수집한 정보를 바탕으로 휴양투어, 체험투어, 시티투어, 레저 및 엔터테인먼트 활동을 즐길 수 있다. 이때 여행사나 에이전시의 지원을 받아 프로그램을 진행하는 경우가 많다.

(5) 귀국 및 사후관리

다른 지역에서 모든 일정을 소화하고 어느 정도 회복기간을 거친 후에 외국인환자는 자국으로 돌아가게 된다. 입국 때와 마찬가지로 공항까지는 여행사나 에이전시의 환송서비스를 이용하거나 대중교통을 이용하게 되며, 거동이 불편하거나 중증환자의 경우 앰뷸런스를 이용할 수 있다. 출국은 탑승수속, 세관신고, 보안검색, 출국심사, 탑승의 과정으로 이루어진다.

외국인환자가 자국으로 돌아간 이후에도 지속적인 건강관리나 추가진료에 대한 상담이 필요하다. 최근 원격진료(ubiquitous healthcare: U-Health) 시스템을 도입한 사례가 있는데, 이 시스템은 시간 및 공간적 장벽을 뛰어넘을 수 있다는 특징을 가지고 있으며, IT 기술을 바탕으로 국내 의료시장에서도 빠르게 성장하고 있다. 화상 검진 시스템 뿐 만 아니라 손목시계를 활용한 맥박 및 혈압 측정, 휴대폰을 사용한 스트레스와 혈당 자가 체크 및 데이터 전송 등도 모두 이것의 일부분이다. 또한 만약의 부작용 및 의료사고가 발생할 경우 에이전시, 보험사, 의료기관 등은 협조체계를 구축하여 이에 대한 신속하고 명확한 대응을 해야만 한다.

2) 의료관광 커뮤니케이션

의사와 환자와의 관계 설정과 대화 방법은 고대로부터 현대 의학에까지 지속적으로 다루어지고 있다. 의료 인터뷰란 진단을 내리기 위하여 의료 정보를 주고받는 과정으로써 환자에 대한 정보교환 뿐 아니라 환자와 의사와의 관계를 이루어가는 과정이 모두 포함된 과정이다. 이것은 의사와 환자와의 신뢰를 쌓는 단계이므로, 외국인환자에 있어서는 이러한 커뮤니케이션의 중요성이 더욱 강조될 수밖에 없다.

(1) 커뮤니케이션의 중요성

의료진과 환자의 커뮤니케이션은 임상적 질과 서비스의 질 측면에서 모두 중요하다. 만일 환자가 자신의 증상을 정확하고 명료하게 의사에게 설명을 못하거나, 의사가 환자의 설명을 제대로 이해하지 못하면 진료의 첫 단계인 진단단계에서부터 문제가 생길 수 있다. 또한 정확히 진단이 내려졌어도 의사가 환자에게 건강상태나 지시사항을 알아들을 수 있게 설명하지 못하거나 환자가 이해를 못하게 되면 환자는 치료계획대로 따라오지 못하게 된다. 이와 같이 의사와 환자의 커뮤니케이션은 임상적 결과와 직결될 수 있는 매우 중요한 요소이다. 그리고 의사나 간호사가 환자의 문제에 관심을 가지고 적극적으로 대화를 유도하고 들어준다면 환자는 의료진에 대해서 신뢰를 갖게 될 것이다. 또한 의료진이 환자에게 적극적으로 설명하고 상호 대화를 이끈다면 불필요한 오해를 줄일 수 있고 환자의 만족도는 올라가게 된다. 이런 맥락에서 의료진과 환자의 커뮤니케이션은 서비스 질과도 연관되는 요소이다.

커뮤니케이션이 이루어지는 맥락을 바라보는 사회적 시각에 대한 이해도 필요하다. 커뮤니케이션의 당사자인 의사와 환자는 주어진 상황에서 각자 나름대로 주어진 역할을 수행하게 된다. 사회화 과정을 통해서 의사와 환자는 자신이 어떻게 행동해야 할지에 대한 사회적 기대를 가지고 있다. 이 기대역할에 준하여 상호교류가 이루어지기 때문에 의사소통을 할 때 예측이 가능하게 되고, 관계가 안정이 된다. 의사는 기술적 전문성을 발휘하고, 감정적 중립성을 유지하며, 누구에게나 보편성을 보일 것으로 기대된다. 반면에 환자는 질병에 걸렸다는 책임에서 벗어나고, 잠시 동안 기존의 역할로부터 면제되며, 회복하려고 노력하면서 의사와 접촉하고 협력해야 한다는 사회적 역할을 갖게 된다. 이러한 역할에 대한 기대가 하나의 사회적 규범으로 인정되어 있기 때문에 이러한 틀에 준하여 서로 상호교류가 이루어지게 된다.

(2) 의료진과 외국인환자의 커뮤니케이션

의료 커뮤니케이션은 의사가 의사소통의 과정을 통제하는 '지시적인 면접(directive interview)'과 '환자중심의 면접(client-oriented interview)'으로 구분할 수 있다. 지시적인 면접에서는 의사가 상황을 일방적으로 주도하며 환자에게 질문을 하고 자신의 지시사항을 전달한다. 반면에 환자 중심의 면접은 환자를 파트너로 간주하여 의사가 환자와 정보를 교류하고 공유하면서 진행해 나간다. 일반적으로 의사와 외국인환자의 커뮤니케이션은 환자 중심의 면접으로 이루어지며 그 세부 과정은 다음과 같다. 특히 이들과는 언어와 문화가 다르므로 보다 신중한 대처가 필요하다.

① 첫 대면

먼저 환자의 진료기록 등을 검토하고 환자의 일반사항을 물으면서 눈 맞춤이나 악수 등을 통하여 유대감을 형성한다. 외국인환자를 대할 때 의사는 통역사를 통하여 대화를 하지만 환자를 직접 보면서 대화하고 수시로 비언어적인 표현 방법으로 환자에게 관심을 가지고 있음을 보여주어야 한다.

② 의료 인터뷰

공감대가 형성되고 나면 환자가 본인의 이야기를 시작하게 되고, 의사는 환자로부터 얻은 질문에 대한 대답과 진단내용이나 치료방안을 전달하는 설명 과정을 거친다. 통역사를 이용하는 경우, 의사가 일방적으로 여러 가지를 말하면 통역하기가 힘들기 때문에 짤막하게 말하고 환자의 대답이나 반응을 들을 수 있도록 하는 배려가 필요하다. 또한 다음 할 말에 대하여 전략을 세워 환자가 혼동하지 않고 차분하게 의사의 설명을 이해하고 마음의 준비를 할 수 있는 여유를 주는 것이 좋다. 인터뷰 중간에 적절하게 환자의 질문이나 이야기에 반응하여 환자의 걱정이나 관심사를 확인하고 그러한 부분에 대하여 관심을 보이고 공감을 표현해 주어야 한다.

③ 교육, 협의, 환자와 협조하기

환자로부터 모든 정보를 수집하고, 검사를 한 후에는 의사가 판단한 해당 질환에 대하여 환자에게 설명을 하고, 다음에 무슨 일이 일어나게 되는지, 확진을 위하여 검사를 더 진행하여야 하는지 또는 치료계획 등에 대하여 설명하는 과정을 거친다. 이러한 설명을 하는 과정에서 환자의 수준에 맞춰 이해하기 쉽고 구체적으로 설명하는 것이 중요하다. 설명을 하는 중간에 환자가 이해를 하고 있는지, 설명에 대하여 어떤 생각이나 감정 등을 갖고 있는지를 확인해보는 질문을 하는 것도 좋은 방법이다. 이러한 설명을 통해 환자는 향후 치료계획에 참여할 의지를 확고히 하게된다. 이러한 설명이 환자가 가지고 있는 가치관 이해력 등과 접목이 되었을 때 참여의사와 동의 과정이 이루어지며 주어진 치료계획 등에 잘 따르게 된다. 그러나 환자의 가치관이나 경제적 요인, 사회적 요인 등의 장애요소가 있는 경우, 의사가 이를 파악하여 환자가 계획에 잘 따라올 수 있도록 배려하는 것이 바람직하다.

④ 인터뷰 마무리

인터뷰의 마무리 단계에서는 의사와 환자가 어떤 결론이 내려졌는지에 대하여 상호이해하여야 하고 다음 단계 또는 치료계획이 있는지에 대하여 분명히 하여야 한다. 가장 쉬운 방법은 의사가 마무리하면서 그동안 설명한 내용을 요약하여 다시 이야기해주고 환자가 모두 이해하였는지 알아보는 것이다. 다음 예약이 필요한 경우에는 예약에 대해 안내하면서 마무리를 짓는다.

〈그림 1-10〉 국내의료진과 외국인환자와의 상담

03_절 의료관광 효과

●●● 　의료관광의 효과는 환자 송출 지역과 목적지 국가에 미치는 것으로 나누어서 살펴볼 수 있다. 또한 그 효과는 긍정적인 측면과 부정적인 측면을 함께 가지고 있다. 한편 이러한 효과는 각 지역의 상황에 따라서 긍정적으로 혹은 부정적으로 작용될 수 있기 때문에 단언적으로 기술하기 어렵다. 이런 이유로 의료관광의 효과를 살펴보는데 있어서 균형 잡힌 시각이 필요하다.

1. 송출 지역에서의 효과

　의료관광객을 송출하는 지역에 의료관광이 미치는 긍정적 효과와 부정적 효과를 이해당사자별로 구분하여 살펴본다. 의료관광의 주요 이해당사자인 의료관광객과 자국의 보험사, 보건 산업별로 전망을 분석해본다.

1) 의료관광객

　의료관광은 환자에게 다양한 측면에서 긍정적인 효과를 준다. 해당국가의 의료 제도와 환경에 따라서 이런 긍정적인 효과는 더욱 크게 나타나기도 한다. 긍정적인 효과는 서비스의 신속성, 넓은 선택 폭, 비용 절감 등과 같은 것으로 파악해 볼 수 있다.

　영국이나 캐나다와 같이 의료복지 시스템이 잘 갖추어진 나라의 환자들은 오히려 오랜 대기시간으로 인해 제때에 치료를 받지 못하는 문제가 나타난다. 따라서 매우 급박한 환자들은 주변 국가로 이동을 하게 된다. 일부 환자의 해외로의 이동은 자국에 있는 환자들의 대기행렬을 줄여주는 효과를 가져오기도 한다. 이 외에도 타국의 의료서비스를 이용하게 될 경우에 자국에는 없는 서비스나 더 나은 서비스를 받을 수도 있기 때문에 환자의 선택의 폭이 넓어지게 된다. 미국의 경우, 환자가 의료기관을 이용하게 될 경우 납부해야 하는 본인부담금에 대해 해외의 의료기관을 이용하게 되면 이를 면제해주고 추가로 인센티브까지 지급하는 제도를 운영하기도 한다. 즉 재정적으로 피보험자에게 혜택을 부여하기도 한다.

반면에 의료관광객은 외국에서의 의료서비스를 통해서 여러 임상적인 사고나 재정적인 위험에 노출될 수도 있다. 목적지 국가의 의료수준이 낮거나 시설이 좋지 않을 경우 전염성 질환에 감염될 수도 있고, 수술의 실패나 합병증 같은 부작용을 경험할 수도 있다. 또한 외국인환자와 의료진 간의 의사소통의 문제로 인하여 잘못된 치료나 처치가 이루어질 수 있으며, 환자가 잘못 이해해서 지시를 제대로 따르지 않아 의료사고를 겪게 될 수도 있다. 만일 외국인환자가 현지에서의 사후관리를 충분히 받지 않고 귀국하게 되면, 귀국 후에 부작용과 같은 문제가 일어날 수 있으며 사후관리를 위해서 목적지 국가를 재방문하게 되면 추가적으로 비용이 발생하게 된다. 사후관리를 자국에서 받고자 해도, 외국 의료기관의 의사와 자국 의사간에 의뢰 시스템이 구축되어 있지 않기 때문에 정확한 진료정보에 준한 사후관리를 자국의 의사로부터 받기 힘든 문제가 있다.

2) 보험사

보험 가입자에게 의료관광이 미치는 긍정적인 영향은 비용의 감소이다. 보험사 입장에서 가입자들이 국내의 의료기관보다 비용이 저렴한 해외의 의료기관에서 치료를 받으면 의료비를 절감할 수 있다. 그리고 보험사는 이렇게 절감된 자금을 가입자들의 질병예방과 같은 건강관리 활동에 활용할 수 있다. 의료관광은 보험료를 납부하고 있는 고용주에게도 긍정적인 영향을 미칠 수 있다. 고용주가 종업원의 의료보험을 일정 부분 부담하고 있을 경우 의료보험료의 상승과 경기 불황 때문에 보험료가 경영에 큰 부담이 되고 있다. 이런 의미에서 보험료를 줄이려는 다양한 방법을 모색하게 되는데, 의료관광이 그 중 한 가지 방법이 되고 있다.

반면에 외국에서의 치료과정에서 얻게 된 합병증, 의료사고에 따른 문제는 환자가 귀국한 후에 결국 자국 보험사의 부담으로 전가될 수 있다. 또한 외국에서 감염된 전염성 질환이 국내에 확산될 경우, 자국 내 사회경제적 비용증가와 보험사 부담증가란 문제로 이어질 수 있다. 미국의 경우, 의료관광 보험 상품이 활성화되고 이의 가입자가 증가하면서 국내에서의 의료서비스를 지원하는 의료보험 가입자 층이 줄어들게 되어 피보험자들 간의 비용 공유부담이 증가하고 결국은 보험료 상승으로 이어질 수 있다는 주장도 있다.

3) 보건 산업

의료관광은 송출국의 보건 산업에도 영향을 미칠 수 있다. 보건산업은 의료기관을 포함하는 보건의료 산업, 의약품 산업, 그리고 의료기기 산업을 총체적으로 말한다. 의료관광은 단기적으로 이러한 보건 산업의 수익성을 약화시키는 부정적 요소이지만, 중장기적으로는 보건산업의 경쟁력 향상을 유도하는 자극요소로 작용할 수 있다. 환자의 외국 의료기관으로의 이탈은 자국 의료기관에 대한 신뢰도를 낮추고 수익성을 악화시켜서, 궁극적으로 자국 보건 산업의 경쟁력을 떨어뜨리게 된다. 의료관광의 주요 동기가 높은 의료비, 낮은 의료수준, 긴 대기시간 등임을 고려해 볼 때, 결국 이런 부분의 문제를 개선하여 자국 보건 산업의 경쟁력을 높이려는 시도로 이어질 수 있다.

의료관광이 송출국의 보건 산업에 미치는 부정적 영향만을 부각시키는데 즉, 수익성과 의료서비스의 질, 의료자원의 효율적 관리에 문제가 생길 수 있다는 주장이다. 외국으로의 환자 이동을 통해서 결국 외국 의료기관에 자국의 환자를 빼앗기게 되기 때문에 자국 의료기관의 수익 악화로 이어지게 될 뿐만 아니라 의약품업체나 의료기기 산업의 수익에도 부정적인 영향을 미치게 된다. 그리고 의료관광은 송출지역 의료기관의 진료서비스의 질에 부정적인 영향을 미칠 수도 있다. 환자들이 외국의 의료서비스를 선호하고 이탈할수록 자국 의료서비스는 위상이 격하되고 이러한 악순환 과정에서 자국 의료기관이나 의료기술에 대한 투자가 줄어들어 궁극적으로는 의료수준이 낮아질 우려가 있다. 또한 의료관광은 송출국의 의료자원이 효율적으로 관리되는 것을 어렵게 만들 우려가 있다. 자국의 환자가 해외로 나가는 의료관광 현상이 대부분의 국가에서 제대로 모니터링 되고 있지 않은데, 이는 결국 의료관광으로 빠져 나간 일부 의료수요로 인해 야기된 자국 내의 변화된 의료수요를 정부나 의료서비스 제공자가 정확히 파악하지 못하는 문제를 초래하기도 한다.

〈그림 1-11〉 의료관광객 집단 상담

2. 방문 지역에서의 효과

의료관광은 목적지 국가에도 똑같이 긍정적인 측면과 부정적인 측면의 효과를 동시에 지니고 있다. 의료관광이 목적지 국가의 경제, 국민, 보건 산업 등에 미칠 수 있는 효과에 대하여 알아본다.

1) 경제 효과

의료관광은 목적지 국가에 주요한 외화수입원이 될 수 있다. 보건복지부의 통계를 보면 외국인 한 명의 입원환자의 평균진료비가 2013년에 923만원으로 조사되었다. 문화체육관광부가 집계한 일반관광객 일인당 평균 지출액인 미화1,175달러의 8배 정도에 이른다. 최근에 부상하고 있는 아시아 지역의 의료관광 목적지 국가들의 외화수입에 따른 재정적 혜택은 무시할 수 없는 수준이다. 인도와 태국과 같은 나라는 국가가 정책적으로 의료관광 사업에 중요한 역할을 해 왔고, 또한 직 · 간접적으로 민간부분에 대한 투자를 해왔기 때문에 국가 재정에도 큰 도움이 되었다고 할 수 있다.

(1) 의료관광 부가가치 유발계수

의료관광과 연관된 의료산업은 의료 및 보건 서비스나 미용 관련 산업을 들 수 있다. 또한 관광 관련 산업에는 쇼핑, 식음료, 숙박, 오락 및 유흥 등의 산업을 포함된다. 의료관광 산업은 의료 산업과 관광 산업의 융합으로 부가가치와 취업 및 고용 등에 미치는 유발계수가 다른 사업에 비해 높은 것으로 나타나고 있다. 우리나라 의료서비스 산업은 부가가치 유발계수가 0.8564로 전체 산업 평균(0.730)보다 높다.

〈표 1-8〉 의료관광 유발계수 비교

유발계수		생산	부가가치	소득	취업	고용
의료산업	의료서비스	1.7466	0.8331	0.4884	0.0151	0.0124
	미용관광	1.7257	0.8797	0.3598	0.0301	0.0132
	의료산업평균(1)	1.7362	0.8564	0.4241	0.0226	0.0128
관광산업 평균(2)		1.6813	0.8554	0.3967	0.0198	0.0125
의료+관광산업 평균 (1)+(2)		1.7087	0.8559	0.4104	0.0212	0.0127
서비스산업 평균		1.7714	0.8160	0.4275	0.0177	0.0127
전체산업 평균		1.8598	0.7305	0.3616	0.0153	0.0107
제조업 평균		2.0465	0.5702	0.2580	0.0098	0.0072
주요 수출입 평균		1.9055	0.5050	0.2047	0.0066	0.0055

출처: 관광분야 지정 확대를 위한 보고서, 2011, 한국관광공사

(2) 의료관광 경제적 효과

국내 병원급 이상 의료기관의 전체 병상가동률은 78%(2009년) 수준으로 외국인환자를 유치하기에 충분한 여유가 있는 것으로 나타났다. 또한, 고가의 의료진단기구인 컴퓨터단층촬영기(CT, Computerized Tomography)의 경우 인구 백만 명 당 32.2대(영국 7.5대, 미국 12.2대), 자기공명영상촬영기(MRI, Magnetic Resonance Imaging)는 12.1대(영국 5.4대, 캐나다 5.5대)로 주요 선진국에 비하여 고급 의료기기가 충분히 공급되어 있었다. 때문에 오히려 공급과잉 문제가 발생하게 되어 해외 신시장과 신수요 창출이 시급한 실정이었다.

이에 정부는 2009년부터 법률개정을 통해 국내 의료기관으로의 외국인환자 유치사업을 허

용함으로써 의료서비스 적자규모를 줄여 나가고자 하였다. 정부에서는 2013년에 20만 명의 외국인환자를 유치하여 7,500억 원의 진료수익을 기대하였으며, 2009년부터 5년간 1만 6천 명 이상의 고용창출효과가 있을 것으로 예상하였다.

〈표 1-9〉 국제의료서비스(의료관광) 의료부문 경제적 효과 측정

구분	목 표						
	2009년	2010년	2011년	2012년	2013년	합계	연평균
외국인환자 수(명)	60,000	70,000	100,000	140,000	200,000	560,000	112,000
진료수익(백만원)	186,847	261,586	373,695	523,173	747,390	2,092,691	418,538
생산유발효과 (백만원)	349,956	489,938	699,912	979,877	1,399,824	3,919,507	783,901
고용창출(누적, 명)	4,152	5,813	8,305	11,627	16,610	-	-

출처: 복지부(외국인환자유치 한국 의료 글로벌 프로젝트, 2011) 자료를 토대로 재작성

한편, 2009년에 이들 외국인환자가 의료서비스를 받고 지불하는 진료수입 외에 의료기관에서 나와 일반 관광객으로 활동한 것을 관광수입으로 본다면, 관광 지출 규모는 진료수익의 약 1.8배인 969억 원으로 추정되었으며, 위의 진료수입과 합할 경우 그 규모는 1,516억 원으로 예측되었다. 이에 대해 정부 관계자는 "우리나라가 글로벌 헬스케어 산업을 추진하는 원년임을 감안하면 상당한 경제적 성과를 나타내는 것이다"고 하면서, "향후 이를 통해 의료기관 경영 개선에 크게 기여할 것으로 예상한다."고 언급하였다. 그리고 의료관광 진흥업무를 담당하고 있는 정부 관계자는 "의료관광에서 진료 외 수익(관광수익)이 대체로 두 배 정도의 규모로 추정되며, 향후 의료와 관광과의 연계를 통하여 관련 산업의 발전을 기대할 수 있을 것으로 보인다."고 설명하였다.

〈표 1-10〉 2009년 의료관광 전체 추정수요 및 총수입 규모

항목 분류	1인당 수입	총 수입
의료서비스 수입	외국인환자 1인당 진료비 940,000원	547억원
관광수입 (환자 본인)	의료관광객 1인당 관광수입: (1,561,000 원)-940,000원=621,000원	621,000원×56,288명 =350억원
관광수입(동반 가족 1인 기준)	의료관광객 37.7%가 동반가족 있음(1인 동반): 60,201명×0.377=22,695명	1인당 관광수입: 1,561,000원 × 22,695명=약 354억원
관광수입(동반 동료 1인 기준)	의료관광객 28.2%가 동반동료 있음(1인 동반): 60,201명×0.282=16,976명	1인당 관광수입: 1,561,000원 × 16,976명 =약 265억원
의료관광을 통한 총 관광수입	-	547억원+350억원+354억원+ 265억 원 =1,516억원

출처 : 2009년 의료관광 수요예측 연구(문화체육관광부) 자료를 토대로 재작성
〈산출근거〉
1) 의료관광객 60,201명 중 병원외래객 93.5%(56,288명) 관광 이용 추정
2) 의료관광객 60,201명 중 37.7%(22,695명) 가족 1인 동반, 28.2%(16,976명) 동료나 친구 1인 동반

2) 국민

의료관광객을 통해 얻게 되는 수입의 일부가 자국민을 위한 의료서비스의 수준을 높여 주는 데 사용된다는 주장도 있다. 의료관광객 유치에 적극적인 민간의료기관이 얻게 되는 자금이나 서비스의 질 향상과 같은 혜택이 공공의료에까지 영향을 미치게 된다는 견해이다. 이것은 자국민의 의료기관 접근성이 떨어지기보다는 오히려 자국민이 보다 질 좋은 서비스에 저렴한 비용으로 접근할 수 있다는 가능성이 생긴다는 논리이다. 또한 의료관광을 통해 재정상태가 좋아진 정부는 국민보건을 위한 인프라 구축에 더 많은 자금을 투자할 수 있게 되고, 결국 이는 국민의 건강증진으로 이어진다고 주장하고 있다.

그러나 이러한 견해에 대하여 현실적으로 의료관광으로부터의 수입이 국민에게 보조되는 일은 거의 없든지 혹은 있더라도 아주 미미한 수준에 그칠 것이라는 시각도 엄연히 존재하고 있다. 의료관광에 집중하는 민간 의료기관이 공공의료에 대한 책임의식을 가지고 의료관광에서 얻어지는 수익을 국민에게 직접 돌려주는 것은 기대하기 어렵다고 보기 때문이다.

3) 보건 산업

목적지 국가는 의료관광객을 유치하기 위하여 의료기관 인프라의 개선, 의료기술의 발달과 의료 인력의 육성에 많은 노력을 기울인다. 또한 의료기관의 인프라 개선을 위해 의료기관의 시설, 서비스 프로세스, 운영방식에 대한 개선을 추구한다. 따라서 의료관광은 목적지국가의 의료기술 발달을 자극할 수 있다. 의료관광 시장에서 국제적인 브랜드를 구축하고차별화된 경쟁우위를 확보하는 과정에서 목적지 국가의 의료기술은 발전하게 된다. 그리고의료관광은 목적지 국가의 의료인력의 질 향상에도 긍정적인 영향을 미친다. 의료관광의 경쟁력 확보를 위해서는 수준 높은 의료인력의 지속적인 공급과 유지가 중요하다. 또한 여러나라의 외국인환자를 치료하는 과정에서 의료진들이 다양한 질병구성을 경험하게 되고, 이들을 치료하는 과정에서 임상적 기술의 향상효과도 기대할 수 있다. 또한 선진국으로 나갔던 의료 인력이 경쟁력을 갖게 된 모국으로 되돌아오는 현상이 벌어질 수도 있다. 동시에 의료관광을 통한 자국 의료시장의 국제화는 능력 있는 의료인력이 해외로 나가지 않고 자국에머물게 되는 효과를 가져온다.

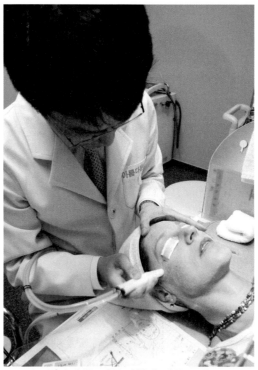

〈그림 1-12〉 외국인환자 진료 모습

3. 의료관광 추진 우려사항

2009년 국내 병원이 외국인환자를 유치할 수 있도록 의료법을 개정한 것을 계기로 의료관광객 유치가 급증하고 있다. 정부는 진료와 관광으로 얻어지는 수입을 고부가가치를 창출하는 미래 신 성장 동력으로 인식하고 있으며, 지방자치단체들도 앞 다투어 외국인 의료관광객 유치에 열을 올리고 있다. 교육기관도 의료관광 전문 인력을 양성하는 프로그램을 개설하는 등 새로운 수요를 흡수하기 위하여 발 벗고 나서고 있다. 그러나 이처럼 각 분야에서 강력하게 추진하는 의료관광 산업에 대하여 간과하지 말아야 할 점이 있다.

최근 아시아에서 선도적으로 의료관광을 추진한 태국과 싱가포르에 대하여 캐나다의학협회(2004)에서 분석한 내용을 참고할 필요가 있다. 이 분석은 태국 정부의 의료관광 활성화 정책이 정작 태국 국민들의 의료이용을 막고 있다는 것이 그 요지이다. 여기에서는 의료관광이 태국 국민의 의료이용을 막는 이유를 두 가지로 제시하였다. 우선 전문 의료인력들이 의료관광 환자를 주로 치료하는 민간병원으로 옮겨가 국공립병원에는 질 높은 의료인이 부족해졌다는 것이다. 또한 의료관광이 활성화되자 민간병원의 진료비가 올랐고 높은 진료비를 낼 수 없는 국민들은 민간의료기관 이용이 힘들어졌다고 분석했다. 민간병원이 제공하는 의료서비스를 살 수 있는 이들은 높아진 진료비를 내야 했고, 국민의 80%가 이용하는 국공립병원에서는 의료 인력의 유출로 의료서비스의 질이 떨어졌다고 주장했다. 다만 이런 현상은 전문적 연구를 거친 것은 아니며, 따라서 평가가 아직 이른 점을 밝히고 있다. 하지만 태국 정부도 의료관광이 보건의료 체계에 불균형을 초래할 수 있음을 주목하고 있다고 말하고 있다.

따라서 의료관광이 외국인들만을 대상으로 삼고 있어 국민들에게 아무런 영향이 없다고 여겨서는 안 된다. 의료관광을 활성화하려는 여러 조치는 국민들의 삶에 직접 또는 간접적으로 영향을 끼칠 수밖에 없다. 그러므로 의료관광 활성화에 앞서 의료관광이 국민들의 건강 및 의료 이용에 어떤 영향을 끼치게 될지 세밀하게 따져보아야 한다.

1) 일반인의 입장

의료관광이 목적지 국가 내 일반 국민에게 미치는 부정적인 측면을 파악해 볼 필요가 있다. 이를 개선하려는 노력을 통해 의료관광은 건전하게 발전할 수 있을 것이다.

(1) 의료의 형평성 침해

의료관광으로 인해 목적지 국가의 국민들은 의료서비스를 이용하는 데 형평성의 문제를 경험하게 된다. Turner(2007)[11]는 의료관광객을 유치하기 위한 병원들 간의 경쟁 속에서 의료의 민영화가 가속화되고, 이런 과정에서 공공의료의 기능이 약화된다고 주장하였다. 그는 아시아의 민간 의료기관들이 높은 수익을 가져오는 외국인환자에게만 집중하는 과정에서 중산층 이하의 자국민들은 민간의료기관에 대한 접근성이 떨어지게 되고, 오직 공공 의료기관만을 최종치료를 받을 수 있는 곳으로 선택하게 되는 상황에 내몰리게 된다고 하였다. 결국 자국민에게 의료서비스 접근의 형평성을 보장할 수 없게 된다는 것이다.

(2) 의료비 상승 초래

의료관광을 통해 진료비가 상승함으로써 목적지 국가의 국민들은 높은 진료비를 감당해야 하는 상황에 이를 수 있다. 외국인환자를 위해 최신의 시설과 장비를 갖추고 높은 수준의 서비스를 제공하는 병원들은 수익창출을 위해 높은 진료 수가를 책정하게 되고 고가의 의료장비에 의존하는 진료행태를 보이게 된다. 그런데 이러한 진료행위는 의료계 전체로 확산되어 진료비 상승을 부추기게 된다. 실제로 태국에서는 2008년도에 민간의료기관에 의료 인력을 빼앗기지 않기 위해 공공 의료기관 의사의 급여를 실질적으로 두 배 가까이 올린 적이 있다고 보도되었다. 그런데 이러한 급여인상은 결국 진료비 상승으로 작용할 수밖에 없다.

(3) 건강증진 기여 부족

의료관광을 통해 향상되는 의료서비스 분야나 수준은 목적지 국가의 질병문제와 그다지 상관없기 때문에 목적지 국가의 건강증진에 기여하는 데 한계가 있다. 인도에서는 말라리아나 결핵과 같은 전염성질병이 확산되어 있기 때문에 이런 질환에 대한 의료수요가 크게 존재한다. 그러나 의료관광에 치중하는 의료기관은 성형수술과 같은 선택적이면서 고가인 서비스를 발전시키고 이런 분야에서 경쟁력을 가졌기 때문에 자국의 의료수요를 반영하지 못하고 있다. 따라서 인도나 태국과 같은 경우, 정부의 의료관광 중시 정책으로 적극적 지원을 받은 의료기관들이 자국민의 질병문제 해결에 기여할 수 있는 여지가 적다는 것은 문제점으로 지적되고 있다.

---

11   Turner, L. (2007), First world health care at third world prices. Bio Societies, 2, 303-325.

(4) 불법행위 소지

의료관광은 목적지 국가 내에 지나친 의료의 상업화 그리고 극단적으로는 불법적인 범죄행위를 조장할 수도 있다. Connell(2011)[12]은 의료관광이 의료와 국제적인 자본주의와의 결합을 상징적으로 보여주는 현상으로서, 의료서비스 행위가 비용 지불 능력에 따라서 주도적으로 영향 받는 상황을 초래한다고 하였다. 의료관광객을 유인하여 자국보다 높은 수익을 얻기 위하여 의료기관들이 검증되지 않은 줄기세포 치료를 비싼 가격에 제공하는 것은 의료의 상업화를 단적으로 보여주는 예이다. 또한 외국인 불임 부부를 위하여 자신의 몸을 희생하고 돈을 받는 대리모도 목적지 국가 내에서 윤리적인 이슈를 불러일으킨다. 이외에 장기이식수술의 이면에서 장기(臟器)의 거래나 탈취와 같은 범죄행위가 이루어지기도 한다. 즉, 의료관광을 추진하는 과정에서 자국민의 건강을 해치거나 인권을 유린하는 일이 생길 수 있다는 시각이 존재한다.

2) 보건 산업의 입장

의료관광이 목적지 국가의 보건산업 측면에서도 우려되는 사항이 존재한다. 이를 해소하기 위한 정부 차원의 노력이 필요하다.

(1) 공공의료와 민간의료의 불평등

의료관광이 목적지 국가 내 의료기관 간의 불평등을 조장한다는 주장도 제기된다. 이런 불평등 현상은 민간의료기관과 공공의료기관 간에, 그리고 도시와 농촌의 의료기관 간에도 발생한다. 의료관광 중심의 정책을 통해 외국인과 자국의 상류층이 이용하는 민간의료기관과 자국의 저소득층이 주로 이용하는 공공의료 간의 이중구조가 형성되게 된다. 민간의료기관은 자금여력을 바탕으로 국제적인 수준의 시설과 장비를 갖추고 선진 의료서비스를 제공하고 있지만, 대부분의 국민은 이들 의료기관 이용에 어려움을 겪거나 공공 의료기관을 방문하더라도 낮은 수준의 의료서비스 밖에 못 받는 상황에 직면하게 된다. 또한 해외 자금투자는 민간 의료기관에 집중됨으로써 이러한 불평등 상황은 더욱 심화된다. 민간과 공공분야에서의 이중구조 문제는 도시와 농촌이라는 지역 간 이중구조문제와도 연결된다. 의료관광객 유치에 적극적인 민간 의료기관은 주로 대도시에 집중되어 있는 반면에, 농촌에는 공공의료기관만 분포되어 있으며 시설은 대체로 열악한 상태에 있다.

---

12 Connell, J. (2011), A new inequality? Asia Pacific Viewpoint, 52(3), 260-271.

(2) 자본투자자에 종속

의료관광은 목적지 국가의 의료기관이 외국인환자나 자본투자자에 종속되는 문제를 야기할 수 있다. 의료기관들이 의료관광에만 집중하여 수익의 대부분을 외국인환자 치료에서 얻게 되면, 외국인환자 위주로 병원의 경영이 이루어지게 된다. 의료기관의 시스템이나 운영이 외국인환자들의 욕구에 맞게 형성됨으로써 자국민의 의료욕구는 무시되고 외국인의 의료수요에 의료기관이 종속되게 된다. 그런데 외국인은 만성질환 치료 등과 같은 지속적인 서비스수요를 통해 의료기관에 안정적이고 예측가능한 매출을 보장하지 않는다. 이들은 오히려 선택치료에 더 치중하기 때문에 송출 국가의 경제적 상황이나 규제 등과 같은 외적인 여건에 따라서 서비스 수요가 갑자기 줄어들 수도 있다. 또 의료관광을 활성화하는 과정에서 자본의 유치도 이루어지게 된다. 그런데 의료시설과 같은 인프라의 개선을 위해 투자 자본을 유치하게 되면, 결국 의료기관이 투자자에게 종속되는 현상이 발생하게 된다.

(3) 공공의료 인력 유출

의료관광이 의료 인력의 자국 내 두뇌 유출을 야기함으로써 의료 인력의 불균형적 분포 현상을 초래한다는 주장도 있다. 공공의료기관의 인력이 높은 임금과 보다 나은 근무환경을 보장하는 민간 의료기관으로 대거 이동하게 됨으로써 공공의료기관은 의료 인력의 부족과 질의 저하라는 문제에 직면하게 될 수 있다. 실제로 인도, 태국, 말레이시아의 농촌지역에서는 의사가 부족하여 지역주민들이 전문 인력에 의한 의료서비스를 받는데 많은 어려움을 겪는다고 한다.

〈그림 1-13〉 한국의료관광 홍보 이미지

제 **2** 장

의료관광의 실태

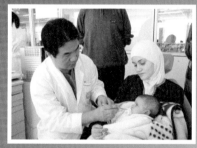

0 | 절 해외 의료관광 시장

●●●● 해외 의료관광 시장은 의료서비스관광객과 웰니스 관광객을 모두 고려했을 때, 2005년도에 전 세계적으로 6억 2천 만 명으로 추산되었다.[13] 이 가운데 의료서비스만을 받기 위해 이동하는 의료관광객은 5천 만 명에 이르는 것으로 예상하였다.[14] 의학적 치료를 받기 위해서 이동하는 의료관광의 시장규모는 2007년도에 600억 달러로 매년 20% 정도 성장하는 것으로 추정되었다.[15]

1. 국제 환자 이동현황

글로벌 의료관광 시장의 성장은 의료서비스를 필요로 하는 사람들의 다양한 이유로 타 지역에서의 의료서비스를 선택함으로써 나타나는 현상이다. 〈표 2-1〉의 맥킨지(Mckinsey) 보고서에서와 같이 사람들은 보다 나은 치료, 빠른 진료, 낮은 가격 등을 찾아서 의료관광을 하는 것으로 파악되고 있다.

이처럼 의료관광 시장이 확대되면서 각국 정부는 의료비자 발급, 세제 지원을 비롯하여 각

13 Carrera, P. & Bridges, J. (2006), Globalization and healthcare: understanding health and medical tourism. Expert Review of Pharmaco-economics and outcomes research, 6(4), 447-454.

14 Carrera, P. & Bridges, J. (2006), Globalization and healthcare: understanding health and medical tourism. Expert Review of Pharmaco-economics and outcomes research, 6(4), 447-454.

15 Horowitz, M., & Rosenweig, J. (2007), Medical tourism vs traditional international medical travel: A tale of two models. International Medical Travel Journal, 3, 30-33.

종 우대정책을 선보이고 있으며, 민간 중심으로 의료 기반이 확충되면서 의료서비스 질 또한 높아지고 있다. 병원은 호텔 급의 서비스를 제공하며 스파 등 휴양시설에서는 클리닉 기능을 추가로 갖추는 경우가 늘고 있다. 또한 클리닉들은 소매점처럼 다양한 고객맞춤형 상품을 출시하는 등 세계 각지에서 의료관광객 유치를 위한 변화가 일어나고 있다. 대체로 미국에서는 자국의 높은 의료비가 주된 이유이며, 영국과 캐나다 등은 진료대기시간을 줄이기 위해서, 중국이나 러시아 등은 보다 나은 품질의 의료서비스를 받기 위해 국제 의료서비스가 가능한 나라를 찾고 있다.

〈표 2-1〉 의료관광 목적

의료관광 목적	응답율(%)
발달된 의료 기술(Most advanced technology)	40
나은 의료서비스(Better quality care for medical necessary procedures)	32
빠른 의료서비스(Quicker access for medical necessary procedures)	15
낮은 의료비용(Lower cost for medically necessary procedures)	9
낮은 부대비용(Lower cost for medically discretionary procedures)	4

출처: Mapping the market for medical travel, 2008, Mckinsey

1) 의료서비스 목적지

미주 지역에서는 미국, 멕시코, 코스타리카, 쿠바, 엘살바도르 등이 잘 알려져 있다. 미국은 오래 전부터 암 치료와 심장수술과 같은 고도의 기술을 요구하는 분야에서 세계적인 선도국의 지위를 누리고 있다. 하지만, 멕시코는 미국 의료비의 25~33% 수준의 낮은 의료비를 경쟁력으로 내세우고 있다. 또한 미국과의 접경 지역에서는 치과, 성형외과 등의 클리닉들이 미국의 의료관광객을 대상으로하여 집중적으로 포진되어 있다. 코스타리카는 치과와 성형수술에서 두각을 나타내고 있으며 의료비가 미국의 30~40% 정도에 해당된다. 쿠바는 혁명 정부의 전폭적인 지원을 통해 의료 및 바이오 기술의 발달로 일찍부터 의료관광 시장에 뛰어들었다. 이 나라는 성형외과, 정형외과, 안과 및 치과 등의 분야에서 세계적인 수준을 자랑하고 있다.

유럽과 중동 지역에서는 독일, 오스트리아, 헝가리, 이스라엘, 터키 등이 의료관광 선도국가들이다. 터키와 이스라엘은 종양외과, 안과, 불임치료 등으로 유명하며, 의료비는 미국의 30% 수준이다. 헝가리는 치과 분야에서 두각을 나타내고 있으며, 연간 30~40만 명의 외국인환자가 방문을 한다. 아시아의 대표적인 의료관광 선도국은 태국, 싱가포르, 인도, 말레이시아 등이다. 대부분의 나라에서 미국의 30% 정도 이하의 의료비로 서비스를 받을 수 있는 것이 특징이다. 태국은 성형수술, 심장외과, 정형외과, 치과 등의 분야에서 외국인환자를 유치하고 있다. 인도는 정형외과와 심장외과 분야에서, 그리고 싱가포르는 암 치료, 정형외과, 심장외과 등을 강점으로 내세우고 있다. 그 밖에 남아프리카공화국은 아프리카 지역에서 의료관광 시장의 선두주자이다. 의료비는 미국의 30~40% 수준으로 저렴하며, 성형외과 분야에서 앞선 기술력을 보이고 있다. 또한 호주는 최신의 장비들을 갖추어 건강검진 시장에서 우위를 보이고 있다.

최근에는 두바이, 상하이, 베이루트, 부에노스아이레스 등의 도시도 의료관광지로 부각되고 있다. 아랍에미리트연합(UAE)의 두바이는 세계 최초로 '헬스케어 자유구역'을 선정하여 미국이나 유럽에서 의료법인을 유치하고 있으며, 업무 및 쇼핑 중심지로 시너지 효과를 창출하고 있다. 중국의 상하이에서는 대규모 펀드를 의료 분야에 투자하도록 하여 외국계 병원의 진출을 유도하고 있다. 레바논의 베이루트는 국립의료관광위원회를 구성하여 지원을 실시하고 있으며, 중동지역 내에서 의료의 질이 높아 중동의 의료 중심지로 손꼽히고 있다. 아르헨티나의 부에노스아이레스는 지방흡입 등 성형수술과 중증시술 기술이 뛰어나고 수술비가 저렴하여 부유층이나 중증 치료자들이 선호하고 있다.

이처럼 많은 지역과 국가에서 의료관광에 높은 관심을 보이고 있는 것은 의료관광이 가져오는 효과가 매우 높기 때문으로 보인다. 즉, 고부가가치를 창출하는 산업이면서 국가의 이미지와 브랜드를 높이는데 크게 기여하고, 의료기관의 국제화를 통해 관련 산업이 동반성장 할 수 있기 때문이다.

의료관광 기대효과

고부가가치 창출 ▷ 일반 관광객의 3~10배
지출 및 장기체류

국가 이미지 제고 ▷ 국가 이미지 및 브랜드
가치 제고에 기여

의료기관의 국제화

▷ 명성 있는 「병원, 의원」·「전문의」 보유
▷ 국가간 경쟁 체제의 필요 조건

〈그림 2-1〉 의료관광 기대효과

2) 웰니스관광 목적지

북미 지역에서는 미국과 캐나다가 웰니스관광의 대표적인 목적지로서 다양한 시설이 리조트 내에 설치되어 있다. 유럽은 웰니스관광의 주요 상품인 온천요법, 해수요법 등에 대해 오랜 역사를 갖고 있어서 세계적으로 경쟁력 있는 서비스를 제공하고 있다. 알프스 지역에 속하는 독일과 오스트리아는 산림자원을 이용한 독특한 웰니스 상품을 가지고 있다. 터키나 이스라엘 같은 지중해 인접 지역에는 주로 해수와 같은 수자원을 이용하여 웰니스 서비스를 제공하고 있다. 이에 반해서 아시아의 국가들은 전통적인 치유법과 접목하여 좀 더 다양한 웰니스관광 상품을 갖고 있다. 태국은 마사지, 인도는 요가와 같은 전통적이고 특화된 서비스를 제공하고 있다.

〈표 2-2〉 세계 주요 웰니스 관광 목적지

지역	목적지	상품 특징
미주	미국 캐나다	• 치유보다는 기분전환 강조 • 대부분의 웰니스 시설은 고급리조트 내에 있음 • 수치료(hydrotherapy)센터, 골프장, 문화센터 등
유럽	독일	• 스파 수와 호텔숙박 일수 등에서 유럽 최대 규모 • 300여 개의 현대식 스파, 62개의 크나이프(knipp)[16] 리조트, 160여 개의 미네랄온천 등 다양한 웰니스 시설이 있음
	오스트리아	• 정부의 캠페인: Wellbeing Destination of Europe • 스파호텔 수가 세계에서 두 번째로 많음(350만 명 방문) • 기후치료법(climato-therapy)[17] 이 전문화되어 있음
	영국	• 다양한 건강리조트
	헝가리	• 130여 개의 웰니스 센터와 350여 개의 미네랄온천(15만 명 방문) • 웰니스관광 활성화를 위한 정부의 투자지원계획 발표(2002년)
	프랑스	• 온천 및 해수를 활용한 전통요법 발달 • 1천개의 온천요법센터, 8천여 베드를 갖춘 해수요법시설
	이탈리아	• 해수 및 온천서비스 제공 (400여개의 온천요법센터) • 화산지형에 따른 풍부한 토양 및 미네랄
	스페인	• 2천여 개의 온천요법센터, 100여개의 웰니스 센터
	그리스	• 온천요법 및 건강관광의 오랜 역사 • 미네랄온천요법과 현대화를 통한 정부의 법적 지원
지중해 인접국	터키	• 터키식목욕법을 기반으로한 1천여개의 미네랄온천과 60여개의 수치료센터
	이스라엘	• 사해를 중심으로 한 치유 및 미용, 웰니스 시설
	이집트	• 홍해를 중심으로 한 해수요법 시설 • 고급호텔 내의 헬스센터
	모로코	• 수치료법 및 해수요법
	레바논	• 지중해 지역의 대표적인 의료관광 목적지
아시아	태국	• 마사지와 허브를 치유에 활용(360만명 방문) • 보건부와 태국스파연합이 협력하여 스파 인증기준 정립함
	인도	• 온천요법 및 데이스파 • 아유르베다와 요가요법
	말레이시아	• 미네랄온천과 데이스파
	일본	• 온천 및 해수요법

출처: Global Spa Summit LLC. (2011)

---

16 독일에서 발달한 자연 치유요법 또는 예방 요법. 주로 물과 산림을 이용한다.

17 기후치료(氣候治療)란 공기가 좋은 지역에 살며 좋은 공기를 마심으로써 질병을 치료하는 것을 의미한다. 또한 고산지대의 특징적인 자연현상으로 인해 치료가 이루어지는 것을 말한다.

2. 아시아 의료관광 선도국가

최근 의료관광 목적지로 급속히 부각되고 있는 곳은 동남아시아 지역이다. 자료에 따르면 아시아는 북미 의료관광 수요의 45%, 유럽의 39%, 아프리카의 95%, 오세아니아의 99%, 아시아 내부의 93%를 흡수하는 것으로 나타났다(Mckinsey & Company, 2008).

동남아시아의 의료관광은 처음에는 인근 지역이나 자국 내 거주 외국인들이 주변국 병원 중에서 국제적 인증이 되어 있고 서구에서 의료교육을 받은 의료진이 있는 병원을 이용하는 것에서 시작하였으나, 차츰 미국, 유럽, 중동 지역 등 원거리 환자들의 방문이 늘어나는 양상으로 발전하고 있다.

1) 싱가포르

싱가포르는 그 동안 교육서비스, 의료서비스, 물류, 금융서비스의 아시아 중심지로서 역할을 수행해 오고 있다. 싱가포르는 다민족 국가의 특성과 지리적 · 역사적 배경 때문에 의료서비스 제도가 일찍부터 국제화되었으며, 높은 의료수준, 영어 공용화, 서구적인 문화 및 사회적 규범, 병원 국제인증 등으로 인하여 주변 국가보다 우수하다고 평가받고 있다. 환자는 주로 가까운 지역인 인도네시아와 말레이시아에서 가장 많이 찾아오고 있으며, 최근에는 높은 의료수준으로 국가적 브랜드 이미지 구축에 성공하여 미국과 유럽, 중동 등에서도 많은 환자들이 찾고 있다.

싱가포르 정부는 2003년에 발표한 '국가전략보고서'를 통해 보건의료와 교육 등 서비스 산업을 국가 전략 산업으로 선정하고 집중 육성하는 정책을 펼쳐오고 있다. 이에 따라 보건의료 부문 육성을 위해 의료관광 활성화 정책을 수립하고 서비스를 시행하는 전담조직으로 '싱가포르 메디신(Singapore Medicine)'을 운영해 오고 있다. 이 기관은 민 · 관 파트너십 형태를 취한 정부기관으로 싱가포르 보건부가 주도하여 경제개발위원회, 관광청(Singapore Tourism Board, STB), 국제투자청 등의 지원을 받고 있으며 싱가포르 의료관광정책 개발과 국가 홍보를 전담하고 있다. 이 기관은 부처 간의 불필요한 경쟁에 따른 비용낭비를 방지하기 위하여 '협력과 경쟁의 조화' 전략을 추진하고 있다. 싱가포르 정부는 아시아의 의료 허브와 의료산업 육성을 위해 민간부문과 공공부문의 확실한 구분으로 기초 의료의 보장과 차등 서비스를 제공하는 것을 원칙으로 하고 있다.

(1) 싱가포르 의료관광 현황

싱가포르는 태국이 의료관광시장에 뛰어들기 전까지는 아시아에서 의료관광의 선두주자였다. 1997년 아시아에서 발생한 경제위기와 경쟁국 태국의 등장으로 인해서 싱가포르는 보다 더 적극적으로 육성 정책을 펼쳐야 하는 과제를 안게 되었다.

싱가포르를 방문하는 외국인환자는 2004년 27만 명에서, 2007년 57만 명으로 증가하였으며, 2010년에는 72만 명으로 조사되었다. 싱가포르 정부와 관련 업체는 적극적인 해외환자 유치 활동을 펼쳐 건강검진부터 전문 수술까지 다양한 의료서비스를 이용할 수 있도록 유도하고 있다. 현재 싱가포르를 찾는 외국인환자에 대한 별도의 의료전문비자는 없으며, 입국할 때 사증허가서를 전달하면 도착비자를 발급받을 수 있게 하고 있다. 비자는 병원에서 직접 신청 대행 서비스를 제공하는 경우가 많기 때문에 손쉽게 1~2년의 복수비자 신청도 가능하다.

(2) 싱가포르 의료관광 발달 특징

싱가포르에서 의료관광 산업이 발달하게 된 이유에 대해 다음과 같이 정리해 볼 수 있다.

① 신뢰성이 높고, 안전하고, 우수하다는 국가 브랜드 이미지 때문이다. 또한, 영어권이기 때문에 의사소통에 불편함이 적고, 교육수준도 높아 좋은 서비스를 받게 될 것으로 기대한다.

② 외국인환자를 위한 원스톱서비스 치료시스템이 구축되어 있다는 점이다. 일찍부터 의료관광에 눈을 뜬 탓에 외국인환자에 대한 시스템이 잘 갖추어져 있다.

③ 각 나라와 환자의뢰 협약을 맺은 네트워크 병원이 잘 구축되어 있다. 이러한 네트워크를 이용해서 환자에 대한 치료를 쉽게 의뢰받을 수 있고, 동시에 치료 후에도 잘 관리할 수 있는 시스템을 갖추고 있다.

④ 우수한 외국 의료진 영입에 적극적이다. 외국의 우수한 의과대학에서 공부하고 수련을 받은 외국인 의사들이 비교적 쉽게 진입할 수 있도록 하고 있다.

⑤ 공공과 민간부분의 의료서비스가 절묘한 조화를 이루고 있다. 싱가포르는 기본적으로 의료서비스에 있어서 공공섹터가 차지하는 비율이 70% 정도로, 대부분의 싱가포르 국민은 충분한 공공서비스를 받고 있다. 그러면서도 30% 정도에 해당하는 민간의료 부문에 대한 자율화를 통해 외국인환자에 대한 수준 높은 서비스를 제공할 수 있는 환경을 갖추었다. 또한 민간의료기관에 대한 각종 규제를 과감히 철폐하여 민간의 자율적인 경쟁 및 의료 수준 향상을 유도하고 있다.

(3) 싱가포르 의료관광 제도

싱가포르는 의료비 지출이나 의료서비스에 대한 공공부문의 역할이 큰 편이다. 그러나 국가에 대한 국민의 지나친 의존을 지양하고 자신의 건강에 대한 개인 책임을 중요시하는 시각이 싱가포르의 보건의료 정책에 반영되어 있다. 싱가포르 정부차원에서는 전반적인 정책 수립과 제도개선 만을 담당하고 있다. 또한 정부는 의료관광 마케팅과 홍보 프로그램을 지원하고 있지만, 실질적인 운영은 민간에 맡겨 놓은 상태이다. 싱가포르가 의료관광 산업 활성화와 경쟁력 강화를 위해 제안하고 있는 것은 다음과 같다.

① 의료비용 투명성의 확보: 병원별 진료비를 보건부 홈페이지에 공개
② 가격 경쟁력 강화: 의료서비스 생산의 비용절감을 위해 의료인력 유치제도 개선
③ 의사인력 확보: 외국의 의대학위를 인정하여 일정한 조건 아래 의료행위를 할 수 있으며 일정기간이 지나면 정규의사로 전환
④ 해외환자 입국절차 간소화: 사전 비자 발급제도와 응급환자를 위한 급행 비자 발급
⑤ 적극적 해외마케팅: Singapore Medicine 홍보, 의료전문인력 싱가포르 방문 프로그램 및 국제학술대회 개최, 선진국 의료기관 유치 등

싱가포르는 의료서비스 영역에서 공공의료 부문이 중요한 역할을 담당하고 있다. 2010년을 기준으로 14개의 공공병원과 16개의 민간병원이 있는데, 전체 병상(病床)의 77%가 공공병원에 속해 있다. 싱가포르 정부는 1990년에 공공병원을 구조조정하면서 정부가 소유한 기업이 이들 병원을 운영하게 만들었다. 이를 통해 병원 경영의 자율성과 효율성을 높이고자 하였다. 싱가포르에서는 중증질환과 같은 경우를 다루게 되는 2, 3차 의료 분야에서 공공병원이 80%를 담당하고 있다. 반면에 일차 의료서비스는 주로 민간의료기관이 제공한다.

(4) 싱가포르 의료관광병원

싱가포르의 병원 체계는 민간병원과 공립병원으로 나뉘며, 민간병원은 금융기관이나 일반투자자가 소유지분에 참여가 가능한 영리병원이다. 이들 민간병원에서는 환자가족을 위한 아파트 임대, 환자 및 가족전용 비즈니스센터 운영 등 호텔수준의 서비스 제공을 비롯하여 유럽 및 중동의 부호들에게는 프리미엄마케팅을 시행하고 있다. 현재 6개의 민간병원이 주식시장에 상장되어 있으며, 대표적인 병원으로는 파크웨이(Parkway)병원, 래플즈(Raffles)병원 등이 있다.

① **파크웨이병원(Parkway Hospital)**

파크웨이그룹(Parkway Holdings Limited)은 의료지주회사로 싱가포르 민간의료 부문에서 리더의 자리를 차지하고 있다. 말레이시아 투자펀드인 카자나(Khazanah)는 파크웨이 주식의 95%를 소유하고 있다. 또한 파크웨이는 말레이시아의 페낭, 인도의 뭄바이와 콜카타, 중국 상하이 등 아시아의 다른 지역에서 16개의 병원을 운영하고 있다. 싱가포르 내에서만 글렌이글즈병원, 마운트엘리자베스병원, 파크웨이이스트병원 등 4개의 병원을 운영하면서 민간병원 서비스의 70%를 담당하고 있다. 의료인력은 파크웨이대학을 운영하면서 공급받고 있다. 파크웨이 소속 병원을 방문한 환자의 60%는 외국인환자이며, 싱가포르를 방문하는 의료관광객의 거의 절반을 이곳에서 치료하고 있다. 그리고 이러한 외국인환자의 59%가 인도네시아 환자이다. 뿐만 아니라 중국, 우크라이나, 러시아, 사우디아라비아 등의 18개 국가에서 해외환자지원센터를 운영하고 있다.

〈그림 2-2〉 파크웨이병원 이미지

② **래플즈병원(Raffles Hospital)**

래플즈의료그룹(Raffles Medical Group)은 66개의 전문 클리닉을 갖춘 네트워크로 구성되어 있다. 래플즈병원은 이들 클리닉의 외래환자들을 의뢰받아 치료하는 중심 역할을 한다. 20개의 센터를 구비한 이 병원은 380개 병상을 갖추고 있으며, 이 병원의 외국인환자의 비율은 2008년도에 35%에 이르렀다. 래플즈그룹은 사업 확장을 위해서 싱가포르의 투자펀드와 카타르 정부의 투자를 받아들이기도 하였다.

〈그림 2-3〉 래플즈병원 국제환자센터

2) 태국

태국은 1997년 아시아 금융위기 직후 당시 사립병원의 절반 정도가 존폐위기에 처하면서 이를 개선하려는 목적으로 의료관광에 대한 관심을 가지게되었다. 이때 의료시장을 대폭 개방하였고 외국인들이 국내병원 지분의 49%까지 보유할 수 있도록 하였다. 태국 정부는 의료관광을 의료서비스와 휴양, 레저, 문화 활동 등 관광활동이 결합된 형태로 인식하고 있다. 태국 정부는 태국을 '아시아의 건강관광 허브(Health Tourism Hub of Asia)'로 자리매김하기 위하여 많은 지원을 아끼지 않고 있다. 그 결과 태국은 의료서비스와 웰니스관광 모두에서 성공적으로 자리매김하고 있다.

태국에서는 1990년대 말 발생한 외환위기를 타개하고 침체된 의료 산업을 회복시키기 위하여 태국민간병원협회가 의료관광 육성 필요성을 제안하자, 태국 정부는 2003년에 의료관광 분야별 육성을 위한 전략적 산업화 추진을 위한 구체적인 정책을 제시하였다. 이에 따라 태국 상무부와 민간병원이 참여하는 민간병원협회를 중심으로한 민·관 협력 형태인 '의료서비스와 의료 관련 상품을 위한 전략지원위원회'에서 육성 정책이 수립되었고, 태국관광청(Tourism Authority of Thailand, TAT)이 해외 홍보역할을 담당하고 있다.

(1) 태국 의료관광 현황

2006년 이후 의료관광 통계를 공식적으로 집계하고 있지는 않지만, 2008년에 140만 명의 외국인환자가 입국한 것으로 추정되며, 2011년에는 220만 명에 이르는 외국인이 치료 및 요양을 목적으로 태국을 방문한 것으로 추정되고 있다. 이들 중 23% 정도가 일본, 19%가 유럽, 11%가 미국, 10%가 주변 동남아시아 국가에서 방문한 것으로 파악되고 있다. 이에 따라 의료관광 수입은 전체 관광수입의 10%에 이르러 2008년에만 7백억 바트(미화 20억 달러)에 달한 것으로 보이며, 2011년에는 1천억 바트(미화 30억 달러)로 크게 증가한 것으로 추정된다. [18]

태국에서는 30개 정도의 민간의료기관이 외국인환자를 대상으로 진료를 하고 있으며, 다양한 방법과 방향으로 유치 활동을 펼치고 있다. 이들 병원은 의료서비스 수준이 높은 유럽과 미국 등의 지역에서부터 의료서비스가 낮은 지역까지 고객층을 확보하고 있다. 태국의 의료관광은 크게 미용 부분과 의료 부분으로 나뉜다. 미용관광의 형태로는 스파, 마사지, 아로마테라피(aroma therapy), 요가, 명상 등이 있고, 의료관광으로는 성형수술, 라식(LASIK) 수술, 성전환수술, 백내장(cataract) 수술, 관절(joint) 수술 등이 있다. 태국 정부의 보건 부서는 의료서비스, 헬스케어서비스, 약초 상품 등 세 가지 영역에 중점을 두고 있으며, 헬스케어서비스의 세 개의 주요 프로그램에는 건강 스파, 타이 전통 마사지, 장기체류 헬스케어 상품 및 서비스 등이있다.

또한 병원 인증 제도를 도입하여 민간병원협회에 속한 약 이천 개 병원의 서비스 품질과 환자 안전기준을 관리하고 적극적인 대외홍보에 앞장서고 있다. 태국은 성형과 라식수술에 소요되는 비용이 다른 국가에 비해 현저히 낮은 것으로 알려져 있다. 그럼에도 외국인환자들이 지급한 의료비는 태국 환자보다 높기 때문에 이는 태국 민영병원들의 중요한 소득원이 되고 있다.

태국 정부는 의료관광 산업 육성을 위해 순수한 의학적인 치료뿐 아니라, 태국 전통의료, 유기농산물, 약재, 스파 등과 관련한 서비스 제공을 강화하고 관광객들이 쉽게 접근할 수 있도록 관련 정보를 체계화할 것을 권고하고 있다. 태국은 지난 2012년 외국인 방문객이 2천만 명을 넘어섰으며 2014년에는 2천800만 명의 방문이 예상되는 세계적인 관광대국이다. 관광을 국가전략 산업으로 삼고 있는 태국은 관광객 전용 법정을 개설하는 등 관광객 편의를 높이는 한편 관광 산업의 부가가치를 높이기 위한 방안을 다각적으로 모색하고 있다. 특히 방콕, 푸켓 등 대도시와 휴양지의 대형 병원들은 첨단 의료시설뿐 아니라 외국인 의사, 주요 언어의 통역전문가를 갖추고 의료 관광객 유치에 힘쓰고 있다.

18　태국 상무부 수출진흥국 자료, 2008

(2) 태국 의료관광 발달 특징

태국 의료서비스 산업의 경쟁력 요인으로는 규제 해제와 이에 따른 민간 영리법인의 효율성을 들 수 있다. 태국의 의료관광 성공요인을 살펴보면 다음과 같다.

① 국제인증을 통해서 의료기관의 국제 공신력을 높이고 있다

② 세계적인 수준의 의료전문인력을 확보하고 있다.

③ 전략적 국제마케팅을 통해서 성장하고 있다.

④ 민간병원의 주식시장 상장을 허용하여 투자를 활성화하고 있다.

⑤ 외국인 고객을 위한 원스톱서비스를 제공하고 있다.

⑥ 상대적으로 저렴한 수가체계를 가지고 있다.

(3) 태국 의료관광 제도

태국의 의료기관은 민간 의료기관이 대다수인 한국과 달리 병원 1,323개 중(2009년 기준) 국공립병원이 76%로 1,007개이며, 사립병원은 24%인 316개가 운영되고 있다. 병상수를 기준으로 하면 사립병원 병상 수는 13,000여개로 전체의 10%를 차지하고 있다. 공공병원은 외국인 환자 유치에 참여하지 않고 있으며, 사립영리병원 일부가 외국인환자 및 자국인 부유층 환자를 대상으로 진료서비스를 제공하고 있다.

태국에서는 국공립병원 근무 의사도 사립병원에서 파트타임으로 근무하거나 개인병원 소유가 가능하고 사립병원에 대해서는 의료수가(醫療酬價) 자율화에 따라 진료비 자율책정제가 시행되며 민간의료보험이 허용된다. 1997년에 의료시장을 개방하여 병원을 상법상 주식회사로 설립해 주식시장에 상장할 수 있도록 정부가 규제를 풀어줬다. 실제로 태국 영리병원의 대표 주자인 범룽랏병원을 비롯한 13개 병원이 현재 주식시장에 상장돼 있다. 태국에는 민간병원에 대한 영리활동 및 가격규제가 없기 때문에 민간 대형병원은 외국인 전문 경영인이 경영과 의료를 분리시켜 경영 효율화를 도모하는 한편 시장원리에 따라 우수 의료진과 시설을 확보하고 고급서비스를 제공하면서 높은 비용을 받고 있다. 태국은 부유한 의료 관광객이 많은 바레인, 오만, 쿠웨이트, 사우디아라비아, 아랍에미리트, 카타르 등 중동 6개국을 신흥 타깃시장으로 삼고 의료관광객 유치에 힘쓰고 있다.

(4) 대표 의료관광병원

외국인을 대상으로 의료서비스를 제공하는 병원은 30여개에 이르며, 대표적인 곳으로는 범룽랏(Bumrungrad)병원, 사미티벳(Sarmitivej)병원, 방콕(Bangkok)병원, 피야 벳(Piyavate)병원 등이다. 이들 병원은 방콕, 푸켓, 파타야, 후아힌 등 주요 관광지에 소재하고 있는 것이 특징이다. 외국인 투자 및 규제의 자율화로 인해 많은 병원들이 외국인 지분을 보유하고 있다.

① 범룽랏국제병원(Bumrungrad International Hospital)

범룽랏국제병원은 1980년에 설립되어 태국에서 최초로 국제 인증을 받았다. 이 병원은 미국 병원의 건축기준을 따라서 지었고 고급호텔처럼 디자인 되었다. 30여 개의 전문센터와 554개의 병상을 갖추고 있으며, 950명의 의사가 근무하고 있다. 이 병원은 싱가포르, 호주, 미국, 독일, 가나 등에 16개의 해외지사를 가지고 있으며 적극적으로 해외환자를 유치하고 있다.

2009년의 통계에 따르면 연간 100만 명의 환자가 이 병원을 방문하였고, 이중 40만 명의 환자가 외국인이었다. 외국인환자 중 약 10만 명은 태국에 장기 거주하는 외국인이고, 10만 명은 방문 중 우연한 사고나 질병으로 치료받은 경우이고, 나머지 20만 명 정도가 치료목적으로 방문한 환자인 것으로 나타났다. 중동 지역 환자는 치료를 목적으로 하는 경우가 대부분이며, 유럽과 미주 지역은 우연한 질병으로 방문한 경우가 많다. 외국인환자의 국적은 190개에 이른다.

이 병원은 차별화된 서비스를 제공해 오고 있는데 국제환자센터는 비자, 언어, 보험 등과 관련된 고객의 요구를 전담해서 처리하고 있다. 그리고 웰니스센터는 관광객을 위한 맞춤의 건강관리 서비스를 제공하고 있다. 또한 유치 마케팅의 일환으로 14개 외국어로 된 병원 인터넷 홈페이지를 운영하고 있으며, 의료관광 국제학회에 참가하여 홍보전시관을 운영하고 있다. 또한 정기적으로 주요 타깃 국가를 순회하며 병원 로드쇼를 개최하고, 타이항공과 연계하여 진료와 휴양을 연계한 상품도 개발하였다.

〈그림 2-4〉 범룽랏병원 이미지

② 방콕병원(Bangkok Hospital Medical Center)

방콕병원메디컬센터는 4개의 병원과 여러 개의 전문클리닉으로 이루어져 있으며 1972년에 설립되었다. 이 병원에는 650명의 의사와 700명의 간호사가 근무하고 있다. 여기에 소속된 병원은 방콕병원, 방콕국제병원, 방콕심장병원 등이 있다. 태국에서 외국인환자만을 위해 처음으로 세워진 방콕국제병원은 3개의 외래 부서를 가지고 있는데 일본의료서비스, 아랍의료서비스, 국제의료서비스란 부서가 있다. 방콕병원은 외국인환자들을 위해서 38개의 방이 있는 아파트 콤플렉스를 갖추고 있으며, 고객관리 부서를 통해 호텔예약도 가능하도록 했다. 이 병원은 캄보디아, 방글라데시, 베트남, 미얀마 등에 사무실을 두고 외국인환자에 대한 서비스를 제공하고 있다.

〈그림 2-5〉 방콕병원 이미지

3) 인도

인도 정부는 2003년도에 인도를 글로벌 의료서비스의 목적지 국가로 키우겠다는 비전을 제시하였다. 인도에서는 정부의 재원이 부족하여 의료서비스를 복지차원에서 접근하지 못했다. 이런 이유에서 의료관광이 의료시장의 확장과 의료기관의 수익성 확보의 중요한 수단으로 간주되게 되었다.

인도는 그 역사가 깊고 오리엔탈 문화의 중심지 가운데 한 곳으로 세계 관광객들로부터 집중적인 관심을 받고 있는 나라 중의 하나이다. 인도는 IT강국의 장점과 저렴한 진료비, 짧은 수술 대기시간 등을 내세워 의료관광 활성화를 꾀하고 있다. 인도의 수술비용은 일반적으로 미국의 20% 정도 수준이며 태국에 비해서도 30% 이상 저렴하지만 상대적으로 의료기술은 무척 높은 것으로 알려져 있다. 의사나 간호사는 물론 사무직원까지 영어 구사가 가능하고 의사소통이 자유로운 것도 장점 가운데 하나이다. 인도의 병원은 초기에는 미국병원의 진료사본, X-ray 해석과 같은 지원업무를 하였으나 이제는 실제적인 치료센터로 전환하고 있다. 또한 요가나 명상과 같은 전통의학과 결합한 회복 프로그램(아유르베다, ayurveda)을 추가한 의료관광 패키지를 선보이기도 한다.

(1) 인도 의료관광 현황

인도 의료관광의 장점은 세계적 수준의 인적자원과 네트워크에 있다. 미국에는 3만 명 이상의 인도계 미국인 의사가 활동하고 있는 것으로 추정되고 있는데 이는 전체 미국 의사의 5% 이상이다. 심지어 미국 의대생의 15% 정도가 인도계 혈통을 가지고 있는 것으로 조사되었다. 이들 중 다수는 인도와 미국 양국에서 훈련을 받게되면, 인도에 돌아와서는 인도 의료관광의 중요한 인적 자원으로 활동하고 있다. 지금도 인도 일류병원 의사의 15% 정도는 영국과 미국에서 교육을 받거나 개업을 했던 경험이 있다. 이러한 해외경험이 있는 의료진은 외국인환자의 요구를 잘 충족시켜 나갈 수 있다.

첸나이는 인도 의료관광의 선도지역이고 케랄라 지역은 아유르베다와 웰니스 관광의 중심 지역이다. 2004년 15만 명의 해외환자가 인도를 방문하였는데, 2007년에는 27만 명, 2012년에는 73만 명 수준으로까지 증가한 것으로 나타났다. 인도 의료관광 산업은 지난 10년간 연평균 성장률 30%를 기록하고 있다. 시장 규모는 2006년 미화 4억5000만 달러에서 2013년에 미화 20억 달러로 약 4배 가까이 성장했다.

(2) 인도 의료관광 발달특징

인도에서 의료관광이 성공한 요인은 다음과 같다.

① 최첨단 메디컬센터와 인도의 전통적인 치료방법의 효율적 접목이다.

② IT와 네트워크를 활용한 의료 홍보 활동이다.

③ 영어권 고객들과의 편리한 의사소통과 친절한 서비스를 제공하고 있다는 점이다.

④ 상대적으로 매우 저렴한 의료비와 비교적 짧은 시술 대기시간이다.

⑤ 정부의 적극적인 지원정책과 손쉬운 의료비자 발급 등이다.

(3) 인도 의료관광 제도

인도 정부는 의료관광 활성화를 위하여 2006년 외무, 교통, 관광, 철도, 항공 부문을 합쳐 의료관광 특별 팀을 구성하였다. 또한 의료관광 전문회사를 통해 병원, 여행사, 전문 컨설턴트 등의 네트워크를 이용하여 의료관광 원스톱서비스 시스템을 구축하였다. 인도 관광청은 의료관광을 인도 주요 산업으로 인식하고 병원 인프라의 현대화 프로젝트를 시행하고 있다. 인도는 의료관광을 활성화하기 위해 의료 관광객에게 1년짜리 'M(메디컬) 비자'와 환자를 따라오는 보호자에게는 'MX 비자'를 발급하고 있다. 인도 병원의 치료비는 일부 품목의 경우 미국의 10%, 영국의 15% 정도에 불과하여 앞으로 인도의 의료관광 사업은 더 커질 것으로 예상 된다.

인도로 의료관광을 오는 이유는 전문성과 발전된 기술, 낮은 가격과 보험 혜택 등이다. 인도에서 가장 인정받는 분야는 심장수술, 장기이식, 척추교정, 치아교정, 신경외과, 골수이식 분야이다. 인도는 태국과 같은 경쟁국에 비해 낮은 가격으로 의료관광을 할 수 있고 대부분의 인도 병원은 국제적인 보험 상품에 가입돼 있다는 장점이 어필되고 있다. 이밖에 의료관광의 증가로 큰 인해 병원을 중심으로 의료 지원 부서를 개설해 비자, 통역, 음식, 법률, 입원 후 거주, 관광, 출국 후의 원격의료 등의 복합적 의료서비스를 제공한다.

인도의 의료서비스에 있어서 민간부분의 역할은 큰편이다. 의료 인력의 75%, 병원의 68%가 민간부분에 속해 있다. 외래방문의 82%와 입원비의 58%가 민간병원에서 발생하였다. JCI 인증을 받은 의료기관이 17개로 모두 민간병원이다. 인도에서는 외국인환자 유치에 초점을 맞춘 세계적인 수준의 의료기관과 자국민들에게 주로 일차 의료서비스를 제공하는 낮은 수준의 의료기관이라는 이중구조로 존재한다. 인도 전체의 의료비 지출에서 정부재원은 25% 정도를 차지하고, 가계 직접부담이 65%를 차지하고 있다.

(4) 인도 의료관광병원

인도는 정부 주도 하에 의료관광 사업을 육성시켰으며 첨단 의료 장비와 뛰어난 서비스로 많은 외국인을 불러 모으고 있다. 특히 인도의 의료관광은 미국에서 많이 오는데 미국과 영국의 대형 보험사들이 인도 의료관광을 의료보험 공제 대상에 포함시켜 더 큰 효과를 보고 있다.

① 아폴로그룹(Apolo Group)

인도에서 대표적으로 외국인환자를 유치하고 있는 아폴로(Apolo)병원은 인도 전역에 8천여 개의 병상을 보유한 50개의 병원 체인과, 60여개의 클리닉을 운영하고 있다. 아폴로그룹은 이 가운데 6개가 국제 인증을 받았다. 이 그룹은 인도에서 제일 큰 민간의료기관으로 첸나이지역에 기반을 두고 있다. 이 그룹은 또한 1천여 개의 약국을 거느리고 있다. 이 그룹은 방글라데시와 스리랑카의 병원에 지분을 가지고 참여를 하고 있다. 아폴로 그룹에 속한 의사들 중 70% 정도는 미국, 영국과 같은 선진국에서 교육을 받았거나 진료경험을 가지고 있다.

〈그림 2-6〉 아폴로병원 이미지

② 포티스병원(Fortis Hospital)

인도의 또 다른 선도적인 헬스케어 체인인 포티스헬스케어(Fortis Healthcare)는 워카드 병원 그룹에 속한 8개 병원을 2009년에 인수하였고 2010년에 브랜드 이름을 포티스병원으로 개칭하였다. 이를 통해 이 그룹은 5천1백여 개의 병상으로 아폴로그룹을 바짝 추격하게 되었다. 현재 이 그룹은 인도 전체에 32개의 병원을 운영하고 있으며, 스리랑카, UAE, 싱가포르, 모리셔스 등에서도 해외병원을 운영하고 있다.

20 languages spoken. 1 mission articulated.
Saving and enriching lives.

〈그림 2-7〉 포티스병원 이미지

4) 말레이시아

말레이시아 의료관광은 태국, 싱가포르에 비하여 후발주자이나 인프라가 앞서 있으며 정부 정책에 힘입어 사립병원을 중심으로 의료관광 시장이 형성되어 있다. 의료관광에 동참하고 있는 병원은 대부분 영어로 의사소통이 가능하며 해외여행 상해보험에 가입한 관광객이라면 진찰을 받을 수 있다. 말레이시아의 중점 의료서비스 분야는 건강검진과 미용성형 부분이며 헬스, 스파, 척추지압요법, 메디컬 스킨케어, 아로마 테라피 등이 강세를 이루고 있다.

'Malaysia Healthcare Travel Council(MHTC)'라는 의료관광 추진 전담조직을 출범시켰던 말레이시아는 1998년 외국인환자 유치를 통해 의료기관의 악화된 수익구조를 해결하기 위하여 보건부 주도로 '국가위원회'를 구성하였다. 동 위원회는 민·관 협의체형태의 자문기구로 의료 및 건강관광 활성화를 위한 전략수립, 관련 주체들 간의 파트너십을 형성하여, 의료관광 위상을 높이기 위한 노력을 지원하고 있다. 이후 2009년에 관련 업무를 수행하는 정부부처, 공기업 및 민간병원협회를 통합하여 '말레이시아 헬스케어(Malaysia Healthcare)'를 설립하였다.

말레이시아 의료관광객은 2003년 10만 명, 2008년 37만 명, 2012년 67만 명으로 2003년 이후 연평균 23.1%의 성장세를 보이고 있다. 의료관광 수입도 2003년에 미화 1,500만 달러에서 2010년에는 9,000만 달러로 6배가 증가되었으며, 의료관광객 1인당 지출액도 같은 기간 150달러에서 240달러로 늘어났다.

말레이시아의 외국인환자는 대부분 인도네시아에서 오고 있는데, 같은 이슬람권 국가라는 종교적 동질성과 지리적 이점 및 언어소통이 원활하기 때문으로 보인다. 말레이시아에서 가장 큰 사립병원이자 주식시장에 상장되어 있는 KPJ헬스케어는 조호르(Johor)사 계열로 말레이시아에 20개의 병원과 인도네시아에 2개의 병원을 운영하고 있다.

〈그림 2-8〉 KPJ 병원 이미지

5) 일본

일본은 그동안 높은 기술력을 바탕으로 의료서비스의 질이나 구성항목에서 아시아 국가들 중에서 높은 만족도를 보여 왔으나 주로 자치단체의 지역진흥 사업의 일환으로 추진되어 왔다. 그러다가 지난 2010년에 중앙정부의 신 성장전략에 '국제의료교류(외국인환자 수용)'에 관한 내용이 포함되고 2012년에는 '의료 이노베이션 5년 전략'을 발표하는 등 한국과 마찬가지로 정부 주도하에 의료관광을 추진하고 있다. 이를 통해 일본 정부는 2020년 외국인환자 43만 명 유치를 통해 관광 수입 5,500억 엔, 경제 수익 2,800억 엔을 목표로 정하였다.

일본의 경우에는 의료관광을 중요한 신 성장 요소로 간주하고 있다. 2010년에 일본정부는 2020년까지 핵심적인 경제정책 방향을 담은 신성장전략을 발표하였다. 이것은 7대 전략분야와 우선추진과제로 21개의 '국제전략 프로젝트'를 추진함으로써 2020년까지 연평균 성장률을 3%, 실질 2% 이상으로 한다는 목표를 제시하였다. 7대 전략분야 중의 하나인 라이프 이노베이션은 아시아의 부유층을 대상으로 한 의료관광의 확대를 포함하고 있다. 그러나 일본의 경제산업 부처가 의료관광에 적극적인 반면에 보건복지 부처는 관망하는 자세를 취하고 있다.

3. 기타 의료관광 선도국가

세계의 많은 나라들은 의료관광객 유치 여건을 갖추고 있으며 이를 위해 애쓰고 있다. 유럽 및 북미 지역은 민간이 주도적으로 추진하고 있으며, 반면에 중남미 지역에서는 정부가 직접 개입하고 있다.

1) 미국

일반적으로 미국은 대표적인 의료관광 송출 국가로 알려져 있으나, 다른 어떤 나라보다도 발달된 의료기술과 의료시설 그리고 다양한 관광 기회 등을 강점으로 의료관광 목적지로서의 입지도 공고하다. 미국은 정부 차원의 개입은 거의 없고, 철저히 민간병원에서 개별적으로 의료관광이 추진되고 있다. 그러나 일부 지방 정부는 대학 부속 의료기관과 협력하여 의료 관련 국제회의를 해당 지역으로 유치하여 개최되도록 지원함으로써 외국인환자 유치에 간접적인 지원을 하고 있는 실정이다. 이는 의료관광 목적지로서 명성을 향상시키고 의료 관련 산업의 시장 점유율을 높이기 위한 노력의 일환이다. 현재까지는 비영리 대학병원을 중심으로 외국인환자의 유치가 이루어졌으나 향후에는 비 대학병원 및 영리병원 역시 의료관광 시장에 뛰어들 것으로 예상된다. 또한 전통적인 의료기술 뿐 만 아니라 대체의학이나 웰니스관광 프로그램도 함께 성장할 것으로 보인다.

Deloitte & Touche(D&T)[19]의 2008년도 발표 자료에 의하면, 중증질환 치료의 목적으로 미국을 방문한 외국인환자는 미국 내 전체 환자의 3.5%인 40만 명 이상이고 이들은 약 50억 달러를 지출하였으며, 외국인환자의 수는 매년 증가하여 5년 뒤에는 80만 명에 달할 것으로 예측을 하였다. 동 보고서에 따르면, 현재 외국인환자가 많이 찾는 미국 내 병원으로는 Texas Medical Center, Univ. of Pittsburgh Medical Center, Harvard Medicine, John Hopkins Hospital, Cleveland Clinic, Cornell Medical School, Duke Univ. school of Medicine, Memorial Cancer Center, Mayo Clinic 등이다.

그러나 많은 미국인들은 저렴한 의료비용으로 높은 질의 의료서비스를 적절한 시간에 받기를 원하고 있지만 미국 내에서 해결할 수 없는 현실적인 문제가 많다. 이런 문제로 인해 해외에

---

19   Deloitte. (2008). Medical Tourism: consumers in search of value.

서 의료서비스를 받고자 하는 사람들은 줄어들지 않고 있다. Deloitte(2008)의 보고서에 의하면, 미국이들 중 해외에서 의료서비스를 제공받은 숫자가 2007년에만 75만 명에 이른 것으로 조사되었으며, 이 숫자는 해마다 20% 이상씩 증가할 것으로 예상되고 있다.

2) 쿠바

쿠바는 미국의 지속되는 경제제재와 사회주의의 붕괴로 인한 경제파트너 상실로 인하여 1990년대 초반 경제적 어려움을 경험하였다. 이에 쿠바 정부는 의료관광과 바이오 산업의 발전을 통해서 외화를 벌어들이려는 국가적인 전략을 수립하였다. 쿠바는 의료기관에 대한 규제를 완화하는 방법으로 의료혁신을 이끌어 낼 수 있었고 이를 통해 안과, 척추질환 분야에서 특화된 의료기술을 가진 의료관광 국가로 성장할 수 있었다.

3) 코스타리카

2000년 세계보건기구(WHO)의 평가에 의하면, 코스타리카의 의료보험 시스템은 라틴 아메리카에서 매우 우수한 것으로 인정되었다. 이렇게 잘 갖추어진 공공 의료보험 시스템 및 민간 의료보험 시스템을 통해 양질의 의료서비스를 국민에게 제공하고 있다. 이러한 연유로 1980년대부터 북미 지역 환자들이 저렴한 비용으로 성형수술을 받기 위해 코스타리카를 방문하였으며, 최근에는 다양한 의료 분야로 확대되어 의료관광 목적지로 주목받고 있다. 특히 생태관광지로서의 코스타리카의 관광이미지와 함께 정부에서도 이를 적극 홍보하고 있다.

코스타리카는 저렴한 비용과 북미와 인접 지역이라는 장점을 최대한 내세운다. 또한 의료인들이 질 높은 서비스를 제공할 수 있도록 철저하게 관리하고 있다. 그리고 코스타리카 정부에서는 국가경쟁위원회(National Competitiveness Council)를 설치하여 의료관광 경쟁력 제고 프로그램을 마련하여 추진하고 있다. 이 위원회는 의료서비스 클러스터 강화에 우선순위를 두고 의료서비스와 관련된 모든 기관들과 함께 세계적인 의료관광 목적지로 만들기 위하여 발전 전략을 만들고 홍보 활동을 펼치고 있다.

4) 터키

터키는 지정학적으로 동양과 서양의 전통이 독특한 모양으로 공존하는 곳이다. 터키는 고대로마시대부터 웰니스관광 목적지로 알려져 왔다. 터키 통계청 자료에 의하면 최근 중증 질환 환자의 진료를 위해 연간 16만 명 이상이 방문한 것으로 나타났다. 영국을 비롯한 유럽이 대표적인 시장이며, 그 밖에 러시아 및 주변 국가, 주변의 중동 지역 등 매우 다양하다. 특히, 2001년 이후 중동 지역에서 미국과 유럽으로의 입국이 자유롭지 못하게 되자, 외국인환자들의 대체 목적지로 주목을 받고 있다.

터키의 의료관광 목적지로서 강점은 우선 가격경쟁력과 지정학적 위치이다. 그리고 국내 및 해외 환자들을 위한 충분한 수용력을 갖추고 있다는 점이다. 터키는 최신의 의료기술과 장비, 국제 기준에 부합한 의료시설 및 서비스를 갖추고 있다. 터키는 500만 명에 이르는 해외 거주 동포가 있다. 이들의 대부분은 지속적으로 터키와 연계성을 가지고 있으며 질병이 생겨 치료가 필요하면 고국을 찾는 경우가 대부분이다. 주요 선진국에 비해 결코 떨어지지 않는 터키 의료수준이 이를 증명해 준다. 터키에는 아울러 풍부한 관광 자원이 있다. 최적의 기후, 아름다운 자연 및 문화유산, 터키 국민의 환대정신 등은 외국인 유치에 긍정적인 요소로 작용하고 있다.

터키는 의료서비스 산업 분야에 대한 민간 투자가 매우 활발한 편이다. 많은 국내 및 해외 은행과 투자 회사가 의료 산업에 투자하고 있으며, 세계적인 의료장비 제조 기업들도 터키에 재정 지원을 하고 있다. 중동의 투자자들 역시 터키의 의료 산업에 매우 긍정적인 신호를 보이고 있다. 이에 비해 정부의 의료관광 산업에 대한 관여 정도는 비교적 낮은 편이다. 다만 터키 관광청은 웰니스 관광객의 유치를 위해 웰빙 관광 상품인 전통적인 스파 리조트의 활성화를 위해서 지원하고 있는 수준이다.

5) 오스트리아

오스트리아는 의료관광 측면에서 유럽의 중심부에 위치하고 있다. 오스트리아는 오랫동안 다양한 의료 분야에서 인정을 받아 왔다. 특히 최신 기술의 활용, 의사와의 면담 및 수술 일정에 있어서 짧은 대기시간, 그리고 우수한 의료 임상 결과로 세계적인 명성을 얻어 왔다. 그 중에서도 심장질환 및 암수술환자들의 높은 생존율, 법적 환경에서 이루어지는 높은 체외수정 성공률 등 심장질환, 이식수술, 예방의학, 산부인과, 재생의학 분야에서 앞서있다. 또한 의료서비스 체계는 유럽에서 소비자의 욕구를 가장 잘 반영한 시스템으로 인정받고 있다.

640년 이상의 전통을 가진 오스트리아 비엔나 의과대학은 연구, 교육, 환자 케어의 3중 트랙을 대학 시스템의 핵심으로 삼고 있으며, 오스트리아 의사들의 교육수준과 전문성은 세계적인

명성을 얻고 있다. 또한 의료관광 목적지로서 오스트리아는 많은 부분에서 외국인환자들의 요
구와 기대를 맞추고 있다. 의과대학의 전통에 근간을 둔 최고의 의료기술, 환자에게 개별적으
로 제공되는 우수한 환자서비스, 그리고 빼어난 관광 자원과 쾌적한 기후를 갖춘 안전한 곳이
라는 이미지로 각인되어 왔다.

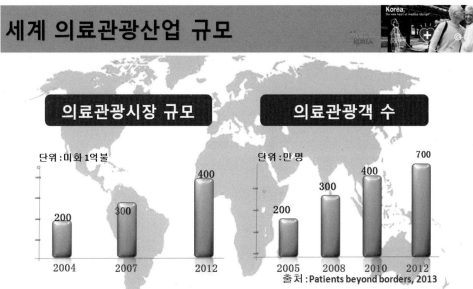

〈그림 2-9〉 세계 의료관광 시장 규모

02절 한국 의료관광 현황

●●●● 한국 정부는 새로운 미래를 준비하기 위하여 2009년 초에 미래 한국을 이끌어갈 신성장 동력 산업을 제시하였다. 이것은 한국이 앞으로 고도성장을 유지하는 데 필요한 산업과 기술로서 미래 경제발전의 원천이 될 것으로 예상된다. 한국이 지난 10년 동안 경제협력개발기구(OECD) 회원국 중 성장률이 높았다고는 할 수 있지만, 중국이 더 빠른 속도로 성장하고 있고 일본의 기술을 아직 극복하지 못하고 있는 실정이다. 이런 구조를 넘어설 수 있는 산업을 준비하는 것이 신 성장 동력 발굴 프로젝트이다.

이에 따라 정부는 3대 분야 17개 신 성장 동력을 확정하였다. 첫 번째 분야는 단순한 에너지 절감 분야가 아닌 미래 성장의 바탕이 되고 기후 변화 및 자원위기에 대한 해결 능력이 큰 녹색기술 산업이다. 두 번째는 세계 시장규모가 크고 국내 기술 역량이 높으면서 타 분야와의 융합을 통해 기존 산업의 고도화와 새로운 산업 창출이 가능한 첨단융합 산업이다. 셋째는 일자리 창출 잠재력이 크고 기존 서비스업에 경제적 측면을 보강하여 고부가가치 창출이 가능한 고부가 서비스 산업 분야이다. 의료관광은 세 번째에 해당되는 고부가가치를 이끌어 내고 국가 브랜드 가치를 높여줄 새로운 서비스 산업 분야의 하나로 제시되었다.

1. 한국 의료관광 실태

한국 의료관광 시장은 의료관광이 법으로 허용된 2009년 이래 급속도로 성장하여 왔다. 보건복지부 보고서에 의하면 한국 의료관광 시장은 2009년 이후 연평균 37.3%로 성장세를 보이고 있다. 한국 의료관광은 성형·미용 분야는 물론 암이나 심혈관계수술 등의 전문진료 분야에서도 높은 수준을 보유하고 있는 것으로 인정받고 있으며 최첨단 의료기술과 장비를 보유하고 있다고 평가받고 있다. 그러나 아직까지도 싱가포르, 태국 등 기존의 의료관광 선도 국가에 비해서는 인지도가 부족하고 시장규모도 크지 않다. 따라서 의료관광의 지속적 성장을 위해서는 여러 가지 수용여건의 개선 외에도 평균 진료비용의 공개, 명확한 통계자료의 제공 등을 포함한 조직적인 시스템의 구축이 필요하다고 분석되고 있다.

1) 외국인환자 유치현황

외국인환자 유치실태 조사는 외국인환자를 유치하는 의료기관으로부터 환자 유치실적을 집계하는 방식으로 2009년부터 보건복지부 주관으로 한국보건산업진흥원에서 실시하고 있다. 외국인환자 유치통계는 의료법에 의거하여 보건복지부에 외국인환자 유치기관으로 등록한 의료기관과 유치업자가 유치한 외국인환자에 대한 정보를 집계하는 보고통계 성격의 조사이다. 조사 범위는 국적, 연령, 성별 등 환자의 기본정보와 진료과목, 진료일자, 주 진단 및 주 처치내용, 진료비 등 환자의 진료 정보이다. 조사대상은 국적이 외국인이며, 국민건강보험에 가입되지 않은 사람으로 주한미군을 포함하여 외국인등록 또는 국내거소신고를 하지 않은 외국인만을 대상으로 한다. 그러나 이 조사는 의료기관에 초점을 두고 있기 때문에 환자나 그 동반자의 의료기관 밖에서의 활동에 대한 정보는 전혀 산출하지 못하고 있다.

(1) 진료 유형별현황

보건복지부에서 발표한 2013년도 외국인환자 유치실적 자료에 따르면, 국내에서 진료를 받은 외국인환자 수는 전년대비 32.5% 증가한 총 211,218명으로 나타났다. 국내에서 외국인환자의 유치가 법적으로 허용된 2009년에 한국 의료기관을 이용한 외국인환자는 60,201명에 불과하였지만, 불과 5년 만에 3.5배 이상 증가한 것으로 나타났다. 2013년에 입국한 외국인환자 가운데 입원진료를 받았던 환자는 20,137명으로 전체의 9.5%이며 2009년 이후 연평균 50.6% 증가세를 보여준다. 건강검진 환자의 비중은 매년 감소세로 건강검진 이후 외래 및 입원진료로 이어지는 환자가 증가하고 있다.

한편 문화체육관광부에서 발표한 2013년에 한국을 방문한 외국인 관광객은 12,175,550명으로 전년대비(11,140,028명) 9.3% 증가하였고, 방한 외래 관광객 대비 외국인환자의 비중은 1.7%로 전년대비(1.4%) 증가하였음을 알 수 있다. 이때 통계에 사용되는 외국인환자 수는 '실환자 수'로 집계된 것이다. 실환자는 실질적으로 한 명의 환자가 한 해에 여러 번 같은 의료기관을 방문하더라도 한 명의 환자로 집계되는 것이다. 반면에 같은 환자가 두 차례 이상 동일 의료기관을 방문하거나 하루 이상 입원할 경우 일자별로 모두 환자 수에 산정하는 '연환자 수'는 활용도가 높아 별도로 집계하기도 한다.

〈표 2-3〉 2009-2013년 진료유형별 외국인 실환자 현황   (단위 : 명, %)

구분	2009년		2010년		2011년		2012년		2013년		연평균 증가율
	실환자	비중	실환자	비중	실환자	비중	실환자	비중	실환자	비중	
입원	3,915	6.5	7,987	9.8	11,945	9.8	14,809	9.3	20,137	9.5	50.6
외래	56,286	93.5	63,891	78.1	95,810	78.3	128,711	80.7	172,702	81.8	39.3
건강검진			9,911	12.1	14,542	11.9	15,944	10.0	18,379	8.7	22.9
계	60,201	100	81,789	100	122,297	100	159,464	100	211,218	100	36.9

* 2009년은 외래와 건강검진 구분 없이 조사되었으며, 연평균 증가율은 2010-2013년(4년간)에 해당됨
* 출처: 2013년 외국인환자 유치실적 조사 결과, 보건복지부(2014.5)

　한편, 2013년 외국인 연환자 수는 총 650,411명(전년대비 36.9% 증가)으로 조사되었다. 입원환자의 평균 재원기간은 12.3일이었으며, 입원 연환자 수(총 재원기간)는 2009년 이후 연평균 74.6%의 증가세를 보여주고 있다.

〈표 2-4〉 2009-2013년 진료유형별 외국인 연환자 현황   (단위 : 명, %)

구분	2009년		2010년		2011년		2012년		2013년		연평균 증가율
	연환자	비중	연환자	비중	연환자	비중	연환자	비중	연환자	비중	
입원	26,707	16.7	54,057	24.1	92,758	26.9	184,782	38.9	248,398	38.2	74.6
외래	135,931	83.3	170,203	75.9	251,649	73.1	290,157	61.1	402,013	61.8	31.1
계	162,638	100	224,260	100	344,407	100	474,939	100	650,411	100	41.4

(2) 국적별 유치 인원

2013년도에 입국한 외국인환자를 국적별로 살펴보면, 러시아환자는 24,026명으로 일본(16,849명)을 제치고 처음으로 3위로 올라섰으며, 2012년에 환자유치 1위였던 중국은 56,075명으로 2위인 미국(32,750명)과 현격한 차이를 보이며 2013년에도 계속 1위를 유지하고 있다. 즉, 일본은 지속적으로 외국인환자 비율이 줄어들고 있고, 미국은 교포를 중심으로 방문이 이루어지고 있는데 전체에서의 비중은 지속적으로 하락하고 있다.

한편 2013년 방한한 전체 외래관광객 중 중국 관광객의 비중은 30.7%로 전년대비 52.5% 증가하였고, 일본 관광객은 전년대비 21.9% 감소하였으며, 러시아 관광객은 175,360명으로 전년대비 5.2% 증가하였는데 외국인환자 국적별 유치인원을 보면 이와 유사한 양상을 보여준다.

그리고 양국 정부 간 환자송출협약의 성과로 아랍에미리트환자는 전년대비 236.5% 증가한 1,151명이 유치되었으며, 이들의 총 진료비는 204억 원으로 전년(43억 원)대비 374.4% 증가하였다. 또한, 카자흐스탄(118.0%), 몽골(94.0%), 우즈베키스탄(86.2%) 등 정부 간 협력을 지속적으로 하고 있는 전략 국가도 꾸준한 증가세를 보여주고 있다. 한편, 미국·중국·일본 등 3개국 편중 현상이 계속 완화(73.9%→68.6%→68.1%→61.5%→50.0%)되면서 외국인환자 방문이 국적별로 다양화되고 있음을 알 수 있다. 2013년 한국 의료기관을 이용한 외국인환자의 국적은 총 191개국이며, 100명 이상 유입된 국가는 54개국으로 매년 꾸준히 증가세를 보여준다.

〈표 2-5 〉 외국인환자 국적별 환자 추이(실환자 기준)   (단위 : 명, %)

국적	2009년		2010년		2011년		2012년		2013년		연평균 증가율
	환자수	비중	환자수	비중	환자수	비중	환자수	비중	환자수	비중	
중국	4,725	11.0	12,789	19.4	19,222	18.9	32,503	20.4	56,075	26.5	85.6
미국	13,976	32.6	21,338	32.4	27,529	27.1	30,582	19.2	32,750	15.5	23.7
러시아	1,758	4.1	5,098	7.7	9,651	9.5	16,438	10.3	24,026	11.4	92.3
일본	12,997	30.3	11,035	16.8	22,491	22.1	19,744	12.4	16,849	8.0	6.7
몽골	850	2.0	1,860	2.8	3,266	3.2	8,407	5.3	12,034	5.7	94.0
베트남	327	0.8	921	1.4	1,336	1.3	2,231	1.4	2,988	1.4	73.9
카자흐스탄	128	0.3	346	0.5	732	0.7	1,633	1.0	2,890	1.4	118.0
필리핀	356	0.8	957	1.5	1,178	1.2	1,767	1.3	2,500	1.3	70.0
우즈베키스탄	113	0.3	298	0.5	491	0.5	824	0.5	1,358	0.6	86.2
사우디아라비아	218	0.5	380	0.6	920	0.9	1,082	0.7	1,294	0.6	56.1
기타 국가	22,744		24,757		33,470		42,241		56,441		
유치 합계	60,201		81,789		122,297		159,464		211,218		

* 외국인환자 총 국적 수: '09년 141개국 → '10년 163개국 → '11년 180개국 → '12년 188개국
** 연간 100명 이상 유치 국가: '09년 28개국 → '10년 32개국 → '11년 43개국 → '12년 48개국

(3) 외국인환자 진료비 현황

2013년에 유치한 외국인환자의 진료수입은 총 3,934억 원으로 전년대비 47.2% 증가하였다. 그리고 1인당 평균진료비는 186만원으로 전년대비 10.7% 증가하였다. 이는 2013년 국민건강보험 적용 인구 1인당 연간진료비 102만원보다 1.8배 이상 높은 것을 알 수 있다(2013년 건강보험 주요 통계, 국민건강보험공단).

〈표 2-6 〉 2009-2013 외국인환자 진료수입 현황

구분	총 진료수입 (단위: 억 원)				1인당 평균진료비 (단위: 만원)			
	입원	외래	건강검진	전체	입원	외래	건강검진	전체
2009년	256	291		547	656	54		94
2010년	520	432	81	1,032	666	70	87	131
2011년	756	950	103	1,809	662	100	71	149
2012년	1,347	1,180	145	2,673	910	92	91	168
2013년	1,859	1,834	241	3,934	923	106	131	186

특히, 입원환자(20,137명)와 중증상병 외래환자(7,313명)를 합한 전체 중증환자는 27,450명으로 전체 환자의 13.0%인데, 이들 중증환자의 진료수입은 1,986억 원으로 총 진료비의 50.5%를 차지한다. 여기서 '중증상병환자'라 함은 건강보험공단의 중증진료로 분류되는 암, 심장, 뇌혈관질환 및 중증화상 환자를 말한다. 그리고 중증환자의 1인당 평균진료비는 723만원으로 비중증환자 평균진료비(106만원)의 6.8배에 달한다.

한편, 중증환자 수의 비중은 2011년 12.1%에서, 2012년 12.3%, 2013년 13.0%로 계속 증가하고 있다. 중증환자의 국적은 중국(5,863명, 21.4%), 러시아(5,037명, 18.4%), 미국(4,923명, 17.9%), 몽골(2,439명, 8.9%), 일본(1,132명, 4.1%) 순이며, 국적 내 중증환자 비율은 아랍에미리트(26.8%), 카자흐스탄(22.9%), 러시아(21.0%), 몽골(20.3%), 우즈베키스탄(18.8%) 순으로 높다.

의료비로 1억 원 이상을 지출한 환자는 117명으로 전년대비 42.7% 증가하였으며, 100만 원 이상 지출한 환자는 33.9%로 매년 꾸준히 증가추세이다(2009년 18.4% → 2010년 26.3% → 2011년 26.9% → 2012년 31.0%). 국적별로는 중국인 환자가 지출한 총 진료비는 1,016억 원으로 전체 진료수입의 25.8%를 차지(1인당 평균진료비는 181만원)하였다. 그리고 러시아 환자가 지출한 총 진료비는 879억 원이며, 전체 진료수입의 22.3%를 차지해 환자 수 규모는 4위지만 진료수입 규모로는 2위에 해당된다. 한편, 1인당 평균진료비가 가장 높은 국적은 아랍에미리트(1,771만원)로 전체 평균진료비(186만원)의 9.5배 이상이다.

(4) 건강 관련 여행수지

한국은행에서 발표한 건강 관련 여행수입 통계를 보면 외국인환자가 국내에서 사용한 금액은 2006년 5,900만 달러에서 2012년 1억 4,650만 달러를 기록하여 6년 동안 연평균 19.9%의 성장을 이룬 것으로 나타났다. 반면 내국인이 해외에서 의료서비스를 받고 사용한 건강관련 지급액의 연평균 성장률은 -1.2%로 2011년에 이르러 처음으로 건강관련 수지가 5,220만 달러의 흑자를 기록했다. 2012년도에는 건강관련 여행수입이 전년대비 12%의 성장세를 이어가고 있다. 다만 지급액의 경우 2010년 이후 국내 경제상황에 따라 소비패턴이 증가와 감소를 반복하고 있어 지급액의 감소추세에 따른 의료관광 흑자 추이가 안정세를 보인다고 보기는 어렵다.

〈표 2-7〉 건강관련 여행 수입 및 지급액   (단위: 백만 달러)

구분	2006년	2007년	2008년	2009년	2010년	2011년	2012년
관광수입	5,760	6,094	9,719	9,782	10,321	12,397	14,176
관광지출	14,336	16,950	14,581	11,040	14,292	15,544	15,737
관광수지	-8,576	-10,856	-4,862	-1,258	-3,971	-3,147	-1,561
건강관련 여행수입	59.0	67.5	69.8	82.7	89.5	130.7	146.5
건강관련 여행지급	119.1	137.3	129.0	95.8	108.5	78.5	111.9
건강관련 여행수지	-60.1	-69.8	-59.2	-13.1	-19.0	52.2	34.6

* 출처: 한국은행, 경제통계시스템

(5) 외국인환자의 경제적 파급효과

의료관광이 국내 시장에 미치는 경제적 파급효과는 지속적으로 증가하고 있다. 2012년을 기준으로 의료관광 생산유발효과는 1조 6,210억 원, 부가가치 유발효과는 6,220억 원, 소득유발효과는 3,080억 원으로 분석되었으며, 의료산업과 관광산업을 고려한 취업유발효과는 1만 2,466명에 이른다. 2013년부터 2020년까지 의료관광 산업이 전년대비 5% 수준에서 성장한다고 가정하면, 2020년에는 6조 1,731억 원의 생산유발효과와 6만 1,027명의 취업유발효과를 창출할 것으로 기대되고 있다.

〈표 2-8〉 의료관광산업의 경제적 파급효과   (단위: 억 원, 명)

구분		유발계수	2010	2011	2012	2013	2015	2020
생산유발효과		1.7362	1,859	3,163	12,610	17,548	29,021	61,731
부가가치유발효과		0.8564	917	1,560	6,220	8,656	14,315	30,449
소득 유발효과		0.4241	454	773	3,080	4,287	7,089	15,079
취업유발효과	의료서비스	15.1명	1,617	2,751	6,251	8,699	14,387	30,602
	관광산업	19.9명			6,215	8,649	14,303	30,424
	계	10억원당	1,617	2,751	12,466	17,348	28,690	61,027

1. 경제파급효과는 의료관광 수입 달성 전망을 기준으로 분석
2. 경제파급효과 = 의료관광 유발계수 * 연도별 의료관광 수입
3. 취업유발계수 = 한국은행, 2008 산업연관표 참조
   - 취업자는 상용임시직, 임금근로자, 자영업자, 무급가족종사자를 포함

* 출처: 한국관광공사 관광분야 제정확대를 위한 보고서, 2011.

(6) 국내 의료기관의 해외진출

국내 의료기관이 해외에 병원지사를 설립하는 것은 국내의 우수한 의료서비스를 알리고 국내에서 의료서비스를 받은 후 귀국한 환자에게 사후 서비스를 제공할 수 있다는 장점이 있다. 국내 의료기관은 2012년 말을 기준으로 중국(31개), 미국(23개), 베트남(9개), 카자흐스탄(4개), UAE(3개) 등 16개 국가에 91개가 진출해 있다. 투자형태별로는 단독투자 30%, 프랜차이즈 30%, 공동운영 20% 정도이다.

단독투자는 투자기관(의료법인) 및 개인이 의료기관에 100% 투자하여 운영하는 방식이다. 합자 및 합작을 통한 공동운영은 진출국 파트너와의 합작투자계약을 체결하고 의료법인을 설립하는 경우이다. 위탁경영방식은 국내 의료기관이 진출국 의료기관의 시설 일부에 대하여 사용계약을 체결하여 의료기관을 운영하는 방식이거나 해외 의료기관과 고용계약을 맺고 출장진료를 하는 방식 또는 경영기술 및 의료 인력을 파견하는 방식이다. 진료과목별로는 성형, 피부, 치과 등은 의원급을 중심으로 하는 단독투자 형태가 많으며, 척추, 재활 등 특수질환은 종합병원이나 중형병원을 중심으로 진출하고 있다.

2) 한국 의료관광의 환경 분석

현 시점에서 한국 의료관광을 놓고 내부환경에서의 장점과 단점, 외적 환경에서의 기회와 위기라는 측면에서 분석해 본다.

〈표 2-9〉 한국 의료관광 SWOT 분석

	장점(Strength)	약점(Weakness)
내부 환경	① 높은 수준의 의료기술 ② 높은 수준의 의료 인프라 구축 ③ 첨단 의료장비와 상대적으로 낮은 이용가격 ④ 대규모 의료 수요를 확보한 지리적 접근성	① 언어 소통 부족 ② 문화 다양성 부족 ③ 높은 물가와 낮은 가격 경쟁력 ④ 낮은 한국의료 인지도
	기회(Opportunity)	위기(Threat)
외부 환경	① 중앙정부 및 지자체의 강력한 의지 ② 인구의 고령화와 산업화 지속 ③ 한류로 인한 이미지 향상	① 국가 간 경쟁 심화 ② 인구의 고령화와 산업화 지속

(1) 장점

한국 의료관광 환경에서 장점으로 높은 의료기술수준을 가장 먼저 내세울 수 있다. 그 외에도 다음과 같은 강점을 제시해 볼 수 있다.

① 높은 수준의 의료기술

한국 의료관광의 경쟁력은 앞선 의료기술과 그에 비해 저렴한 가격과 질 좋은 서비스에 있다. 앞선 의료기술 중 주요 암의 발병 후 5년 생존율과 장기이식 성공률은 주요 의료 선진국보다 우위에 있다고 알려져 있다. 대표적으로 위암의 5년 후 생존율은 한국이 67%, 미국이 26.9%이며, 최근 젊은 여성에게 많이 발병하고 있는 갑상선암의 경우 국내에서 5년 후 생존율은 99.8%에 이르고 있다. 또한 고도의 기술이 요구되는 간(肝)이식수술의 경우 한국의 연간 이식수술 건수는 2010년을 기준으로 1,066건이며, 성공률(85%)도 세계 1위 수준으로 선진국 평균인 66%를 훨씬 뛰어넘고 있다.

〈표 2-10〉 주요 암 5년 상대생존율 국가별 비교 (단위: %)

구분	한국(a)	미국(b)	유럽(c)	일본(d)
갑상선암	98.1	97.3	86.5	92.4
위암	57.4	26.0	24.1	62.1
유방암	88.2	89.0	81.1	85.5
자궁경부암	76.8	64.4	58.8	70.2
대장암	66.3	65.0	53.9	68.9
간암	19.7	13.8	8.6	23.1

(a): 국립암센터, 보건복지부, 통계로 본 암 현황, 2011
(b): SEER(Surveillance, Epidemiology, and End Results) Cancer Statistics Review, 1975~2007, National Cancer Institute
(c): Survival for eight major cancers and all cancers combined for European adults diagnosed in 1995~1999: results of the EUROCADE-4-study, Lanset Oncol 2007
(d): National Cancer Center in Japan, Cancer Statistics in Japan 2009

출처: 미래 성장 동력 의료관광, 2011, 보건복지부

② 높은 수준의 의료인프라 구축

또한 한국 의료관광의 강점은 의료진, 의료장비 등 높은 수준의 의료인프라가 구축되어 있다는 점이다. 우수한 수준의 의사들과 첨단 의료장비들이 의료 인프라수준의 핵심이 되고 있

으며, 임상연구 환경에 대한 국제인증을 취득해 글로벌 수준의 임상 인프라를 구축하고 있다. 또한 효율적인 의료 시스템과 빠른 서비스를 갖추고 검진센터에서도 경쟁력을 인정받고 있다. 의료정보 시스템의 수준도 높아 해외로 진출하고 있으며 효율적 시스템과 IT기술의 융합으로 원스톱 서비스가 일반화 되어 있다.

③ 첨단 의료장비와 상대적으로 낮은 이용 가격

한국은 최첨단 의료 장비인 양성자(proton) 치료기술을 보유하고 있으며 양성자 치료센터를 운영하고 있다. 또한 양성자 치료비용도 미국(2억 원)의 4분의 1 수준인 5천만원 정도에서 이루어지고 있다. 이 장비는 전 세계에 40여개가 설치되어 있으며, 양성자치료장비는 보통의 방사선 장비와 달리 1억 달러가 넘는 고가의 장비이다. 이 밖에도 최첨단 의료기기인 다빈치(davinci) 로봇수술장비를 비롯하여, 사이버 감마 나이프 등 최첨단 의료장비 및 시설을 다량으로 보유하고 있다.

또한 고도의 수술이 요구되는 고비용치료인 심장질환과 관절교체의 경우 치료비가 미국의 3분의 1 수준이고, 일본의 3분의 2 수준으로 알려져 있다. 이 같은 기술경쟁력과 서비스경쟁력은 OECD 34개 회원국 중에서도 상위권으로 의료 시설 및 장비는 2위, 의료서비스경쟁력은 4위, 의료기술수준은 9위를 기록하고 있다고 알려져 있다.[20]

④ 대규모 의료수요를 확보한 지리적 접근성

한국 주변에 있는 해외 의료수요가 비교적 많은 중국, 일본, 극동러시아, 몽골 지역에서 3시간 이내의 비행시간으로 도달할 수 있다는 장점이 있다. 또한 비행시간 6시간 정도 거리인 중앙아시아와 동남아시아 지역으로까지 직항 항공 노선이 발달되어 있어 접근성이 매우 우수하다. 그리고 잘 발달된 국내 철도 및 도로교통도 큰 장점이 된다.

---

20 의료관광산업의 국제경쟁력 분석과 정책과제, 2013, 산업연구원

〈그림 2-10〉 첨단의료장비

(2) 약점

한국 의료관광 환경에서 약점으로 가장 많이 지적되어 온 것은 의사소통의 어려움이다. 그 외에도 다음과 같이 부족한 점을 제시해 볼 수 있다.

① 언어 소통 부족

가장 먼저 손꼽히는 약점으로는 언어 소통의 문제가 있다. 외국인환자가 국내 병원에 접근을 하여도 전문 통역인 없이는 언어가 통하지 않기 때문에 많은 불편을 겪게 된다. 최근에 의료관광을 추진하는 병원에서 의료관광 코디네이터를 고용하는 곳이 늘고 있지만 다양한 언어를 준비하는 것에는 한계가 있다. 따라서 여러 교육기관에서 의료관광 코디네이터 교육을 통해 전문 인력 양성에 힘을 쏟아야 한다.

② 문화 다양성 부족

한국은 다인종과 다문화에 대한 다양성 부족으로 외부 문화에 대한 이해심이 대체로 낮은 편이다. 처음 의료관광 사업을 시작할 때에는 오직 치료만을 목적으로 여겨서 이러한 점에 관심이 부족하였으나, 최근 이에 대한 중요성이 확대되고 있는 것은 그나마 다행이다. 일부 병원에서의 이슬람인을 위한 무슬림 식단 및 기도실 마련, 의료관광 푸드 코디네이터 도입, 다문화 국제간병사 양성 제도 도입 등은 좋은 예라고 볼 수 있다.

③ 높은 물가와 낮은 가격 경쟁력

높은 물가로 인하여 가격 경쟁력이 낮다는 문제가 있다. 한국은 아시아의 주요 의료관광 경쟁국인 태국 및 인도에 비해 의료비는 3~4배 수준이며, 숙박비와 식비 등 체재비에 대한 부담도 높다. 최근 이를 해결하기 위하여 병원에서 숙박을 제공하는 호텔형 병원이 들어서고 있으며, 아예 호텔 내에 병원이 들어서는 메디텔(medi-tel) 형식도 늘어나고 있다.

④ 낮은 한국 의료인지도

한국 의료서비스에 대한 해외에서의 인지도는 아직도 매우 낮은 실정이다. 인접 국가를 제외한 지역에서는 한국 의료수준에 대한 인식이 제대로 형성되어 있지 않아 국가 이미지 및 브랜드 홍보가 무엇보다 절실하다.

(3) 기회

한국 의료관광을 위한 공공의 지원이 집중되고 있다는 점이 가장 중요한 기회요인으로 들 수 있다.

① 중앙정부 및 지자체의 강력한 의지

현재 의료관광 활성화에 대한 정부 및 지자체의 강력한 의지가 반영되고 있다. 의료관광이 범 정부차원의 신성장동력 산업으로 정해지면서 보건복지부와 문화체육관광부를 중심으로 성장기반을 구축하고 있다. 또한 지자체에서도 지역 경제 활성화의 일환으로 집중 지원하고 있다. 이를 위해 재정투입이 이루어지고 있으며 의료관광 기반조성, 상품개발 및 판촉 사업, 브랜드 구축 및 홍보 사업 등을 펼쳐나가고 있다.

② 인구의 고령화와 산업화 지속

세계 인구의 고령화와 수명 연장으로 인한 의료 산업의 지속적인 성장추세를 들 수 있다. 또한 선진국의 한정된 의료 인프라에 비해 의료수요는 지속적으로 증가하고 있어, 국제 의료관광 시장 역시 계속 성장할 것으로 전망된다.

③ 한류로 인한 이미지 향상

한국 대중문화가 해외로 확산되는 한류 바람이 의료관광에 매우 긍정적인 역할을 하고 있다. 국내 대중문화 스타들의 적극적인 해외 진출로 한국에 대한 관심이 높아지고 국가 이미지가 개선되는 효과가 있다. 미용 및 성형에 대한 관심과 정성을 다하는 환자 간호와 같은 긍정적인 이미지가 확산되고 있다.

(4) 위협

국가 또는 의료기관 간의 경쟁이 치열하게 이루어지고 있는 상황이 의료관광의 가장 큰 위협으로 다가오고 있다.

① 국가 간 경쟁 심화

각 국가의 시장 선점 및 국가별 의료관광 지원 정책으로 인한 경쟁이 심화되고 있다. 이들 국가는 고객만족 서비스 시스템 도입 및 국제의료인증제도 획득 등으로 의료관광 선점효과를 극대화하기 위해 노력하고 있다.

② 세계 경제 침체

최근 세계 금융위기로 촉발된 실물경제위기 역시 위협 요인이 된다. 이것은 소비 위축과 해외여행 감소로 이어질 수 있으며, 국내 주력 진료 분야인 검진 및 피부미용 등에 대한 수요도 감소할 가능성이 있다.

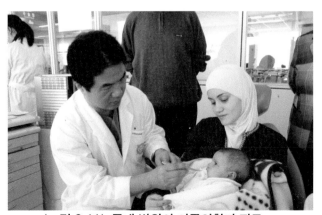

〈그림 2-11〉 국내 병원의 외국인환자 진료

2. 한국 의료관광 특징

비교적 뒤늦게 출발한 국내 의료관광 산업은 다른 의료관광 선도국가에 비하여 특징적인 면이 있다. 아직은 중증환자 유치가 활성화 되어 있지 않아 입원 환자 비율이 대체로 낮은 편이고, 소형 클리닉의 실적이 비교적 높은 편이다. 그런데 무엇보다도 민간병원 외에도 공공병원까지도 의료관광 사업에 뛰어 들고 있다는 점이 가장 큰 특징이다. 거의 모든 국가에서 공립병원은 국민의 의료를 책임지기 위한 목적으로 설립되었다. 그러나 정부에서 의료관광 육성정책을 내놓게 되면서 단기간에 실적을 올리려는 입장에서 이들 의료기관도 같이 시작하게 되었다. 그렇지만 해외의 경우에는 민간병원이 수익을 내기 위한 경영 활동의 일환으로 외국인환자 유치를 하고 있는 것과 비교하면, 국내에서 공공 의료기관이 이러한 사업을 추진하는 것은 결코 바람직스런 모습은 아니라고 여겨진다.

1) 낮은 입원환자 비중

한국 의료관광이 본격적으로 시행되는 기간이 짧은 관계로 아직 수술 후 입원을 하는 중증환자 비중은 그다지 높지 않다. 2013년도의 외국인환자 유치실적 자료를 보면 전체 211,218명 중 당일 방문하는 외래환자와 건강검진 방문자를 합치면 191,081명(전체의 90.5%)이고, 실제로 수술 후 입원을 하는 환자는 20,137명(전체의 9.5%)으로 나타났다. 그러나 입원환자 수와 비중은 2009년 이후 지속적으로 늘어나고 있고 연평균 증가율도 50.6%로 전체 외국인환자 증가율(36.9%)보다 높게 나타나고 있는 점을 보면, 앞으로 고부가가치 선진 의료기술을 선보일 수 있는 수술 후 입원 환자가 차지하는 비중은 더욱 증가할 것으로 예상된다. 본격적으로 의료관광을 시행하고 있는 태국, 싱가포르에서 외국인환자 가운데 입원환자의 비율은 30% 정도인 것으로 나타났다.

2) 높은 소규모병원 비중

국내 의료법에서는 의료기관의 종류를 형태와 규모에 따라 구분하고 있다. 일반 의료분야인 경우에는 규모와 형태에 따라 상급종합병원, 종합병원, 병원, 의원으로 구분하고 있다. 치과의 경우에는 치과병원, 치과의원으로 구분하고, 한방의 경우에도 한방병원, 한의원으로 구분한다.

2013년도 외국인환자 유치실적을 기준으로 의료기관 종별로 비중을 보면, 규모가 큰 상급 종합병원과 종합병원의 비중이 61.9%를 차지하고 있고, 중소규모인 전문병원과 의원을 모두 합치면 그 비중이 31.1%에 달하고 있다. 본격적으로 의료관광을 시행하고 있는 태국, 싱가포르에서는 외국인환자 대부분이 몇 개의 대형 종합병원을 이용하고 있는 것을 감안하면, 현재 비교적 간단한 진료나 미용과 성형 분야의 비중이 상대적으로 높은 국내의 상황을 잘 보여주고 있다. 그러나 2013년 통계를 보면, 종합병원의 외국인환자는 연평균 46.4%로 증가추세이고, 의원의 경우에도 연평균 49.5%로 꾸준히 증가하고 있다.

〈표 2-11 〉 2009-2013 의료기관 종별 외국인환자 현황 (단위 : 명, %)

구분	2009년		2010년		2011년		2012년		2013년		연평균
	실환자	비중	실환자	비중	실환자	비중	실환자	비중	실환자	비중	증가율
상급종합	27,657	45.9	35,382	43.3	47,000	38.4	60,262	37.8	77,738	36.8	29.5
종합병원	11,537	19.2	16,787	20.5	26,495	21.7	33,933	21.3	52,996	25.1	46.4
병원	8,407	14.0	6,937	8.5	11,016	9.0	16,269	10.2	18,638	8.8	22.0
의원	9,274	15.4	15,798	19.3	24,370	19.9	34,166	21.4	46,366	22.0	49.5
치과병원	467	0.8	1,285	1.6	2,219	1.8	3,382	2.1	3,513	1.7	65.6
치과의원	716	1.2	1,432	1.8	1,299	1.1	1,778	1.1	2,543	1.2	37.3
한방병원	1,217	2.0	2,216	2.7	4,822	3.9	5,597	3.5	4,799	2.3	40.9
한의원	926	1.5	1,952	2.4	5,067	4.1	3,995	2.5	4,592	2.2	49.2
계	60,201	100	81,789	100	122,297	100	159,464	100	211,218	100	36.9

3) 높은 검진 · 피부과 · 성형외과 비중

국내 의료기관을 찾는 외국인환자의 진료과목을 보면 일반내과 24.4%, 검진센터 10.0%, 피부과 10.0%, 성형외과 8.6% 순서로 나타나, 건강검진과 피부관리 및 미용성형을 위해 방문하는 환자의 비중이 여전히 높게 나타남을 알 수 있다. 그러나 점차 그 비중은 조금씩 감소하고 있고, 다양한 진료과목으로 확대되고 있다. 일반외과 외국인환자는 전년대비 56.7% 증가하여 7위로 상위 10개 진료과 내로 진입하였고, 검진센터 이용 외국인환자는 전년대비 17.7% 증가에 그치면서 환자 비중이 매년 꾸준히 감소하고 있는 점을 보아도 알 수 있다.

올해 3위로 오른 러시아 환자의 주요 진료과목은 내과(28.4%), 검진센터(17.0%), 산부인과(7.2%), 일반외과(5.5%), 피부과(4.8%) 순이고 내과를 이용한 러시아 환자(12,878명)의 주요

질환은 소화계통질환(21.7%), 내분비대사질환(14.3%), 순환계통질환(12.9%), 암(12.2%) 순으로 나타났다. 한편, 불임치료 등을 위해 한국의 산부인과를 방문한 외국인환자의 주요 국적은 러시아(20.6%), 중국(16.7%), 미국(14.9%), 몽골(12.3%), 일본(5.5%) 순이고 불임환자는 3,951명(1.9%)으로 전년(2,505명)대비 57.7% 증가하였다.

〈표 2-12〉 2009-2013 진료과별 외국인환자 현황 (단위 : 명, %)

구분	2009년		2010년		2011년		2012년		2013년		연평균증가율
	실환자	비중	실환자	비중	실환자	비중	실환자	비중	실환자	비중	
내과통합	18,398	28.5	23,632	23.3	34,330	22.2	45,994	22.2	68,453	24.4	38.9
검진센터	8,980	13.9	13,272	13.1	19,894	12.9	23,898	11.5	28,135	10.0	33.0
피부과	6,015	9.3	9,579	9.4	12,978	8.4	17,224	8.3	25,101	9.0	42.9
성형외과	2,851	4.4	4,708	4.6	10,387	6.7	15,898	7.7	24,075	8.6	70.5
산부인과	3,965	6.2	5,656	5.6	7,568	4.9	10,905	5.3	15,899	5.7	41.5
정형외과	3,196	5.0	4,975	4.9	6,876	4.4	9,643	4.7	14,597	5.2	46.2
일반외과	1,903	3.0	2,793	2.7	4,304	2.8	6,530	3.2	10,232	3.7	52.3
이비인후과	2,484	3.9	3,549	3.5	5,080	3.3	7,313	3.5	10,069	3.6	41.9
안과	1,921	3.0	4,507	4.4	5,821	3.8	7,933	3.8	9,421	3.4	48.8
치과	2,032	3.2	3,828	3.8	5,220	3.4	7,001	3.4	8,878	3.2	44.6
비뇨기과	1,760	2.7	2,629	2.6	4,027	2.6	5,616	2.7	7,906	2.8	45.6
신경외과	1,674	2.6	2,177	2.1	3,053	2.0	5,144	2.5	7,897	2.8	47.4
한방통합	1,897	2.9	4,191	4.1	9,793	6.3	9,464	4.6	9,554	3.4	49.8
그외진료과	7,388	11.5	16,096	15.8	25,485	16.5	34,496	16.7	40,092	14.3	52.6
계	64,464	100	101,592	100	154,816	100	207,059	100	280,309	100	44.4

* 진료과별 실환자: 1명의 환자가 복수의 진료과를 방문한 경우, 방문한 진료과별 모두 1명으로 표기
** 내과통합: 내과, 감염내과, 일반내과, 감염내과, 내분비대사내과, 류마티스내과, 소화기내과, 순환기내과, 신장내과, 알레르기내과, 혈액종양내과, 호흡기내과, 가정의학과(11개 진료과)
*** 한방통합: 한의과, 한방내과, 사상체질의학과, 한방부인과, 한방재활의학과, 한방피부과, 침구과, 한방신경정신과, 한방소아과, 한방이비인후과, 한방안과(11개 진료과)

4) 높은 수도권 집중 현상

2013년도 외국인환자 유치 통계를 지역별로 보면 서울, 경기, 인천 등 수도권 지역 비중이 80.3%로 전년(78.4%)에 비해 다소 증가하여 여전히 높은 비중을 차지하고 있다. 의료기관이

소재한 지역별로는 서울(63.2%), 경기(12.2%), 부산(5.2%), 인천(4.9%), 대구(3.5%) 순서로 나타났다. 특히 강원(95.3%), 충남(71.2%), 제주(68.5%), 충북(65.6%), 인천(63.8%)의 전년대비 증가율이 두드러진다. 반면, 대구(4.5%→3.5%), 대전(3.4%→2.6%), 부산(5.8%→5.2%)의 외국인환자 비중은 전년과 대비하여 감소하였다.

〈표 2-13〉 2009-2013년 지역별 외국인환자 유치 현황　　　　　　　　　　(단위 : 명, %)

구분	2009년		2010년		2011년		2012년		2013년		연평균증가율
	실환자	비중	실환자	비중	실환자	비중	실환자	비중	실환자	비중	
서울특별시	36,896	61.3	50,490	61.7	77,858	63.7	99,422	62.3	133,428	63.2	34.2
경기도	11,563	19.2	10,913	13.3	17,092	14.0	19,347	12.1	25,673	12.2	32.7
부산광역시	2,419	4.0	4,106	5.0	6,704	5.5	9,177	5.8	11,022	5.2	20.1
인천광역시	4,400	7.3	2,898	3.5	4,004	3.3	6,370	4.0	10,432	4.9	63.8
대구광역시	2,816	4.7	4,493	5.5	5,494	4.5	7,117	4.5	7,298	3.5	2.5
대전광역시	169	0.3	1,693	2.1	1,963	1.6	5,371	3.4	5,476	2.6	2.0
제주자치도	223	0.4	720	0.9	740	0.6	1,752	1.1	2,952	1.4	68.5
충청남도	5	0.0	997	1.2	1,367	1.1	1,715	1.1	2,936	1.4	71.2
강원도	279	0.5	567	0.7	1,349	1.1	1,498	0.9	2,925	1.4	95.3
전라북도	695	1.2	1,909	2.3	2,104	1.7	2,194	1.4	2,228	1.1	1.5
광주광역시	274	0.5	989	1.2	1,118	0.9	1,648	1.0	1,900	0.9	15.3
경상북도	126	0.2	407	0.5	517	0.4	1,066	0.7	1,561	0.7	46.4
울산광역시	43	0.1	614	0.8	782	0.6	925	0.6	1,086	0.5	17.4
충청북도	95	0.2	303	0.4	386	0.3	491	0.3	813	0.4	65.6
경상남도	122	0.2	354	0.4	556	0.5	646	0.4	749	0.4	15.9
전라남도	76	0.1	336	0.4	263	0.2	725	0.5	739	0.4	1.9
계	60,201	100	81,789	100	122,297	100	159,464	100	211,218	100	32.5

5) 많은 의료기관의 참여

외국인환자 유치사업 등록 의료기관의 수를 살펴보면 연도별로 대폭 증가하는 추세를 보이고 있다. 2009년 첫해에 1,453개의 의료기관이 참여의사를 보였으며, 2014년 7월 현재 2,705

개 병원이 외국인환자 유치사업 의료기관으로 등록되어 있다.

이들 가운데 실제 외국인환자 유치실적을 살펴보면, 2013년에 외국인환자를 1천명 이상 유치한 의료기관은 58개소였는데, 이는 2009년 16개소, 2010년 19개소, 2011년 31개소, 2012년 40개소에서 지속적으로 늘고 있다. 또한 연간 1백 명 이상 외국인환자를 유치한 의료기관은 223개소로 2009년 66개소, 2010년 120개소, 2011년 153개소, 2012년 199개소에서 계속 많아지고 있는 실정이다. 이는 의료관광에 뛰어든 의료기관이 계속 증가하고 있음을 보여주는 것인데 의료관광을 선도적으로 수행하고 있는 태국과 싱가포르의 경우에는 국가 전체에서 십여 개의 대형 민간 의료기관 만이 참여하는 것과는 대조를 이룬다.

〈표 2-14〉 2013년 외국인환자 규모별 의료기관 현황 (단위 : 개소, 명, %)

구분	의료기관수	2013년 비중	2012년 비중	실환자수	2013년 비중	2012년 비중
1천명 이상	58	4.5	3.9	137,471	65.1	57.5
5백-1천명	36	2.8	3.3	24,821	11.8	15.1
1백-5백명	129	10.0	12.2	29,223	13.8	17.8
10-1백명	512	39.7	39.9	17,493	8.3	8.6
10명 미만	555	43.0	40.8	2,210	1.0	1.0
계	1,290	100	100	211,218	100	100

의료기관 가운데 한국국제의료협회(KIMA)에 가입된 36개의 병원이 2013년 전체 외국인환자수의 43%와 의료수입의 57%를 차지하였다. 동 협회는 2007년 종합병원 중심으로 결성이 되었으며 민간병원만이 추진하고 있는 해외에서의 사례와 달리 국공립병원도 포함되어 있다. 현재 이 협회에 가입된 의료기관은 다음 〈표 2-15〉와 같다.

6) 많은 유치업체의 참여

2009년부터 외국인환자 유치사업 등록제도가 시작된 이후 많은 유치업자가 등록을 하고 사업에 착수하고 있다. 2014년 현재 등록된 유치업자는 1,077곳에 이른다. 이 가운데 2013년 외국인환자 유치실적 보고에 따르면 55개 사업체가 100명 이상을 유치한 것으로 나타났다(표 2-16). 이들 업체는 중국, 러시아, 몽골, 일본, 미국과 동남아시아 및 중앙아시아 지역을 타깃으로 활동하고 있다.

〈표 2-15〉 한국국제의료협회(KIMA) 가입 의료기관

구분	병원	전화번호	홈페이지주소
종합병원	가천길병원	1577-2299	www.gilhospital.com
종합병원	가톨릭대학교서울성모병원	1855-1511	www.catholic.ac.kr
종합병원	삼성서울병원	1599-3114	www.samsung.com
종합병원	제주한라병원	064-740-5000	www.hallahosp.co.kr/
종합병원	화순전남대학교병원	1899-0000	www.cnuhh.com/
종합병원	고려대학교안암병원	1577-0083	anam.kumc.or.kr/
종합병원	강동경희대병원	1577-5800	www.khnmc.or.kr/
종합병원	서울대학교병원강남센터	02-2112-5500	www.snuh.org
종합병원	강서미즈메디병원	02-3467-3800	www.mizmedi.com
종합병원	서울대학교병원	02-2072-2114	www.snuh.org
종합병원	부산대학교병원	051-240-7000	www.pnuh.or.kr/
종합병원	분당서울대학교병원	1588-3369	www.snubh.org
종합병원	양산부산대학교병원	055-360-2011	www.pnuyh.co.kr
종합병원	이화여자대학교부속목동병원	02-2650-5114	www.eumc.ac.kr
종합병원	청심국제병원	031-589-4300	www.csmc.or.kr/
종합병원	한양대학교의료원	02-2290-8114	www.hyumc.com
종합병원	국립암센터	031-920-1934	www.ncc.re.kr/
종합병원	건양대학교병원	042-600-6654	www.kyuh.ac.kr
종합병원	세종병원	1599-6677	www.sejongh.co.kr/
종합병원	서울아산병원	02-3010-8115	www.amc.seoul.kr
종합병원	연세대학교세브란스병원	1599-1004	www.yuhs.ac
종합병원	대전선병원	1588-7011	www.sunhospital.co.kr
종합병원	중앙대학교병원	02-6299-1114	www.caumc.or.kr
종합병원	원광대학교의과대학병원	1577-3773	www.wkuh.org/
종합병원	인하대학교병원	032-890-2114	www.inha.com/
병원	자생한방병원	1577-0007	www.jaseng.co.kr
병원	웰튼병원	02-2690-2000	www.wellton.co.kr/
병원	여수백병원	061-650-4580	www.100hosp.co.kr/
병원	우리들병원	02-2660-7500	www.wooridul.co.kr
병원	나누리병원	1688-9797	www.nanoori.co.kr
병원	보바스기념병원	031-786-3000	www.bobath.co.kr/
의원	원진성형외과	02-3477-3300	www.pwj.co.kr
의원	아름다운나라피부과/성형외과	02-3420-2250	www.anacli.co.kr
의원	차움의원	02-3015-5000	www.chaum.net/
의원	JK성형외과	02-777-7797	www.jkplastic.com
의원	예송이비인후과	02-3444-0550	www.yesonvc.com

출처: 한국국제의료협회(KIMA) 홈페이지, 2014

〈표 2-16〉 2013 실적 우수 유치 업체(55개)

상호명	소재지	대표번호	설립	홈페이지 주소	주요유치 타겟국가
닥스메디컬코리아주식회사	서울특별시	02-515-4915	2008	www.docstour.kr	중국/몽골/러시아/베트남
삼성플러스관광주식회사	대구광역시	053-794-8700	2003		중국
주식회사로터스테마투어	서울특별시	02-2266-9725	2005	www.seoultour.jp	미국/일본/중국
㈜유에스여행	서울특별시	02-720-1515	1999	www.ustravel.co.kr	미국/러시아
㈜하나투어아이티씨	서울특별시	02-398-6593	2003	www.hanatour.com	미국/일본/중국/몽골/러시아
글로벌어시스턴스파트너스㈜	서울특별시	02-737-8839	2009	http://www.globalassistance.co.kr/	미국/일본/러시아
㈜코앤씨	서울특별시	02-532-1114	2000	http://www.konc.kr/index.html	미국/일본/중국/기타(동남아)
㈜홀리데이링크더엠씨	서울특별시	02-755-2955	2006	www.holidaylink.co.kr	몽골/러시아
주식회사현대메디스	서울특별시	02-712-0791	2009	www.hdmedis.com	미국/일본/중국/러시아/기타(중동)
㈜삼호투어앤트래블	서울특별시	02-771-3575	2004	www.samhotour.com	미국
주식회사메디로드	인천광역시	032-830-2871	2009		미국/일본/중국
주식회사이부커스코리아	서울특별시	02-733-5664	2003	www.lushtour.com	일본/몽골/러시아
주식회사고려의료관광개발	부산광역시	051-807-8200	2010		미국/일본/러시아
주식회사고릴라스마트웨이	제주특별자치도	064-702-2688	2010		일본/중국
㈜코비즈	부산광역시	051-203-6401	2009	www.cobiz.biz	러시아
주식회사딘소	부산광역시	051-740-5796	2005		러시아/기타(카자흐스탄 및 극동지역)
코리아메디칼파트너스	서울특별시	02-430-8683	2010	natik1979@hotmail.com	러시아
메디칼서울㈜	서울특별시		2010		일본
주식회사메디컬유니온	서울특별시		2010		
민가	서울특별시	02-573-5483	1997	www.minga.co.kr	러시아
㈜휴케어	서울특별시	02-519-8000	2008		미국/일본/중국/러시아
주식회사에스제이유비크	경기도	070-7785-2400	2009	http://sj-u.co.kr	미국/몽골/베트남
솔트메디스	충청북도	043-279-2597	2011		중국/러시아/몽골/베트남
주식회사리젠	서울특별시	02-3444-8755	2010		일본/몽골
㈜인테크인터내셔널	서울특별시	02-561-3119	2010	www.intechint.co.kr	중국/러시아/베트남/인도네시아
아이엔네트웍스	서울특별시	02-2157-2347	2011		러시아
주식회사더즌스타	서울특별시	02-3452-2177	2009	www.12stars.co.kr	중국/몽골
주식회사지엠엔	부산광역시	051-905-0466	2011		미국/일본/중국/러시아/동남아시아
비엠케이	부산광역시	051-464-8079	2011		러시아

상호명	소재지	대표번호	설립	홈페이지 주소	주요유치 타겟국가
주식회사알코르	부산광역시	051-466-6668	2010		
메드유니온컨설팅	서울특별시		2011	http://www.medunion.su	러시아/몽골
주식회사코리아메디칼투어	대구광역시	053-423-4267	2011	kmt-med.com	중국/러시아/태국
주식회사엠제이루스코	광주광역시	062-371-9791	2011		러시아/몽골
㈜한코리아투어	서울특별시	02-2634-2191	2009	www.wecometokorea.ru	러시아
㈜태산	부산광역시	051-782-6668	2006		
주식회사엔코아코리아	서울특별시	02-598-9735	2011		미국/러시아/몽골/카자흐스탄
코리아비젼㈜	서울특별시	02-2269-5350	2011		러시아
주식회사아메디스	서울특별시	02-3477-8544	2012		러시아/우즈베키스탄
㈜엠케이메디칼	부산광역시	051-751-2733	2012	www.tourbusan.kr	일본/중국/러시아
주식회사비티메디	경기도	031-810-9395	2012		미국/중국/러시아
단스크주식회사	서울특별시	02-548-6500	2012		미국/일본/중국/러시아/베트남
㈜바노바기코스메틱	서울특별시	1899-0568	2012	www.banobagishop.com	미국/중국
EMS	서울특별시	02-2275-8867	2011		몽골
오라클랜드	서울특별시	02-516-8974	2006	http://meditour.skinland.com	중국/러시아(CIS연합)
리브어게인	서울특별시	02-6406-8146	2012		몽골/카자스흐스탄
마운틴코리아㈜	부산광역시	051-442-5530	2003		러시아(CIS연합)
한국메디투어	서울특별시	070-7756-9477	2012		중국/러시아(CIS연합)/중동
주식회사아이에이치피	서울특별시		2007		러시아(CIS연합)/기타: 키자흐스탄,키르키즈스탄ㅋ
메디오루스	서울특별시		2013	www.mediours.com	러시아(CIS연합)/중동
㈜케이뷰티홀딩스	서울특별시	070-4367-6482	2013	http://www.imvp.co.kr	중국/러시아(CIS연합)
주식회사글로벌케이에이치씨	부산광역시	051-817-8566	2013		미국/일본/중국
㈜엠디이일	서울특별시	02-1599-2185	2005		
제8요일주식회사	제주특별자치도	064-758-8818	2013		중국/몽골/베트남
씨유메디케어주식회사	서울특별시	02-555-7117	2012	www.cumedicare.xom	일본/중국/러시아(CIS연합)/동남아시아
주식회사베스트트라보우뉴	서울특별시	02-541-3602	2013		중국

출처: 보건복지부, 2014

3. 의료관광 추진 현황

의료관광 추진 현황에 있어서 정부의 의료관광 관련 제도 개선 사항과 정부 및 공공기관의 추진 현황, 그리고 지자체의 추진현황에 대하여 살펴본다.

1) 정부의 의료관광 제도 개선

정부에서 의료관광 육성을 위하여 제도를 개선한 분야는 유치 활동과 관련된 분야에서 주로 이루어져왔다.

(1) 유치업체 규제 완화

정부는 의료관광 전문 유치업체에 등록되어 있는 업체 외에도 보험 상품과 연계한 해외환자 유치를 위하여 보험사의 해외환자 유치 활동에 대해서도 허용할 것을 추진하고 있다. 이에 따라 보험사도 외국인환자와 동반자에 대한 숙박 알선과 항공권 구매 대행 등의 유치사업을 할 수 있게 되며, 외국인환자를 겨냥한 보험 상품이 출시되는 등 의료관광이 활성화 될 것으로 보인다. 의료계가 민간보험사의 의료개입으로 인한 의료질서 왜곡 등을 우려하고 있는 보험회사에 외국인환자 유치사업을 제한적으로 허용하도록 한 입법 추진에 대해 국회 전문위원실에서 긍정적인 검토의견을 제시했다. 정부가 발의한 의료법 개정안에는 보험회사 등에게 외국인환자 유치사업을 제한적으로 허용하고 외국인환자 유치업자와 의료기관에 대한 관리를 강화하며 외국인환자 유치기관의 업무범위를 확대하는 내용이 담겨 있다. 정부는 외국인환자 유치사업을 개선해 의료관광을 활성화함과 동시에 시장 질서를 저해할 수 있는 부작용을 방지하려는 취지라고 밝히고 있다.

이에 대해 이익단체들은 반대의 목소리를 높이고 있다. 우선 대한의사협회는 의료질서 왜곡 등을 우려해 반대 입장을 분명히 하고 있다. 의협 측은 "보험사의 외국인환자 유치를 허용하면, 보험사의 개입으로 인한 의료질서 왜곡 등 의료기관과의 갈등의 소지가 있다"면서, "또 의료비를 상승시키는 결과를 초래할 우려가 있다"고 지적했다. 아울러 무분별한 비 급여 보험 상품 개발로 인한 시장교란, 다국적 보험회사의 국내 외국인환자 유치 등록기관 허용 요구, 분쟁 및 소송의 발생 가능성 등의 문제가 있다고 검토의견을 냈다. 한국관광협회와 한국여행업협회 역시

"보험사의 경영과 부수사업을 제한하고 있는 보험업법 취지에 부합하지 않으며 중소 여행업체의 영업권이 침해될 소지가 있다"고 반대를 표했다.

전문위원실은 "2009년 외국인환자 유치허용 이후 외국인 환자 수 및 진료비 수익이 지속적으로 증가하는 현실에서 보험사의 외국인환자 유치를 허용하면 외국인환자 유치 규모를 보다 확대할 수 있고 관련 경쟁력과 전문성 제고가 예상된다."면서 개정필요성에 공감했다. 그러면서 "보험사의 영업의 자유를 전면 제한하는 것보다는 일정한 범위에서 직업행사의 자유를 제한하는 것이 기본권 제한의 일반원칙에 부합할 뿐 아니라 평등권 관점에서도 타당하다"고 긍정적인 검토의견을 냈다. 다만 "비판적 의견을 감안해 국내환자의 불편과 역차별이 발생하지 않도록 유의하고 의료의 자율성과 공공성을 저해하지 않도록 보험사에 대한 적정 관리감독을 강화할 필요성이 있다"고 덧붙였다.

(2) 숙박업 규제 완화

정부는 외국인환자를 주요 투숙대상으로 하는 의료관광호텔(medi-tel) 운영에 관한 관광진흥법 시행령을 개정하여 호텔 내 세부업종으로 의료관광호텔업이 신설되었다.[21] 이것은 의료기관 근처에 위치하게 되며 외국인환자를 위하여 취사시설, 샤워시설 등을 구비하고 외국인에게 서비스를 제공할 수 있는 체제를 갖추고 있어야 한다. 의료관광호텔이 활성화되면 관광단지 숙박지구 등 당초 의료기관의 입주가 어려웠던 지역에도 의료기관 입주가 가능해질 것으로 예상된다.

21　관광진흥법시행령 일부개정(2013.11.29): 제2조(관광사업의 종류) 및 제5조(등록기준)

〈표 2-17〉 의료관광호텔업 등록 기준

관광진흥법 시행령: 의료관광호텔업 등록 기준

(1) 의료관광객이 이용할 수 있는 취사시설이 객실별로 설치되어 있거나 층별로 공동취사장이 설치되어 있을 것

(2) 욕실이나 샤워시설을 갖춘 객실이 20실 이상일 것

(3) 객실별 면적이 19제곱미터 이상일 것

(4) 「학교보건법」에 따른 영업이 이루어지는 시설을 부대시설로 두지 아니할 것

(5) 의료관광객의 출입이 편리한 체계를 갖추고 있을 것

(6) 외국어 구사인력 고용 등 외국인에게 서비스를 제공할 수 있는 체제를 갖추고 있을 것

(7) 의료관광호텔 시설은 의료기관 시설과 분리될 것. 이 경우 분리에 관하여 필요한 사항은 문화체육관광부장관이 정하여 고시한다.

(8) 대지 및 건물의 소유권 또는 사용권을 확보하고 있을 것

(9) 의료관광호텔업을 등록하려는 자가 다음의 구분에 따른 요건을 충족하는 외국인환자 유치 의료기관의 개설자 또는 유치업자일 것

　(가) 외국인환자 유치 의료기관의 개설자

　　1) 「의료법」에 따라 보건복지부장관에게 보고한 사업실적에 근거하여 산정할 경우 전년도의 연환자 수 또는 등록신청일 기준으로 직전 1년간의 연환자수가 1,000명을 초과할 것. 다만 외국인환자 유치 의료기관 중 1개 이상이 서울특별시에 있는 경우에는 연환자수가 3,000명을 초과하여야 한다.

　　2) 「의료법」에 따른 의료법인인 경우에는 1)의 요건을 충족하면서 다른 외국인환자 유치 의료기관의 개설자 또는 유치업자와 공동으로 등록하지 아니할 것

　(나) 유치업자: 「의료법」에 따라 보건복지부장관에게 보고한 사업실적에 근거하여 산정할 경우 전년도의 실환자 수 또는 등록신청일 기준으로 직전 1년간의 실환자 수가 500명을 초과할 것

(3) 외국인환자 편의 개선

현재 입법화가 추진 중인 의료법 개정안에서는 외국인환자가 자신의 진료기록 열람을 요구할 수 있는 권리와 함께, 의사나 병원에서도 이에 응하도록 하고 있다. 또한 지리적으로 낯설고 의사소통에 불편함이 있는 외국인의 특성을 고려하여 외국인환자의 편의를 높이는 한편 복약지도 부실사례와 의약품 오용을 방지하고 있다. 더불어 의료법 시행규칙 개정으로 2012년부터는 의료기관 명칭의 외국어 병기가 가능해져 편의를 높였다.

(4) 의료관광 전문 인력 양성 확대

보건복지부는 '글로벌 헬스케어 전문가 1만 명 양성 프로젝트'를 통해 의료관광 전문 인력을 양성하고 있다. 이 계획에 따르면 2020년까지 간호사직 5천명, 의료통역사 4천 명의 수요가 있을 것으로 예상되어, 이를 대비하기 위하여 의료기관 재직자나 병원 국제 코디네이터 등 실무 인력을 중심으로 교육할 방침이다. 또한 국내에 살고 있는 외국 의료인을 대상으로 의료관광 코디네이터를 양성하고 채용을 활성화할 계획이다. 또한 2013년부터 국제의료관광코디네이터 국가기술자격제도를 시행하고 차후 의료통역사 제도로 확대할 예정이며 전문자격증을 소지한 사람들에 대한 고용 의무화도 검토하고 있다.

(5) 불법 에이전시 대처

불법 브로커들은 내국인 치료비의 서너 배에 달하는 고액의 수수료를 요구하거나 의료기관에서 선(先)수수료를 요구하기도 하며 사후서비스에서도 문제가 야기되어 분쟁이 끊이지 않고 있다. 정부는 한국 의료관광에 대한 신뢰를 떨어뜨리고 의료관광 활성화에 부정적인 영향을 미치는 불법 브로커 행위를 근절하기 위하여 대책을 내놓고 있다. 불법 브로커와 거래할 경우 법적 제재를 가하거나 재등록을 금지하는 의료법 개정도 추진 중이다. 이렇게 되면 과도한 수수료를 요구하는 등 시장을 어지럽히는 유치업체 역시 사업을 할 수 없게 된다. 또한 정부는 의료수가 공개 등 시장의 투명성 확보를 위해 노력하는 한편, 한국 의료관광 체크리스트 등 운영 기준을 마련하고 있다.

(6) 의료관광 유치활동 지원

정부는 일정 규모 이상을 갖춘 병원을 대상으로 하는 의료기관 인증제를 성형외과 등 해외 환자 유치가 많은 의원으로까지 확대할 예정이다. 또한 유치업체의 혁신적인 의료관광 상품 개발을 위하여 의료관광 상품공모전을 개최하는 한편 현지 언론매체를 활용한 홍보 지원, 해외 설명회 및 전시박람회 참가 지원 등 유치업체 활동을 지원하고 있다.

2) 의료관광 추진 정부 및 공공기관

의료관광과 관련하여 여러 정부기관이 공동의 노력을 하고 있다. 그러나 기관에 따라서는 다소 초점과 전략에 차이가 있다. 보건복지부는 중증의 환자에 집중하면서 중증환자 치료를 통한 의료기술과 의료산업 전반의 발전을 강조하고 있다. 반면에 문화체육관광부는 미용·성형이나 기타 경중환자를 타깃으로 관광이 결합된 시장에 초점을 맞추고 있다.

(1) 보건복지부

보건복지부는 의료관광을 추진하는 주무 부처로서 외국인환자 유치 활성화 및 사업 지원에 관한 사항을 담당하고 있다. 보건복지부는 보건의료 산업 발전을 위해 첨단 의료기술 개발 및 기반구축, 의료와 관광·문화가 결합된 서비스 산업의 개발을 추진해 오고 있다. 해외환자 유치 활성화 사업도 이러한 측면에서 추진되어 왔다.

(2) 문화체육관광부

문화체육관광부는 보건복지부와 함께 의료관광 주무부처로서 의료관광객 유치 및 상품개발에 관한 사항을 담당하고 있다. 문화부에서는 관광산업을 고수익 구조로 전환하기 위하여 의료관광을 육성하게 되었다. 이를 위해 의료관광 활성화를 위한 기반 조성을 위해 해외환자 유치활성화에 대한 제도개선을 지속적으로 추진하고 있다.

(3) 한국보건산업진흥원

한국보건산업진흥원은 한국보건산업진흥원법에 근거하여 설립된 보건복지부 소관 위탁집행형 준정부 기관으로 1999년에 설립되었다. 국내외 환경변화에 대응할 수 있는 보건산업의 육성 발전과 보건서비스의 향상을 위한 지원 사업을 전문적으로 수행함으로써 보건산업의 국가경쟁력을 높이고 국민 보건 향상에 이바지하는 것을 목적으로 하고 있다.

진흥원은 해외환자 유치와 관련하여 2007년에 글로벌헬스케어센터를 만들었고, 2010년에 들어서는 외국인환자 유치부서의 조직 규모를 확대하였다. 2012년에 새로 조직 개편이 이루어져 지금은 해외환자유치지원실에서 보건복지부로부터 외국인환자 유치사업을 위탁받아 사업을 수행하고 있다. 진흥원은 외국인환자 유치기관 등록제도 운영, 국내외 의료관광 조사 및 분석, 통계자료 발간, 외국인환자 유치채널 확대, 한국의료기술 해외홍보, 국가 간 보건의료 협력 등의 업무를 수행하고 있다.

(4) 한국관광공사

한국관광공사는 1961년에 관광사업법이 제정된 후 한국관광공사법에 의해 문화체육관광부

소관 준시장형 공기업으로 1962년에 설립되었다. 관광을 한국의 성장 동력으로 이끌고 국가 경제발전과 국민의 삶의 질 향상에 기여하는 것을 목적으로 하고 있다.

관광공사는 2006년부터 새로운 관광 상품 개발의 일환으로 의료관광 관련 업무를 추진해 왔다. 2010년에 의료관광 사업을 전담하는 의료관광센터가 발족되었다. 관광공사는 방한 의료 관광 상품개발 및 홍보 등의 해외 마케팅과 의료관광객 국내 수용태세 개선, 홍보물 제작 및 배포, 비즈니스 네트워크 구축, 의료관광 해외 시장조사 및 의료관광 전문 인력 육성 등의 업무를 30개의 해외지사와 연계하여 수행하고 있다.

〈표 2-18〉 의료관광 관련 정부 및 공공기관 업무

기관명	주요 업무	홈페이지
보건복지부	외국인환자 유치활성화 및 사업지원	http://www.mw.go.kr
문화체육관광부	의료관광 유치 및 상품 개발	http://www.mcst.go.kr
법무부	의료관광비자 발급 업무	http://www.immigration.go.kr
한국보건산업진흥원	외국인환자 유치기관 등록제도 운영, 의료관광 조사 및 통계	http://www.khidi.or.kr
한국관광공사	방한 의료관광 상품개발 및 홍보, 의료관광객 국내 수용태세 개선	http://www.visitkorea.or.kr
한국보건복지 인력개발원	의료관광 전문 인력 교육	http://www.kohi.or.kr
한국의료분쟁 조정중재원	의료관광 분쟁 해결 및 상담	http://www.k-medi.or.kr

3) 지방자치단체 의료관광 추진 현황

의료관광은 의료서비스 뿐 만 아니라 관광서비스를 동시에 제공함으로써 지역기반시설을 이용하고 지역의 특징을 널리 알릴 수 있어 지역경제 활성화에도 기여하는 바가 크다. 지역 의료관광 상품은 MICE, 산업관광, 음식, 계절상품 등 기존 관광 소재나 건강 분야 소재를 활용하여 건강 검진이나 뷰티 차원의 의료분야와 결합시키거나, 치료 중심의 기존 의료관광을 활용하기도 한다.

그러나 지방자치단체의 의료관광 육성 사업은 중앙기관의 사업과 상당부문 중복되어 추진되는 것이 현실이다. 특히 해외 비즈니스 네트워크 구축과 같은 해외 홍보마케팅 사업은 지자체마다 다소 과열되는 양상도 있다. 따라서 지자체는 지역 의료관광 산업 육성을 위한 기반조성에 좀 더 치중하고, 중앙기관은 지자체와 연계하여 지역의 의료기관과 함께 해외 홍보마케팅 사업을 추진하면 서로 상생의 효과가 있을 것으로 보인다.

(1) 서울특별시

서울지역의 주요 진료 부문은 건강검진, 메디컬 스킨케어(medical skin care), 성형 및 한방이다. 메디컬 스킨케어 및 성형시술을 받고자 하는 일본인 및 중국인의 비율이 높으며, 중증진료의 경우 동남아 쪽의 방문 비율이 높게 나타나고 있다. 대체로 20~30대 여성의 비율이 높으며 비즈니스나 관광 목적으로 입국했다가 의료서비스를 받기 위해 방문하는 사례가 많은 것도 특징이다.

서울시는 지역별 특화된 의료 상품과 인근 명소를 연계하고 있다. 강남구는 신사동 일대에 밀집된 성형외과 의원을 중심으로 성형수술을 테마로 하고 있으며 서초구는 피부 관리, 명동에서는 한방을 내세우고 있고, 서대문구는 세브란스병원과 연계한 암 치료를, 강서구는 척추·관절 치료를 특화상품으로 내세우고 있다.

(2) 부산광역시

부산광역시는 풍부한 의료인프라를 갖추고 있으며, 자연경관과 특급호텔, 쇼핑몰 등이 인접해 있어 융·복합 의료관광지로 각광을 받고 있다. 부산은 정부가 의료관광을 신 성장 동력 산업으로 발표한 2009년 1월부터 글로벌 헬스케어와 관련하여 의료관광의 중심지로 급부상시키기 위하여 외국인환자를 위한 구체적인 기반조성 사업을 시작하였다. 2007년 5월에 이미 민관 합동으로 구성된 '부산권의료산업협의회'를 발족시켜 의료관광 전문 인력 양성, 의료관광 상품 개발, 해외 상품홍보설명회를 실시하였다.

부산에서의 의료관광객 추진 계획은 다음과 같이 단계별로 실시하는 전략을 세우고 있다. 먼저, 가장 기본적인 건강검진이나 미용·성형수술 등을 위주로 일본을 중심으로 하여 인접국을 대상으로 유치 활동을 실시한다. 그리고 대형종합병원을 중심으로 중증질환과 관련한 수술을 필요로 하는 아시아 및 전 세계 외국인환자를 유치한다. 아울러 수술이나 치료를 받으러 오는 외국인환자와 가족들에게 휴양 및 레저 활동을 즐기도록 하고 만성질환자의 장기체류를 유도할 특화 상품을 개발한다.

부산은 의료관광홍보안내센터가 위치한 '서면 메디컬 스트리트'를 중심으로 원스톱서비스를 제공하고 있다. 부산 부전동 일대에는 미용·성형외과를 중심으로 150여개의 개인의원이 밀집되어 있다. 따라서 부산은 이곳과 MICE 등 대형 국제행사와 연계하여 의료관광 상품을 지속적으로 개발하고, 크루즈와 인센티브단체를 대상으로 검진, 미용, 스파 등 특화 상품을 판매할 필요가 있다.

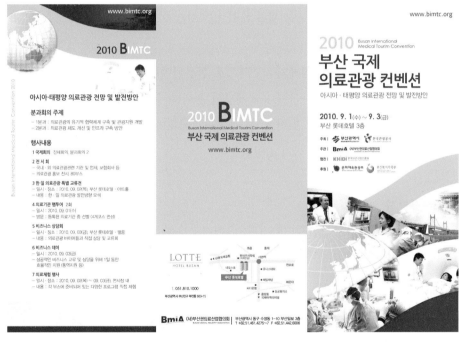

〈그림 2-12〉 부산국제의료관광컨벤션 개최 브로슈어

(3) 대구광역시

대구광역시는 2009년 '메디시티(medi-city) 대구'를 선포하고 '첨단의료복합산업단지'를 유치한 이후 '대구의료관광발전협의회'를 중심으로 다양한 의료관광 육성정책을 펼쳐 왔다. 대구시는 전국 지자체에서는 처음으로 2008년 3월에 의료관광 사업을 추진하는 전담팀을 조직하여 적극적인 유치 활동에 나섰다. 특히 수도권보다 저렴한 의료비를 강점으로 내세웠으며, 모발이식, 한방 진료, 치과 분야와 같은 기술 경쟁력이 있는 분야를 특화 상품으로 하였다. 대구를 찾는 외국인환자는 2010년 4,493명에서 2011년 5,494명, 2012년에는 7,109명으로 꾸준히 증가하고 있다. 동 협의회는 대구 지역에서 의료관광을 이끌어갈 23개 선도 의료기관을 중심으로 컨소시엄을 구성하고 있다.

(4) 인천광역시

인천광역시는 인천국제공항을 끼고 있는 지리적 이점을 활용하여 의료관광 활성화 정책을 펼치고 있다. 인천시는 2011년 23개 의료기관을 포함하여 총 33개 관련 기관이 참여하여 설립한 '인천의료관광재단'을 토대로 정책을 펼치고 있다. 이 재단을 통해 인천만의 특화된 의료관광 상품을 개발하고 다문화가정 구성원을 대상으로 의료관광 코디네이터 육성, 해외 의료관광 시장 개척을 추진하고 있다.

인천은 2003년 송도가 인천경제자유구역으로 선정된 이래 외국인이 생활할 수 있는 최소 여건 마련을 위해 외국 의료기관인 송도국제병원 유치를 추진해 왔다. 그러나 국제병원 설립을 놓고 영리병원 도입의 물꼬가 트이게 돼 국내 의료제도가 흔들릴 수 있다는 반대 입장도 만만치 않아 현재까지도 추진이 더뎌지고 있다.

(5) 대전광역시

대전광역시는 '의료관광지원센터'를 대전마케팅공사에 위탁 · 운영하고 있다. 센터에서는 해외 홍보마케팅, 코디네이터 양성 및 통역 지원, 지역 의료관광 인프라 구축과 대전을 방문한 외국인환자에 대한 의료서비스 품질 제고 등 의료관광 활성화를 위한 지원업무를 총괄하고 있다. 대전은 중점 추진방향으로 '지역 MICE 산업과의 연계', '해외기업체 인센티브 관광객 건강검진 외국인환자 유치', '화상환자와 척추질환 등 중증환자 유치', '피부 · 성형 · 안과 · 한방 등의 지역 특화시술을 중심으로 외국인환자 유치'로 설정하고, 이를 위해 다각적인 노력을 기울이고 있다.

(6) 경기도

경기도는 서울에 이어 두 번째로 많은 외국인환자가 방문하고 있으며 미용, 성형은 물론이며 건강검진과 중증질환치료에서도 두각을 나타내고 있다. 경기도는 의료관광 사업추진을 위해 2009년 발족한 '경기국제의료협회'를 중심으로 국제 의료사업을 추진하고 있다. 경기도는 의료관광코디네이터 파견 인력풀을 구축하여 영어, 중국어, 일본어 뿐 만 아니라 몽골어, 베트남어 등 전문 인력을 지원하고 있다. 또한 의료관광 관련 국제서류 및 의무기록 번역서비스, 국제 의료 간병인서비스를 실시하고 있다.

(7) 강원도

강원도는 관광, 휴양 및 웰빙 산업의 프론티어가 될 강원광역경제권 선도 사업 수행을 목적으로 2009년에 '강원도의료관광지원센터'를 설립하였다. 선도 사업은 2009년부터 2012년까지 강원도의 의료관광 거점기관 육성을 목표로 사업을 수행하였다. 이를 통해 8개 거점의료기관과 외국인환자 유치사업을 공동으로 추진하였으며, 그 결과 2,373명의 외국인환자를 유치하였다. 강원도는 리조트와 자연자원을 활용하여 휴양 및 힐링 프로그램을 중심으로 의료관광 상품을 개발하고 있다.

(8) 제주도

제주도는 관광과 자연환경을 살린 재활치료 개념인 의료의 접목이 가능하다는 점에서 의료관광 적합지로 꼽힌다. 제주도의 주력 진료 분야는 성형, 메디컬 스킨케어, 한방으로 중국을 목표시장으로 삼고 있다. 제주도 의료관광 활성화 사업은 크게 두 가지 측면에서 진행 중이다. 제주특별자치도에서 진행하는 외국인환자 유치 활성화 사업과, 제주국제자유도시개발센터가 추진 중인 제주 헬스케어타운이 그것이다.

〈표 2-19 〉 지역별 의료관광 추진 담당 기관 및 부서

지역	담당 기관	홈페이지
서울	서울시 의료관광팀 서울의료관광지원센터(서울관광마케팅 위탁 운영)	http://kor.seoulmedicaltour.com
	강남구보건소 의료관광팀 강남구의료관광협의회	http://medicaltour.gangnam.go.kr
부산	부산시 보건위생과 부산권 의료산업협의회	http://www.bsmeditour.go.kr http://www.medinabusan.or.kr
대구	대구시 의료산업팀 대구의료관광지원센터(엑스코 위탁운영) (사)대구의료관광발전협의회	http://www.meditour.go.kr
인천	인천시 보건정책과 인천관광공사 관광마케팅팀 인천의료관광재단	http://medical.incheon.go.kr
광주	광주시 건강정책과 (사)광주권의료관광협의회	
대전	대전시 보건정책과 대전마케팅공사 의료관광팀	http://www.djmeditour.go.kr
경기	경기도 보건정책과 경기관광공사 기획마케팅팀 경기국제의료협회	http://www.e-gima.com
강원	강원광역경제권선도사업단(산업통상자원부 산하) (사)강원도의료관광지원센터	http://www.gwmeditour.or.kr
제주	제주도 보건위생과 제주관광공사 마케팅팀	

4. 문제점 및 경쟁력 향상 방안

한국 의료관광은 의료기술 수준, 의료 가격 수준, 지리적 접근성, 의료 인력 수준 등에서 충분한 경쟁력을 갖추고 있다. 그러나 한국 의료관광이 발전해 나가는데 있어서 여러 가지 문제점도 함께 가지고 있으므로 이에 대한 해결방안을 살펴볼 필요가 있다. 그리고 의료관광을 추진함에 있어 항상 수반되는 투자개방형 병원에 대한 현시점에서의 논쟁점을 살펴본다.

한국 의료관광 경쟁력

부문	주요 내용
의료기술 수준	• 수술 분야 대부분 선진국 수준 - 일부 암(위암, 간암, 자궁암 등) 생존율은 선진국 보다 높음 - 심혈관계 질환의 치료 시술 세계 최고 수준 • 미용성형 및 피부과 진료 분야에서도 세계 최고 수준 • 한방 분야 경쟁력
의료 가격 수준 (2006년, 한국은행)	• 가격수준(한국 100): 미국 338, 일본 149, 싱가포르 105, 인도 53
지리적 접근성	• 중국, 일본, 극동러시아, 몽골, 홍콩, 대만 등 - 비행 3시간 이내 인구 100만 이상 도시 61개 위치
우수한 의료인력 및 의료시설	• 우수한 의료인력 교육 시스템에 의한 인력 매년 3천명 이상 배출 • 양성자 치료기, 로봇 수술 장비, 레이저 수술 장비, 검진 장비 등

강점 한류 붐 국가(일본, 중국 등) 및 근거리 시장(극동러시아, 몽골)의 의료관광객 증가

약점 한국의료에 대한 해외 인지도 부족, 언어 등 외국인 친화적 물적·인적 인프라 부족 등

〈그림 2-13〉 한국의료관광 경쟁력

1) 한국 의료관광 문제점

한국은 의료관광을 추진해 온 시기가 짧고 내부적인 문제로 인해 비즈니스모델과 제도적인 발판이 부족한 상황이다. 또한 의료관광을 위한 인프라 면에서도 경쟁국에 대비하여 다소 부족하다. 외국인환자의 비율이 높지 않은 의료기관 입장에서도 외래방문객 응대를 위한 서비스 구축비의 투자에 주저하고 있는 실정이다.

(1) 의료수준 홍보부족

아직도 해외에서의 한국 의료서비스 수준에 대한 인지도는 상당히 낮다. 심지어 경쟁국 및 인접국에 대비하여 높은 임상경험 수준에 대한 홍보가 미흡하여 외국 의료인들조차도 한국 의료서비스에 대한 인지도가 낮은 것으로 나타났다. 따라서 지속적으로 관련 전문 인력에 대한 방문지원 및 학회 참가 활동, 다양한 방법의 홍보 활동을 통해 한국 의료서비스 수준에 대한 인지도를 높이기 위한 노력이 절실하다.

(2) 의사소통의 부족

국내에서의 의료관광을 체험한 외국인환자에 대한 설문조사를 살펴보면, 의료서비스 상담 과정에서 언어로 인한 의사소통의 불편함이 가장 크다고 하였다. 따라서 의료상담 과정에서 자국어 통역이나 안내서비스가 강화될 필요가 있다. 그리고 병원 내의 각종 표지판이나 병원에서 사용하는 각종 문서에서도 자국어로 표기된 것을 요구하기도 한다.

(3) 사전 의료비 고지 미흡

의료관광객은 의료관광을 고려할 때 해외에서의 의료서비스 비용절감을 가장 중요하게 고려한다. 그동안 국내 의료기관들은 대체로 병원 자체적으로 환자에게 개별적으로 비용을 적용하고 있다. 특히 중증 외국인환자의 경우에는 진료비와 의사특진, 공항 에스코트비용, 통역 비용, 입원 및 음식비, 간병비 등을 포함하여 비용이 적용되므로 사전에 비용 고지가 어려운 점도 있다. 그러나 외국인환자 유치를 위해서는 사전 상담 및 예약 과정에서 이에 대하여 최대한 명확한 정보를 제공할 필요가 있다. 그러나 경증환자의 경우에는 환자가 병원 정보를 직접 탐색할 수도 있고 병원 신인도를 고려하여 내국인과 똑같은 비용을 그대로 적용하기도 한다.

2) 경쟁력 향상 방안

한국 의료관광의 해외 홍보 부족을 해결해 나가기 위해 효과적이며 다양한 홍보활동이 가장 필요한 실정이다.

(1) 혁신적 마케팅

타깃 고객에 맞춘 전문화된 마케팅으로 잠재고객에 접근해야 하겠다. 또한 의료관광의 전문성과 안전성의 중요함을 강조하고 적절한 비용이라는 점을 집중 홍보할 필요가 있다. 이처럼 의료관광은 국제환경에 맞는 의료관광 및 서비스에 대해 외국인환자가 확신을 가질 수 있도록 개별 의료기관이 주도적으로 마케팅 활동에 나서야 하며, 공공기관은 이에 대한 측면지원을 하는 것이 효과적이다. 의료관광 에이전시의 입장에서도 환자에게 명확한 혜택을 전달할 수 있도록 의료서비스의 상품화가 필요하며, 의료기관에서도 이들의 역할에 대한 인식이 필요하다.

(2) 구전 홍보 활용

의료관광은 사전계획을 오래하고 주변인의 체험과 여행사의 정보 채널에 대한 의존도가 매우 높은 편이다. 구전 확대를 위해서 의료진을 중심으로 한 환자서비스, 진료 후 고객 사후관리를 통한 주변 추천유도 등의 노력이 필요하다. 의료관광 관련 홍보자료를 지속적으로 개발하여 고객의 동선을 고려하여 공항, 호텔, 안내센터, 교통수단, 관광지 등에서 배포하는 것도 필요하다.

(3) 신뢰성 확보

의료서비스를 제공함에 있어 신뢰성이 무엇보다 중요하다. 신뢰성은 근본적으로 의료진의 수준에 의해 결정될 가능성이 높다. 그러나 핵심 의료서비스 이외에도 다른 지원 요소에 의해서도 구축이 된다. 그러므로 의료관광 시스템 전체에 대한 서비스 개선이 필요하다. 의료관광은 의료 외에 관광요소도 포함되므로 사전관광 행위 후의 의료서비스, 또는 의료서비스 이후의 사후관광 프로그램에 대한 개발도 같이 이루어져야 한다.

(4) 협력 시스템 구축

국내 의료관광 활성화를 위해 우선 필요한 사항으로는 제도적인 측면에서의 개선, 종합적인 홍보 활동 전담조직의 운영, 서비스 표준화를 위한 기준 마련, 정부·지자체·병원 간의 명확한 역할이 필요하다. 장기적인 의료관광 활성화를 위해서는 제도개선과 홍보 활동 등이 우선적으로 필요하지만 수익성을 중시하는 민간병원의 참여를 위해서는 초기에 정부차원의 적극적인 지원이 요구된다. 민간 수익 사업에 정부가 개입하는 것에는 어느 정도 어려움이 있겠지만, 의료관광이라는 특수한 서비스 사업의 성공사례 구축을 위해서는 민간 차원의 자율성에 정부 차원의 지원이 함께 이루어 질 필요가 있다.

〈표 2-20〉 외국인환자의 의료관광 고려사항

순위	병원관계자	정부관계자	지자체	의료에이전시
높음 ↑ ↓ 낮음	• 의료비 • 의료진(기술 및 연구) • 병원문화(언어, 식사) • 의료기관 신뢰도(환자의 안전)	• 의료진(기술 및 연구) • 의료기관 신뢰도(환자의 안전) • 높은 인지도(홍보)	• 의료진(기술 및 연구) • 비용 절감 • 관광 마인드 • 높은 인지도(홍보)	• 높은 인지도(홍보) • 의료진(기술 및 연구) • 접근성(거리)

3) 투자개방형병원 추진 논의

현재 국내에서 투자개방형병원(일명 영리병원)은 허용되고 있지 않다. 투자자에게서 자금을 조달하여 병원을 운영하고 투자수익을 돌려주는 주식회사 형태의 병원은 대규모 자금조달이 가능하지만 현재 관련법에서는 이를 금지하고 있다. 정부의 반대 이유는 투자개방형 병원이 생길 경우 의료 인력이 이곳으로 몰려 건강보험 환자들에 대한 공공의료의 질이 떨어지고 국민 의료비 부담이 늘어난다는 것이다. 그러나 이런 투자개방형 병원이 생김으로 인해 외국인환자의 유치에 있어 경쟁력을 높일 수 있게 되고, 의료관광 산업의 활성화와 함께 관련 업계의 일자리 창출이 가능해진다. 따라서 이를 허용하게 된다면, 공공의료 서비스의 질을 유지하면서 의료관광도 함께 발전할 수 있는 길을 모색해야 할 것으로 보인다. 즉, 외국인환자에 밀려 일반 국민들이 기본적인 의료혜택을 받지 못하는 일이 없도록 철저한 정책설계를 해야 한다.

OECD 국가 중에서 투자개방형병원을 원천적으로 금지하고 있는 나라는 한국과 일본, 네덜란드 등 소수에 불과하다. 그러나 일본은 의료, 간병, 건강 관련 산업을 신성장전략 산업으로 키워 나가기 위해 대대적인 규제 완화 방안을 마련하고 있는 중이다. 일본의 정책 변화는 1997년 아시아 경제위기 이후 제조업 위주의 성장에 한계를 느끼고 의료서비스 산업을 중점 육성하여 괄목할 만한 성장을 이룬 싱가포르의 성공에 자극을 받은 것이다. 싱가포르는 1980년대에 투자개방형 영리병원을 도입해 국공립병원과 영리병원이 경쟁하면서 발전하고 있다.

(1) 정부 정책 추진 방향

현 정부는 의료와 관련하여 경제자유구역 내 투자개방형 병원의 설립, 원격의료의 추진, 그리고 의료기관의 해외진출과 의료관광의 활성화 정책을 전개해 나갈 것을 발표하였다(2014.2,

청와대 경제혁신3개년계획 담화문). 즉 의료 관련 규제완화와 의료의 국제화에 적극 나설 것이라고 밝혔다.

이에 따라 기획재정부에서 마련한 세부계획에 의하면, 제도적 기반이 마련된 경제자유구역 및 제주도에 투자개방형 병원 설립을 지원하고, 제주도의 경험을 토대로 경제자유구역 내 투자개방형 외국병원 규제를 합리화해 나가기로 하였다. 특히 의료민영화 논란을 낳았던 의료법인 자회사 설립과 관련하여 가이드라인을 제정해 빠른 시일 내에 규제를 완화해 나가기로 했다. 또한 병원의 의료서비스 및 의료정보 시스템 등 연관 산업의 해외진출 활성화를 위해 지원서비스를 강화하는 한편, 해외환자에 대한 유치 촉진을 위하여 서비스 제공체계를 구축하고 의료 · 관광 · 힐링 등이 결합된 유치모델을 적극적으로 개발해 나가기로 했다.

(2) 추진 반대의견

하지만 기획재정부의 이 같은 방침에 대해 보건 · 의료를 이윤창출 분야로만 보는 것이 아니냐는 비판이 제기되었다. 게다가 정부가 도입하려는 투자개방형 영리병원은 실질적으로 효율적인 측면에서도 별다른 효과를 보지 못한다고 주장하였다. 미국의 병원들을 대상으로 의료서비스의 질을 평가하는 언론매체 〈U.S News and World Report〉의 통계자료에 따르면, 2007년 당시 5,400여개 병원을 대상으로 조사한 결과 의료 서비스 평가에서 1위부터 18위 까지 차지한 것은 공공병원과 비영리법인 병원이었다. 투자개방형 영리병원은 단 한 번도 상위권에 오른 적이 없다고 한다.

국내 보건의료단체연합 등 시민단체들 역시 영리병원 설립은 의료 산업의 활성화와는 무관하다고 주장하고 있다. 투자개방형 영리병원을 설립한 캐나다의 경우에는 실제로 98%가 국공립병원이며, 영리병원은 2%에 지나지 않는다고 밝혔다. 게다가 이들은 의료관광 사업 역시 그 효과가 과장되어 있다고 비판하고 있다. 영리병원을 통해 의료관광 사업을 추진하고 있는 싱가포르나 태국 역시 공립 병원의 비율이 84%와 70%를 차지하고 있으며, 태국이나 인도가 의료 관광이 활성화 되는 이유는 한국의 10분의 1밖에 되지 않는 싼 인건비 때문이라고 지적했다. 아울러 실제로 투자개방형 영리병원 설립은 외국인 관광객 유치라는 표면적인 목표 외에도 대기업의 이익만을 불려주는 역할을 할 수 있다고 한다. 일부 경제개발구역 등 특정 지역에만 영리병원을 허용한다 해도, 곧 전국 다른 지역으로 확산될 것이고, 결국 공공의료체계가 무너질 것이라고 주장하고 있다.

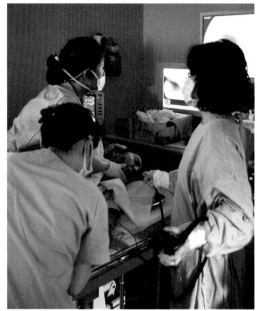

〈그림 2-14〉 외국인 환자 진료 모습

03절 의료관광 법과 제도

● ● ●   법과 제도는 관련 산업을 활성화하거나 문제점을 해결하기 위한 규제자의 역할을 수행한다. 법과 제도를 통해서 특정 정책을 실행에 옮길 경우, 실질적인 행위를 유도하고 규제하게 된다. 따라서 법과 제도는 시장에서 활동하는 데 필요한 윤리적으로 바람직한 사고나 행동의 방식을 설정하거나, 산업현장에서 발생할 수 있는 이해관계자들 간의 갈등을 조정하는 역할을 수행한다.

1. 외국인환자 유치 허용

국내 의료기관으로 외국인환자의 유치를 허용한 의료법의 개정 이후, 이의 활성화를 위한 관련법과 제도의 마련이 이어지고 있다. 여기서는 이 가운데 특히 각종 규제의 완화 문제와 맞물려 논쟁을 불러일으키고 있는 원격진료, 의료광고, 그리고 외국인환자 유치 허용 범위 확대 문제에 대하여 다룬다.

1) 외국인환자 유치 허용 의료법

오랫동안 논의를 벌였던 의료법 개정안이 2009년 1월 국회를 통과하여 그해 5월부터 외국인환자 유치를 허용한 바 있다. 의료관광과 관련하여 의료법, 의료법시행령, 의료법시행규칙의 주요 내용을 알아본다.

(1) 외국인환자 유치 허용

국내 의료법에서는 의료기관 및 의료인이 의료비 할인, 금품 및 교통편의 제공 등 환자를 유치하기 위한 일체의 소개나 알선(斡旋) 및 유인하는 행위를 원칙적으로 금지하고 있다. 그러나 의료서비스에 대한 국가 간 경쟁이 치열해지고 의료관광객 유치 경쟁력 강화를 위해 2009년 1월에 의료법(제27조) 개정을 통해 국내 의료기관으로의 외국인환자 유치 및 알선행위를 그해 5월1일부터 일부 허용하였다. 여기서 유치가 허용된 외국인은 의료법시행규칙에서 세부적으로 정하도록 하고 있다.

〈표 2-21〉 외국인환자 유치 허용 의료법

의료법 제27조 (의료기관으로 외국인환자 유치 예외 허용)
제27조 (무면허 의료행위 등 금지)
③ 누구든지 「국민건강보험법」 이나 「의료급여법」 에 따른 본인부담금을 면제하거나 할인하는 행위, 금품 등을 제공하거나 불특정 다수인에게 교통편의를 제공하는 행위 등 영리를 목적으로 환자를 의료기관이나 의료인에게 소개·알선·유인하는 행위 및 이를 사주하는 행위를 하여서는 아니 된다. 다만, 다음 각 호의 어느 하나에 해당하는 행위는 할 수 있다. [개정 2009.1.30]
2. 「국민건강보험법」 제109조에 따른 가입자나 피부양자가 아닌 외국인(보건복지부령으로 정하는 바에 따라 국내에 거주하는 외국인은 제외한다)환자를 유치하기 위한 행위
④ 제3항제2호에도 불구하고 「보험업법」 제2조에 따른 보험회사, 상호회사, 보험설계사, 보험대리점 또는 보험중개사는 외국인환자를 유치하기 위한 행위를 하여서는 아니 된다. [신설 2009.1.30]

(2) 유치기관 등록

정부는 외국인환자에 대한 의료서비스의 안전성과 체계적 관리를 위하여 의료기관이나 유치사업체에 대한 외국인환자 유치 사업 등록 제도를 운영하고 있다. 이를 통해 지속적이고 체계적으로 등록기관을 보호하면서 지원이 가능하도록 하였고, 자격을 갖추지 못한 기관들의 난립으로 인해 야기될 수 있는 한국 의료서비스의 대외 이미지 실추를 예방하고, 의료기관과 유치업자들의 무분별한 과당경쟁으로 발생할 수 있는 의료서비스의 질적 저하를 방지 할 수 있을 것으로 기대하고 있다. 현재 보건복지부의 위임을 받아 한국보건산업진흥원(www.medicalkorea.khidi.co.kr)에서 등록 업무를 대행하고 있다.

〈표 2-22〉 외국인환자 유치에 대한 등록 허용

의료법 제27조의2 (외국인환자 유치에 대한 등록 등)
의료법 제27조의2 (외국인환자 유치에 대한 등록 등) [신설 2009. 1. 30] [시행일 2009. 5. 1]

① 제27조제3항제2호에 따라 외국인환자를 유치하고자 하는 의료기관은 보건복지부령으로 정하는
요건을 갖추어 보건복지부장관에게 등록하여야 한다.

② 제1항의 의료기관을 제외하고 제27조제3항제2호에 따른 외국인환자를 유치하고자 하는 자는 다
음 각 호의 요건을 갖추어 보건복지부장관에게 등록하여야 한다.

 1. 보건복지부령으로 정하는 보증보험에 가입하였을 것

 2. 보건복지부령으로 정하는 규모 이상의 자본금을 보유할 것

 3. 그 밖에 외국인환자 유치를 위하여 보건복지부령으로 정하는 사항

③ 제1항에 따라 등록한 의료기관 및 제2항에 따라 등록한 자(이하 "외국인환자 유치업자"라 한다)는
보건복지부령으로 정하는 바에 따라 매년 3월 말까지 전년도 사업실적을 보건복지부장관에게 보
고하여야 한다.

④ 보건복지부장관은 의료기관 또는 외국인환자 유치업자가 다음 각 호의 어느 하나에 해당하는 경
우 등록을 취소할 수 있다.

 1. 제1항 또는 제2항에 따른 등록요건을 갖추지 아니한 경우

 2. 제27조제3항제2호외의 자를 유치하는 행위를 한 경우

 3. 제63조에 따른 시정명령을 이행하지 아니한 경우

⑤ 제1항에 따른 의료기관 중 상급종합병원은 보건복지부령으로 정하는 병상 수를 초과하여 외국인
환자를 유치하여서는 아니 된다.

⑥ 제1항 및 제2항에 따른 등록절차에 관하여 필요한 사항은 보건복지부령으로 정한다.

① 외국인환자 유치 의료기관 등록

국내 의료법에 의하여 의료관광객을 유치하고자 하는 의료기관은 보건복지부령으로 정하
는 요건을 갖추어 등록하여야 하며, 상급종합병원의 경우 의료관광객 병상수가 허가 병상수의
100분의 5를 넘지 못하도록 하고 있다. 의료기관의 경우 외국인환자를 유치하고 싶다면 사전
에 보건복지부령에 정하는 요건을 갖추어 등록을 해야 한다. 외국인환자 유치의료기관으로 등
록하려면 진료 분야에 해당하는 전문의를 1인 이상 두어야 하며, 매년 3월말까지 전년도 유치
외국인환자의 국적, 성별 및 출생년도, 진료과목, 입원기간, 주상병명 및 외래 방문일수 등의
사업실적을 한국보건산업진흥원에 보고하여야 한다.

〈표 2-23〉 외국인환자 유치사업 의료기관

구분	법률 내용	법률 규정
허용 내용	1. 외국인에 대한 환자 유치 및 알선행위를 할 수 있는 일정기준을 갖추고 보건복지부에 등록한 의료기관 및 유치업자로 제한 2. 상급종합병원의 외국인 입원환자 유치가능 병상 비율: 허가병상수의 100분의 5 이내(1인실 제외) - 상급종합병원: 현행 국민건강보험법 제40조제2항에 따른 종합전문요양기관(서울대병원 등 44개) - 유치제한은 상급종합병원에 입원의 경우에만 해당하며, 그 외 상급종합병원의 외래 및 기타 의료기관의 입원 및 외래에 대해서는 제한 없음	의료법 제27조의2 의료법 시행규칙 제19조의5
등록 서류	1. 등록신청서(전자문서 포함) 2. 의료기관 개설신고증명서 사본 또는 의료기관 개설허가증 사본 3. 사업계획서 4. 진료과목별 전문의 명단 및 자격증 사본	의료법 시행규칙 제19조의6

② 외국인환자 유치업자의 등록 조건

유치업자는 의료행위를 직접적으로 실시하지 않고 개별 환자 및 기업들에게 의료관광 정보를 제공하거나 해외치료를 주선하는 사업자 혹은 집단을 의미한다. 이들은 의료관광객을 유치하는 과정에서 고의 또는 과실로 의료관광객에게 입힌 손해에 대한 배상책임을 보장하는 보증보험에 가입되어 있어야 한다. 이때 보험금액은 1억 원, 보험기간은 1년 이상이어야 한다. 또한 1억 원 이상의 자본금을 입증할 수 있어야 하며 국내에 사무소가 있어야 한다. 자본금 규모는 외국인환자 유치업과 가장 유사성이 높은 해외 이주 알선업, 국외 여행업 등과 동일한 수준이다. 보증보험에 가입한 후 외국인환자에게 입힌 손해를 배상하여 보험계약이 해지된 경우에는 1개월 이내에 다시 가입하여야 한다.

유치업자도 의료기관과 마찬가지로 매년 3월말까지 한국보건산업진흥원에 전년도 유치실적을 보고하여야 한다. 유치업자의 신고사항은 외국인환자의 국적, 성별 및 출생년도, 방문 의료기관, 진료과목, 입원기간 및 외래 방문일수, 입국일 및 출국일이다.

〈표 2-24〉 유치업자 외국인환자 유치사업 등록 필요서류

구분	법류 규정
1. 등록신청서(전자문서 포함) 2. 정관(법인인 경우 해당) 3. 사업계획서 4. 보험금액 1억원 이상, 보험기간 1년 이상의 보증보험 가입 서류 5. 1억 원 이상의 자본금 보유 증명 서류 6. 국내에 설치한 사무소에 대한 소유권이나 사용권 증명 서류	의료법 시행규칙 제19조의6

2) 유치대상 외국인

국내에서는 의료관광의 대상이 되는 외국인환자에 대한 정의를 구체적으로 내리고 이에 대한 수치집계 시스템을 구축하고 있다. 의료법상 외국인환자는 국민건강보험에 가입되지 않았거나 국내에 거주하고 있지 않은 외국인에게만 해당된다. 또한 국내 비거주자는 외국인등록을 하지 않았거나 거소신고를 하지 않는 자를 말한다.

외국인환자유치사업 등록을 한 기관이 유치할 수 있는 외국인환자의 범위는 국민건강보험 가입자나 피부양자가 아닌 외국인으로 한정하고 있다. 따라서 국내에 거주하고 있으면서 아직 국적취득은 하지 않았지만 국민건강보험에 가입하였거나 외국인등록을 마친 사람은 유치대상에서 제외된다. 그러나 주한 미군 및 그 가족이나 외교관 등 관련법에서 외국인등록 대상이 아닌 국내 거주 외국인은 유치대상에 포함된다.

〈표 2-25〉 유치대상 외국인

구분	거주지	유치 대상	유치 대상 아님
외국인	국내	-건강보험에 가입하지 않고 외국인등록도 하지 않은 경우	- 건강보험 가입자(피부양자) - 외국인등록자 - 외국인근로자(산재보험가입)
	국외	모두 유치대상임	
특수한 외국인 - 외국공관거주 -주한미군 및 가족 - 특수임무종사	국내	-건강보험에 가입하지 않고 외국인등록도 하지 않은 경우	- 건강보험 가입자(피부양자) - 외국인등록자
재외국민 (영주권자)	국내 또는 국외		외국인이 아니므로 유치대상이 아님
외국국적동포 (외국시민권자)	국내	- 건강보험에 미가입+ 외국인등록 하지 않은 경우 - 건강보험 미가입 +국내거소신고 +G1체류자격 - 건강보험 미가입+외국인등록 +G1체류자격	- 건강보험 가입자(피부양자) - 건강보험 미가입 +국내거소신고 - 건강보험 미가입+외국인등록
	국외	항상 유치대상	

3) 원격의료

의료관광의 활성화를 위하여 일부 의료기관은 이헬스(E-Health)와 유헬스(U-Health) 인프라를 적극적으로 이용하고 있다. 의료법(제34조)에서는 원격의료를 의료인이 정보통신기술을 활용하여 원거리 의료인에게 의료지식이나 기술을 지원하는 것으로 다음과 같이 규정하고 있다.

〈표 2-26〉 의료법 규정 원격의료

제34조 (원격의료)

제34조 (원격의료)

① 의료인(의료업에 종사하는 의사 · 치과의사 · 한의사만 해당한다)은 제33조제1항에도 불구하고 컴퓨터 · 화상통신 등 정보통신기술을 활용하여 먼 곳에 있는 의료인에게 의료지식이나 기술을 지원하는 원격의료(이하 "원격의료"라 한다)를 할 수 있다.

② 원격의료를 행하거나 받으려는 자는 보건복지부령으로 정하는 시설과 장비를 갖추어야 한다.

③ 원격의료를 하는 자(이하 "원격지의사"라 한다)는 환자를 직접 대면하여 진료하는 경우와 같은 책임을 진다.

④ 원격지의사의 원격의료에 따라 의료행위를 한 의료인이 의사 · 치과의사 또는 한의사(이하 "현지의사"라 한다)인 경우에는 그 의료행위에 대하여 원격지의사의 과실을 인정할 만한 명백한 근거가 없으면 환자에 대한 책임은 제3항에도 불구하고 현지의사에게 있는 것으로 본다..

(1) E-Healthcare 시스템

이헬스케어라는 용어는 그동안 e-commerce, e-business, e-solution 등과 같이 사용하는 사람과 상황에 따라 다르게 사용되면서 의료정보, 건강정보, 원격진료(tele-medicine), 원격건강관리(tele-health) 등의 용어와 혼재되어 인식되어 왔다. 그러나 이헬스케어의 개념은 보건의료에 관련된 정보, 지식, 산물, 서비스 등이 디지털화된 형태로 교류됨으로써 보건의료 산업 및 보건의료체계 전반을 변혁시키는 과정이라고 할 수 있다. 따라서 이헬스케어의 소비자는 건강정보 획득, 보건의료와 관련된 경제활동 수행, 의사결정에 필요한 보건의료 전문가들과의 접촉을 통해 인터넷을 사용하는 사람들로 정의할 수 있다. 그러므로 이헬스케어는 의료 분야의 정보통신기술의 응용을 의미한다.

(2) U-Healthcare 시스템

유헬스케어는 정보통신기술을 응용한 의료 시스템을 이용하여 의료 및 보건 정보와 관련된 상품과 서비스를 온라인으로 제공하는 새로운 패러다임의 의료서비스를 말한다. 건강과 관련된 정보를 제공하고 온라인상에서 환자를 지원하고 건강위험을 측정하며, 만성질환을 관리하기 위해 인터넷과 같은 정보통신기술을 이용하는 것이라고 정의할 수 있다. 보건복지부에서도 유헬스에 대하여 ubiquitous computing과 health의 합성어의 약어로서 IT와 전통적인 보건의료를 연결하여 시간이나 공간의 제약 없이 언제 어디서나 예방, 진단, 치료 및 사후관리의 보건의료서비스를 제공하는 것으로 정의하고 있다. 그러나 유헬스는 많은 긍정적인 전망에도 불구하고 여러 가지 법과 제도, 심리 및 사회적 제약요인으로 인해 아직 활성화되고 있지는 않다.

4) 의료광고

의료광고는 의료인, 의료기관이나 의료법인이 의료서비스에 대한 내용을 언론매체를 이용하여 소비자에게 알리는 활동을 의미한다. 의료법(제56조)은 의료광고 주체와 광고에 금지되는 내용을 규정하고 있다. 이에 따르면 의료광고의 주체는 의료법인, 의료기관 혹은 의료인만 가능하다는 것을 명확히 하고 있다. 또한 동법(제56조 제2항 10호)에서 외국인환자를 유치하기 위한 국내 광고는 여전히 금지하고 있다. 수술 장면 등 시술행위를 직접적으로 노출하는 행위를 금지하고 있는 국내 의료광고 규제사항은 대체로 해외 현지에서도 허용하지 않은 경우가 많기 때문에 해외 홍보마케팅에 있어서도 이에 대한 지침을 준수하여야 한다.

〈표 2-27〉 의료법 규정 의료광고

제56조 (의료광고의 금지)
제56조 (의료광고의 금지 등)
① 의료법인 · 의료기관 또는 의료인이 아닌 자는 의료에 관한 광고를 하지 못한다.
② 의료법인 · 의료기관 또는 의료인은 다음 각 호의 어느 하나에 해당하는 의료광고를 하지 못한다.
1. 제53조에 따른 평가를 받지 아니한 신의료기술에 관한 광고
2. 치료효과를 보장하는 등 소비자를 현혹할 우려가 있는 내용의 광고
3. 다른 의료기관 · 의료인의 기능 또는 진료 방법과 비교하는 내용의 광고
4. 다른 의료법인 · 의료기관 또는 의료인을 비방하는 내용의 광고
5. 수술 장면 등 직접적인 시술행위를 노출하는 내용의 광고
6. 의료인의 기능, 진료 방법과 관련하여 심각한 부작용 등 중요한 정보를 누락하는 광고
7. 객관적으로 인정되지 아니하거나 근거가 없는 내용을 포함하는 광고
8. 신문, 방송, 잡지 등을 이용하여 기사(記事) 또는 전문가의 의견 형태로 표현되는 광고
9. 제57조에 따른 심의를 받지 아니하거나 심의 받은 내용과 다른 내용의 광고
10. 제27조제3항에 따라 외국인환자를 유치하기 위한 국내광고

5) 외국인환자 유치 규제개선 추진

보건당국은 적극적인 외국인환자 유치를 위해 규제완화 조치를 시행 중에 있다. 보건복지부는 해외환자 유치확대를 위해 해외환자가 입원한 1인실을 상급종합병원 병상 수를 산정할 때 제외하도록 했다(의료법시행규칙 개정: 2014. 9. 19). 이와 함께 대규모 환자유치를 저해하는 규제로 인해 적극적인 프로모션을 하지 못하고 있다는 지적에 대해, 국내 보험회사가 해외법인을 설립해 국내로 해외환자를 유치하는 경우에는 외국 보험사와 동일하게 국내 의료법의 적용을 받지 않는다고 말했다.

국내 보험회사가 법인이 아닌 해외지점을 통해 활동하는 경우에는 국내 의료법의 적용을 받으며, 외국인 대상으로 국내 의료기관을 이용할 수 있는 보험 상품을 개발하고, 안내 · 홍보 · 상담하는 것이 가능하다는 설명이다. 복지부는 다만, 국내 보험회사의 해외지점이 국내 의료기관으로부터 명시적으로 해외환자 유치 관련 수수료를 받고 하는 활동은 의료법 위반의 소지가 있다고 강조했다.

2. 의료관광 지원 제도

의료법에서 직접 규정하는 것 외에 의료관광 활성화를 위하여 지원하는 사항에 대하여 설명한다. 관광진흥법에서의 의료관광 육성 지원과 의료비자 발급 지원 등이 있다.

1) 관광진흥법에서의 의료관광 지원

관광진흥법에서는 의료관광에 대해 "국내 의료기관의 진료, 치료, 수술 등 의료서비스를 받는 환자와 그 동반자가 의료서비스와 병행하여 관광하는 것"이라고 정의하고 있다. 즉, 의료관광은 의료서비스와 관광서비스가 결합된 상품으로, 외국인환자의 국내 의료기관으로의 유치가 허용되면서 새롭게 도입된 개념이다.

(1) 의료관광 유치 및 지원 관련기관

관광진흥법(12조의2)에서는 외국인 의료관광의 활성화를 위하여 외국인 의료관광의 유치 및 지원 관련 기관에 관광진흥개발기금을 대여하거나 보조할 수 있게 하였다. 외국인 의료관광의 유치 및 지원 관련기관으로는 다음 사항의 어느 하나에 해당되는 것을 말한다.

① '의료법'에 따라 등록한 외국인환자 유치 의료기관 또는 외국인환자 유치업자

② '한국관광공사법'에 따른 한국관광공사

③ 그 밖에 의료관광의 활성화를 위한 사업의 추진실적이 있는 보건 · 의료 · 관광 관련 기관

(2) 의료관광 지원 사업

문화체육관광부장관은 외국인 의료관광을 지원하기 위하여 다음과 같은 행정조치를 취할 수 있다.

① 의료관광 전문 인력을 양성하는 전문교육기관 중에서 우수 전문교육기관이나 우수 교육 과정을 선정하여 지원

② 외국인 의료관광 안내에 대한 편의를 제공하기 위하여 국내외에 외국인 의료관광 유치 안내센터 설치 · 운영

③ 의료관광의 활성화를 위하여 지방자치단체의 장이나 의료기관 또는 유치업자와 공동으로 해외 마케팅 사업추진

(3) 국제의료관광코디네이터 자격

'국가기술자격법'에서는 국제의료관광코디네이터의 자격을 서비스 분야 중 '사업 서비스기술자격'의 일종으로 분류하고 있다(국가기술자격법 시행령 제12조의2). 국제의료관광코디네이터 자격증에 관련된 사항은 뒤에서 다루게 된다.

2) 의료관광비자

외국인환자가 국내 병원에서 치료받기로 결정이 되면, 그 다음 절차로 입국 비자신청을 해야 한다. 현재 외국인환자의 합법적인 장기체류를 위하여 '의료관광 비자' 제도를 운영하고 있다. 즉, 의료관광 비자 제도는 의료관광 목적의 외국인에 대한 입국절차 간소화로 유관 사업의 활성화를 지원하기 위함이다.

(1) 비자 면제

국가 간 이동을 위해서는 원칙적으로 모든 사람에게는 사증(입국허가증, visa)이 필요하다.

사증을 받기 위해서는 상대국 대사관이나 영사관을 방문하여 방문국가가 요청하는 서류 및 사증 수수료를 지불해야 하며 경우에 따라서는 인터뷰도 거쳐야 한다. 사증면제제도란 이런 번거로움을 없애기 위해 국가 간 협정이나 일방 혹은 상호 조치에 의해 사증 없이 상대국에 입국할 수 있는 제도이다. 사증면제제도는 대체로 90일 이하로 단기간 머무르면서 관광, 상용, 또는 경유(經遊)일 때에만 적용된다. 또한 사증면제기간 이내에 체류할 계획이라 하더라도 방문 목적에 따라 별도의 사증을 요구하는 경우도 있다. 2014년 현재 한국인이 일반여권으로 무사증입국이 가능한 국가는 65개국이 있고, 일방 혹은 상호주의에 의해 입국이 가능한 국가 또는 지역은 50곳이다. 외국인이 한국으로 입국할 때도 마찬가지로 협정이나 상호주의에 입각하여 무비자입국이 가능하다. 해당 국가 및 지역에 대한 내용은 외교부 홈페이지(www.0404.go.kr)를 참고하면 된다.

따라서 무비자입국 허가 대상 국가의 의료관광객이 비자면제기간 내의 기간 동안 입국하기 위해서는 병원의 예약상황과 항공 일정, 숙박시설 예약 등 간소한 절차로도 가능하다. 그러나 비자면제 대상 국가가 아니거나, 90일 이상의 기간 동안 국내에 머무르면서 치료를 해야 할 경우에는 의료관광비자를 발급받으면 된다.

(2) 의료관광비자 발급

의료관광비자를 신청할 수 있는 곳은 초청자의 소재 지역 및 국가 관할 출입국관리사무소 또는 출장소이다. 신청대상은 의료법상 외국인환자 유치기관 또는 유치업자로 등록된 자의 초청에 의해 국내 의료기관에서 진료 또는 요양을 할 목적으로 입국하고자 하는 자와 간병을 위해 동반 입국의 필요성이 있는 배우자 또는 가족에 한한다. 외국인환자 본인이 재외공관에 직접 신청하거나 대리 신청이 가능하다. 대리 신청의 경우 유치기관 또는 유치업자가 온라인을 통해 출입국사무소에 '사증발급 인정서'를 신청하면 사증발급 인정번호를 통보받고 외국인환자가 이 번호를 재외공관에 제시하면 곧바로 사증발급이 가능하다.

법무부는 미용치료 등 90일 이하의 간단한 진료에는 단기비자(C-3-M)를 발급해 주고, 90일 이상의 장기 치료와 재활이 필요한 경우에는 1년짜리 장기비자(G-1-M)를 발급해 주고 있다. 불법체류자의 장기체류를 방지하기 위하여 비자발급 심사 시 병원 예약확인서, 재정 입증 서류, 초청 의료기관의 등록증 등 진위여부를 위한 별도의 서류 제출이 필요하다. 그러나 이 같은 서류는 일반인인 외국인환자가 개별적으로 준비하기에는 부담스러워 비자와 관련하여 외국인환자 유치 의료기관 또는 유치업체로 등록한 자의 초청으로 사증발급 인정서를 활용한 초청비자 발급이 가능하도록 했다. 외국인환자 유치 의료기관이나 유치업체를 통해 입국한 사람 중 3명 이상이 불법체류를 하면 해당업체의 초청 권한이 취소된다.

현재 의료관광비자는 러시아, 중국, 몽골, 카자흐스탄, 베트남, 캄보디아, 우즈베키스탄, 인도네시아 등에서 주로 발급되고 있다.

〈표 2-28〉 의료관광비자 신청서류

제출 서류	구비 서류
사증발급신청서	
여권 및 신분증	
의료기관에서 발급한 의료목적 입증 서류	현지 진료 확인서 및 진단자료, 의사소견서, 예약확인서 또는 의료기관 입금확인서, 입국목적 사실 확인서, 향후 치료비 추정서 등
재정 입증 서류 (유치기관 및 유치업자의 신원보증 시 제출 생략)	통장사본, 재직증명서, 소득증명서, 의료보험가입증명서 등(번역본)
국내 사업자등록증	의료기관 및 유치업체 사업자등록증
가족관계 입증 서류	(동반자일 경우)

출처: 법무부, 의료관광비자

3) 외국인환자 입국편의

외국인환자에 대하여 환자 또는 보호자가 항공사에 예약을 하면 다음과 같은 서비스를 받을 수 있도록 하고 있다. 그러나 일반적으로 거동이 가능한 환자의 경우에는 일반 승객과 동일하게 이동하게 된다.

〈표 2-29〉외국인환자 공항 내 입국 편의 제공

구분	이송 기준	이송 수단	이송 방법
거동불편 비응급 환자	랜드 사이드 (Land side)	휠체어, 전동차, 장애 고객용 특장차	〈환자 또는 보호자가 항공사에 사전 예약〉 -항공사 직원이 탑승구에서 환자를 휠체어에 태우고 입국심사 후 입국 -공항 외부에 대기 중인 차량에 탑승
거동불편 중증환자	에어 사이드 (Air side)	구급차	〈사전 예약이 없을 경우〉 • 공항 소방대 구급차가 종합병원으로 후송 • 의료기관 구급차로 환자를 이송하기 원할 경우, 공항 외부에서 환자를 인계받아 이송 가능 〈사전 예약이 있을 경우〉 • 항공사에 사전 출입증 신청 후 탑승동에서 의료기관 구급차로 후송 가능 • 출입국 심사는 항공사에서 관련기관과 협의하여 수속대행
거동가능 환자	일반 승객과 동일	도보, 휠체어 등	• 인공심박동기, 인슐린펌프, 척추자극기, 인공관절 등의 의료장비를 치료 목적으로 체내에 삽입한 경우, 공항에서의 보안 검색 통과를 위하여 의사 소견서를 제출해야 함

Land side: 여객 및 화물 처리시설, 기타 부대시설, 주차장 등을 포함한 구역

Air side: 항공기의 이착륙을 위하여 필요한 활주로, 착륙대, 유도로, 주기장 등을 포함한 구역

출처: 미래성장동력 의료관광, 2012, 보건복지부

3. 의료분쟁 해결 방안

만일에 발생 할 수 있는 의료서비스에서의 부작용 및 의료사고가 발생할 때에는 보험사와 의료기관 등과 협조체계를 구축하여 이에 대한 신속하고 명확한 대응이 이루어져야 한다. 2012년 4월부터 한국의료분쟁조정중재원(www.k-medi.or.kr)이 설립되어 의료사고 및 불편사항으로 발생하는 분쟁에 대해 도움을 주고 있다. 이 중재원에서는 의료서비스 과정에서 겪는 의료사고와 관련된 기초 상담부터 고액의 중상해와 사망사고에 대한 손해배상 사건까지 포괄적인 의료분쟁 해결 역할을 수행하며 소송 전 단계에서 기초상담 및 법률상담과 조정 역할 등을 담당한다. 그러나 중재원은 외국인 전담 상담기관이 아닌 만큼 사전에 사건배경과 현재 상황 및 문제점 등에 대한 사전자료를 준비하는 것이 좋다.

1) 분쟁 발생 사유

의료 분쟁은 치료 과정에서 뿐 만 아니라, 상담 및 예약과정, 의료비 지불과정 등 어느 곳에서도 발생할 수 있다. 특히 통역에 의한 오류가 심각한 문제를 야기할 수 있으므로 주의를 요한다.

(1) 최초 상담 과정

최초 상담 과정에서의 분쟁은 사전정보 오류로 인한 분쟁과 통역 오류로 인한 분쟁이 있을 수 있다. 사전에 환자가 제공한 정보가 잘못되었거나 또는 환자에게 제공되는 의료기관의 정보가 잘못될 수 있다. 또한 통역 오류로 인하여 발생하는 경우는 훨씬 문제가 심각하고 해결이 어렵다.

(2) 상담내용 분석 및 비용 산출

상담내용을 분석하는 과정에서 오류가 발생하거나 비용 산출 과정에서 실수를 하기도 한다. 그리고 외국인환자의 체류자격이나 비자기간 확인 과정에서 오류가 발생하면 해결이 더욱 어려워진다.

(3) 예약 과정

의료기관과의 관계에서 외국인환자의 진료예약이 잘못된 경우도 발생할 수 있다. 진료 범위, 절차, 진료기간에서의 오류를 방지하기 위해 예약확인서를 정확하게 발급해야 한다. 또한 외국주재 한국공관에 입국비자를 발급받기 위해 필요한 요청서류를 정확하게 발급하여 준비하도록 해야 한다.

(4) 입국과정

공항의 입국심사 과정에서 필요 서류를 구비하지 못하여 발생하는 입국거부 사태는 치명적인 오류이다. 또한 교통편의 제공이 정확해야 하고 교통사고가 발생할 경우에도 대비하여야 한다.

〈표 2-30〉 외국인환자 의료분쟁 리스크관리 체크리스트

진행일정	분쟁 요인	체크리스트 내용
최초 상담	사전정보 오류로 인한 분쟁	- 의료관광객의 국적, 성별, 나이, 병력, 재정상황 등 - 입국비자 필요 시 비자유형 - 현재 진료 현황 자료 • 진료 설계 범위 확정(진료요청기간, 진료 범위, 질병여부에 따른 추가진료 사항, 진료 기간, 재조정 등) - 전염병 예방 접종 및 관련서류 - 환자가 가입한 보험의 책임범위 - 입국에 필요한 준비사항 충분히 설명 - 예상치 못한 추가병력 발견 시 진료기간 연장 및 조정사항 - 사고 발생 시 상호 책임범위 및 분쟁해결 방안에 대해 협의하여 진료계약서에 반영
	통역 오류로 인한 분쟁	- 국적별 통역 가능한 코디네이터 존재 - 코디네이터 통역내용 상담일지 작성 - 코디네이터 연락처 정확하게 제공 - 연락처 변경되었을 경우 변경사항 교류 - 상담 시 안내 매뉴얼 구비
상담 내용 분석 및 비용 산출	상담내용 분석 오류	- 상담내용에 대해 국제진료 담당자와 논의 후 프로세스 설계 - 알레르기 유무, 음식 주의사항 등 환자 특이사항 체크 - 과거병력 상세히 체크 - 현재 복용 중인 약물 체크
	비용 산출 오류	- 세부진료 내용별 검사항목, 투약 여부, 옵션 사항 등 환자의 요청사항을 올바르게 반영하여 전체 치료비용 산정 - 예상 진료비용을 에이전시 및 외국인환자에게 미리 설명
	체류자격 및 비자기간 체크 오류	- 비자가 필요한 국적인 경우 비자발급 및 기간 체크 - 비자만료 7일 전 담당의사 소견서 및 체류연장 신고서 제출 - 체류자격에 따라 조치계획 수립
예약	진료설계 오류	- 진료설계(진료 범위, 절차, 기간, 비용 산정 포함) 완료 후 예약확인서 발급
	한국공관과의 분쟁	- 입국비자를 위해 한국공관에서 요청한 필요서류 확인 - 대사관 요청서류를 충족하여 제출
입국	입국심사	- 필요서류 구비 - 입국비자 종류 확인
교통편의 제공	안전사고	- 외국인환자 입국, 출국할 때 교통편의 제공 선택사항 체크 - 공항 픽업 담당 확인 - 업체에 위탁할 경우 계약체결 적정 - 안전사고 예방을 위한 주의사항 설명하고 계약체결 시 반영 - 사고 보험의 외국인 보장여부 확인 - 사고발생 시 보고체계 및 대응조치 수립

출처: 의료관광실무매뉴얼, 2009, 한국관광공사

2) 분쟁해결 제도

국내에서 의료분쟁을 해결하는 방식은 사법적 해결과 비사법적 해결로 구분해 볼 수 있다. 사법적 해결방식은 민사소송과 형사소송으로 다시 구분된다. 민사소송이 주로 이용되는 편이나 재정적인 부담, 장기간 소요 등의 단점이 있다. 한편 형사소송은 의료진에 대한 처벌 동기가 있지만 실효성은 높지 않다.

한편 비사법적 해결방식은 여러 가지가 있지만 먼저 당사자 간의 합의가 최선의 해결방식이다. 법원의 조정은 재정적인 부담도 적고 신속하게 진행된다는 장점이 있다. 또한 대한의사협회 공제회는 1981년 일선 병의원들이 치료과정에서 발생하는 위험부담을 분산하기 위해 발족되었다. 의료분쟁조정법의 발효로 의료사고 피해자에 대한 신속하고 공정한 피해구제와 보건의료인의 안정적인 진료환경 조성을 위하여 보건복지부 산하기관으로 '의료분쟁조정중재원'이 2012년에 설립되었다. 그리고 한국소비자원의 소비자분쟁조정위원회는 분쟁 당사자 간의 상호 양보를 통한 해결 방안을 제시함으로써 유연하게 분쟁을 처리해주는 기구인데 소비자기본법에 의해 만들어졌다. 이는 분야별 전문가가 직접 참여하기 때문에 전문성을 확보할 수 있으며, 비용이 거의 들지 않는 장점이 있다. 아울러 의사배상책임보험은 피보험자가 수행하는 의료행위와 관련하여 과실에 의해 타인에게 신체의 장해를 입혔을 경우 보상한다. 1990년대 이후 의료분쟁의 증가로 이 보험에 대한 수요가 발생하였으나 시장규모가 아직은 크지 않은 상태이다.

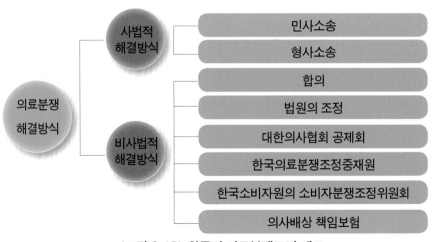

〈그림 2-15〉 한국의 의료분쟁조정 제도

제**3**장

의료관광의 이해

01 절 의료관광 육성 정책

●●●● 의료관광 초기에 저개발국가나 개발도상국의 환자들이 선진국의 의료기관으로 의료관광을 가던 상황에서는 의료관광 활성화를 위한 국가의 역할이 그다지 필요하지 않았다. 이때는 세계적인 선도병원들의 의료수준과 명성을 보고 환자들이 자발적으로 찾아오기 때문이었다. 이에 반해 선진국의 환자들이 다른 나라로 의료관광을 하게 된 것은 자국의 높은 의료비, 긴 대기시간, 의료시설 환경 등과 같이 의료 자체보다는 서비스 요소가 강하게 작용하였다. 이처럼 의료의 질과는 다른 요소로 부각시켜 선진국의 환자들을 유인하기 위해서는 이들 지역의 의료기관 힘만으로는 부족한 것이 사실이었다. 그래서 국가에서 적극 개입하여 각종 지원활동을 함께 수행하게 되었다. 또한 경제적 어려움을 극복하기 위한 전략 수단을 찾고 있던 각국 정부에 의료관광이 여러 대안 중의 하나로 강력하게 부상하였다.

1. 정부 육성 정책

정책(policy)은 일반적으로 목표달성을 위한 정부의 행동이라고 정의된다. 정부의 개입은 목표달성을 위한 촉진 기능과 문제해결을 위한 조정 기능이라는 양면적 기능의 균형이 요구된다. 따라서 정책은 주어진 결과라기보다는 정책 환경과의 상호작용을 통해 만들어가는 일련의 과정이라고 할 수 있으며, 정책과정은 이러한 정책 개념의 단계적 실현과정이라고 할 수 있다. 이러한 정책과정은 정치체제의 핵심적 활동으로서 이 과정에서 산출되는 정책이나 정책결과는 모든 국민에게 영향을 미치므로, 국민들은 자신의 이익을 위하여 이 과정에 참여하고자 하며, 민주적 정치체제에서는 그것이 당연한 것으로 인정된다.

이러한 정책의 범위를 한정하여 의료관광을 대상으로 하는 것이 의료관광 정책이다. 따라서 의료관광정책은 의료서비스와 관광서비스가 접목되는 개념이며, 의료정책과 관광정책이 함께 포함된다고 할 수 있다. 이는 양질의 의료서비스와 휴양 · 레저 · 문화 활동이 결합된 관광서비스의 융 · 복합화를 통한 국가 전략 산업으로 육성하기 위한 정부의 활동이라고 할 수 있다. 의료관광 목적지로 부각되고 있는 지역들은 대부분 민간의료기관을 중심으로 오랜 시기를 거쳐 의료관광 산업이 성장해 왔다. 그러나 비교적 뒤늦게 의료관광을 국가전략서비스 산업으로 인식하기 시작한 싱가포르, 태국, 말레이시아 등 동남아시아 지역들은 국가에서 주도적으로 육성 정책을 펼치고 있다.

1) 정부의 역할

정부의 역할은 복합적이며 다음과 같은 역할을 동시에 수행하고 있다고 볼 수 있다.

(1) 정책 결정자

국가는 의료관광의 성격을 규명하고 이와 관련한 정책방향을 설정하며 구체적인 정책대안을 제시하는 역할을 한다. 대부분의 의료관광 추진국은 국가가 주도적으로 국가 전체적인 의료관광의 기획을 통해 청사진을 세우고 이에 준하여 체계적이고 강력하게 지원을 하고 있다.

(2) 자원 동원자

국가는 의료관광의 활성화를 위해서 자원을 동원하는 역할을 수행한다. 국내에서는 의료관광 산업을 키우기 위하여 많은 정부예산을 투입하였다. 보건복지부, 문화체육관광부, 산업통상자원부 등의 부처에서 의료관광 활성화를 위한 여러 사업을 추진하고 이런 사업들에 예산지원을 하고 있다.

(3) 조정자

국가는 의료관광과 관련하여 다양한 이해관계자들 간의 이해상충을 조절하는 역할도 수행한다. 지자체 간에 의료관광 거점 지역으로 지정받으려고 경쟁과 이해충돌이 이루어질 경우 국가는 이를 조종해서 지역 간의 역할분담과 이에 준한 자원배분을 이끌어낸다.

(4) 국제적 협상자

국가는 의료관광의 활성화나 규제를 위하여 타 국가와 협상을 하여, 협약을 체결하는 역할을 수행한다. 중동의 산유국이나 중앙아시아 자원부국의 경우 양국의 보건 부처와의 협상을 통해 중증환자 유치가 진행되고 있다.

(5) 마케터

국가가 의료관광에 적극적으로 개입하는 경우에는 자국의 의료기관과 의료기술을 해외에 홍보하는 마케터의 역할을 수행하기도 한다. 또한 민간 추진기관의 마케팅 활동을 지원하고 상품 개발을 유도하는 역할도 함께 수행한다.

2) 의료관광 육성 정책 추진

의료관광을 시장구조 측면에서 송출 시장과 방문지 시장으로 구분하여 이에 대한 개별화된 정책 수립이 필요하다. 즉, 송출 시장에서 의료고객은 보험사 상품이나 알선회사 소개를 이용하거나 또는 본인 지불결정으로 목적지를 선택하며, 방문지 시장인 의료기관은 정부의 산업육성 정책이나 규제완화에 따라 준비가 이루어지며 협력네트워크를 통해 수용여건을 마련하고 있다. 그리고 의료관광이 형성되기 위해서는 경제성을 갖춘 시장 환경이 무엇보다 중요하지만 정부의 정책 및 제도 환경과 의료 관련 기술 환경의 구축도 아울러 필요하다.

(1) 육성 정책 구분

의료관광정책을 크게 외국인환자 유치를 중심으로 하는 '치료여행객(medical traveler)' 정책과 일부 의료서비스를 받기를 원하는 관광객의 유치를 중심으로 하는 '의료관광객(medical tourist)' 정책으로 구분할 수 있다. 즉, 의료와 관광의 결합을 기본 모델로 하는 의료여행의 촉진은 의료 선진화 및 의료관광 산업화를 통해 의료관광을 향후 신성장동력으로 육성하겠다는 정부의 정책적 취지에서 매우 중요하다. 그리고 단기적으로는 한류 및 한국 의료의 우수성을 바탕으로 유치 가능한 의료분야인 경증시술을 중심으로 의료관광의 시스템을 정비하고 의료관광 목적지로서 시장을 확보해 나가는 전략이 요구된다. 또한 중장기적으로는 부가가치가 높은 수술 및 치료 중심의 외국인환자에 중점을 둔 유치 활동을 전개하고 의료 선진화를 바탕으로 의료관광 산업화를 촉진해 나가는 단계별 전략이 필요하다.

글로벌 헬스케어 산업에 필요한 변화를 네 가지 관점에서 전망하고 대책 마련을 촉구한다. 첫째는 국가 간 의료경쟁의 심화 현상으로 해외 의료관광객의 유치를 위한 전략과 국내 의료기관의 국제화를 촉구하고 있다. 둘째는 투자확대와 산업화로 의료시장의 개방화에 대한 준비가 필요하며, 셋째는 대형화와 전문화를 통한 경쟁력 강화를 위한 상호협력을 강조하고 있다. 그리고 마지막으로 첨단기술과 정보통신 기술에 대한 활용을 강화할 것을 주장하고 있다. 이에 따라 복지부는 외국인환자 유치 활성화를 통한 의료서비스 산업 육성 정책을 제도 개선 및 환경 조성 부문, 추진체계 및 인프라 강화 부문, 해외 홍보 활동 및 상품개발 부문으로 구분하여 정책 방안을 모색하고 있다. 그리고 문화부에서는 우리나라 의료관광시장의 활성화를 위하여 법·제도 개선, 수용태세 및 인프라 구축, 해외 홍보 등으로 구분하여 구체적인 추진전략을 단계별로 제시하고 있다. 이를 볼 때 의료관광정책은 '양질의 의료서비스와 휴양·레저·문화 활동이 결합된 관광서비스의 융·복합을 통한 국가 전략 산업으로 육성하기 위한 정부 활동의 결집체'라고 할 수 있다.

(2) 국내 의료관광 육성 정책

정부는 의료관광정책 추진을 위한 의료산업 부문의 목표를 우리나라 의료서비스 수준의 선진화를 통한 국제 경쟁력 강화와 외국인환자 유치를 통한 의료기관의 경영 개선, 그리고 국내 관련 사업체 육성을 통한 일자리 창출이라고 하였다. 그리고 관광 산업 분야의 목표는 의료와 관광이 융합된 고부가가치 상품 개발을 통하여 한국 관광의 이미지를 개선하고, 관광산업 분야의 규모 확대를 통한 관광수익 창출과 고용의 증대, 그리고 관광 서비스 수준의 선진화를 도모하는 것이라고 하였다.

한편, 2008년 2월 정부는 미래 한국을 이끌어 갈 '신성장동력 산업'으로 글로벌 헬스케어, 관광, 교육 등 서비스 산업을 선정하고 집중 육성하기로 하였다. 이와 관련 글로벌 헬스케어 산업의 육성을 위해서 우선 법과 제도를 개선하여 외국인환자 유치를 추진하기 위한 체계적인 추진전략을 수립해 나가겠다고 밝혔다. 이러한 노력의 결과, 2009년 1월 국회에서 외국인에 한해 국내 의료기관으로의 유치를 허용하는 의료법 개정이 이루어져 2009년 5월부터 시행할 수 있게 되었다. 정부는 한국 의료관광 대표 브랜드와 슬로건을 'Smart Care, Medical Korea'로 확정하고 비전선포식을 개최하였다. 이에 따라 확정된 대표 브랜드는 범정부적으로 활용하도록 하여 한국 의료서비스에 대한 국제적 인지도를 향상시키고 한국의료 브랜드의 가치를 높여 나갈 수 있을 것이라고 발표하였다.

(3) 의료관광 대표병원 육성

정부는 형평성의 원칙을 내세우며 여러 의료기관을 지원하려고 하는 경향이 있다. 그러나 의료관광 추진 국가의 경우에 해외환자를 유치하는 곳은 실제로 한 나라에서 소수 몇 개 병원에 그치고 있다. 따라서 국내에서도 대표병원을 육성하여 의료서비스 브랜드 이미지를 알려나가는 것이 더욱 효율적이라고 여겨진다. 현재 외국인환자 수가 일정 규모 이상이 되는 의료기관에 대하여 중증치료, 선택수술, 미용·성형, 건강검진 등 분야별로 의료관광 대표병원으로 선정할 필요가 있다. 이러한 대표병원은 국내 및 국제인증, 의료진의 국제화, VIP 병동, 외국인환자 종합안내지원센터 설치와 같은 인적·물적 기반을 갖추어야 한다. 해외의 사례나 의료기간 설치목적을 고려할 때 국공립의료기관 보다는 사립의료기관이 이런 목적에 더욱 부합된다.

현재 국내병원은 건강보험 수가기준으로 의료진 및 병실이 운영되고 있다. 그러나 외국인환자에게 제공되는 서비스는 동남아 및 주변 경쟁국가의 의료기관과 경쟁이 될 수 있는 수준이 되도록 변경되어야 한다. 특히 해외환자와 외국어 의사소통 시스템의 구축이 반드시 필요하며, 편의를 위해 국내환자와 분리된 병동의 운영도 필요하다. 이러한 물적·인적 차원의 투입과 내부 시스템의 변화를 통한 수용여건을 갖춘 이후에 해외마케팅에 나서야 한다. 정부는 지역별로 이와 같은 조건을 갖춘 소수의 의료기관을 중심으로 해외홍보 및 네트워크 구축에 대해 지원할 필요가 있다.

3) 정부의 의료관광 지원 방법

정부 내의 보건 관련 부처와 경제 관련 부처 간에 의료관광에 대한 시각이 다를 수 있다. 경제 관련 부처는 의료관광을 경제발전의 중요한 수단으로 보는 시각을 강하게 갖고 있기 때문에 의료관광 지원정책에 적극적이다. 반면에 보건 관련 부처는 국민의 건강권과 의료 형평성에 대한 책임도 지고 있기 때문에 무작정 의료관광을 지원할 수만은 없다. 그러나 모든 정부부처는 의료관광을 활성화하기 위하여 다양한 형태의 지원과 협조를 하고 있다.

(1) 제도적 지원

정부는 의료와 관련하여 각국 정부와의 협약이나, 외국인환자 입국 편의 또는 환자 보호에 필요한 조치들을 취하고 있다. 특히 의료분쟁 조정에 대한 사항은 제도의 안전성 확보를 위해 반드시 필요하다.

① 국가 간 협약

대체로 어느 나라에서건 보건 의료 분야는 완전히 민간에게 맡길 수 없는 분야이다. 특히 중동 지역은 정부 간에 환자송출협약을 맺어 외국인환자 유치가 추진되고 있다. 싱가포르는 2003년도에 바레인과 UAE 등 중동지역 국가와 협약을 맺어서 환자를 유치할 수 있도록 여건 을 조성하였다. 한국 정부도 2010년 카타르 정부에 이어, 2011년에 UAE 아부다비 보건청과 환 자송출 계약을 맺은 바 있다.

〈그림 3-1〉 UAE 정부관계자 업무협의

② 의료비자

미국은 외국인환자의 방문 편의를 위하여 일찍부터 의료관광 비자 제도를 도입하였다. 의료 관광에 역점을 두고 있는 태국, 싱가포르, 인도 등 아시아 여러 나라들도 이 제도를 도입하였으 며, 한국은 2009년부터, 일본은 2011년부터 이 제도를 시행하고 있다. 인도의 의료비자는 환자 이외에 두 명의 가족에게까지 복수입국비자가 주어지고, 일반적으로 48시간 이내에 비자발급 이 이루어진다.

③ 의료분쟁 조정기구

인도에서 의료관광이 가장 활성화되어 있는 마하라슈트라 주정부는 2003년에 주정부 내에 의료관광 이사회를 조직하였다. 이 기구의 주요 업무 중의 하나는 의료 분쟁을 조정하는 역할을 수행하는 것이다. 국내에서도 2012년 한국의료분쟁조정중재원을 만들어서 외국인환자를 위한 의료분쟁 상담서비스를 제공하고 있다. 외국인환자는 의료분쟁 상담을 할 경우, 의료중재원과 법무부 외국인종합안내센터와의 제삼자 대화를 통해서 상담서비스를 받을 수 있으며, 19개 외국어로 통역서비스를 제공 받는다. 보건의료인, 법조인 등의 전문가들로 구성된 의료사고 감정평가단이 조정 및 해결업무를 맡고 있으며, 90일 이내에 조정을 함으로써 신속성을 확보하고 있다.

④ 환자정보 보호

의료관광 에이전시는 환자의 의무기록 자료와 같은 개인정보를 보호해주는 법을 철저히 준수해야 한다. 의료관광 에이전시 중의 일부는 원격 상담서비스나 환자의 의무기록 자료를 외국의 병원으로 전송하는 서비스를 제공하는데, 이럴 경우 환자의 개인정보 보호를 더욱 신중하게 처리해야 한다.

⑤ 의료기관 광고 규제

허위 과장 광고로 인한 환자의 피해를 줄이기 위해 의료기관의 광고행위에 대한 규제는 필요하다. 그러나 의료관광 활성화를 위하여 의료기관의 광고에 대한 규제를 어느 정도 완화해 나간다. 국내에서는 2009년 의료법 개정을 통하여 의료기관에 대한 광고규제를 완화한 바 있다.

⑥ 병원인증 제도 도입

말레이시아 정부는 2000년 초에 의료관광 활성화를 위하여 병원 인증 제도를 도입하였다. 한국에서도 '의료기관평가인증원'을 2010년에 만들었고, 인증조사기준이 '국제의료질관리학회'의 인증을 획득하였다. 일본은 2012년 외국인환자를 유치하는 병원에 대한 인증 제도를 도입하였다. 제3의 패널이 외국인환자를 위한 상담 공간 확보 등 안내서비스, 의료관광 통역의 배치와 같은 인력 확보, 외국어로 된 수술동의서와 같은 행정서식의 마련 등을 평가하여 의료기관 인증을 한다.

(2) 경제적 혜택

정부는 의료관광 활성화를 위해 재정 지원이나 세제 혜택을 제공하기도 한다.

① 자금 지원

인도에서는 100 병상 이상의 민간병원이 시설투자를 하는 것을 돕기 위하여 장기로 자금을 대여해 준다. 아직 국내에는 이와 같은 지원 제도는 갖추어져 있지 않다.

② 세금 지원

인도 정부는 수입 의료장비에 대한 관세를 줄여 준다. 또한 병원의 감가상각(減價償却) 비율을 높여서 비용처리를 하게 함으로써 오래된 의료장비를 최신의 장비로 빨리 바꿀 수 있게 여건을 조성하였다. 말레이시아 정부는 병원 건물의 신축, 의료장비, 직원훈련, 광고 등의 비용에 대해서 세금공제 혜택을 제공한다. 필리핀은 의료관광파크에 위치해 있는 600병상 규모의 세인트루크병원(St. Luke's Medical Center)에 대해서 외국인환자의 치료를 통해 얻게 되는 수익에 대해서 2010년 개원 이후 4년 동안은 세금면제를 해주고 있다. 아직 국내에서는 이와 같은 제도를 도입하지 못하고 있다.

(3) 홍보 마케팅 지원

정부는 의료관광 사업 초기에 비즈니스 네트워크 구축을 지원하기 위하여 의료기관 및 민간 업계와 공동으로 홍보 마케팅 활동을 실시한다. 그러나 이러한 활동은 사업이 진행되어 감에 따라 점차 민간이 자체적으로 실시하도록 하고, 공공에서는 국가 이미지 홍보에 보다 주력할 필요가 있다.

① 국제 의료관광 행사 개최 및 참가 지원

인도 정부는 매년 의료관광엑스포(Medical Tourism Expo)를 개최하고 있다. 한국의 경우에도 관련 행사를 매년 개최하고 있으며 외국 현지에 나가서 유치설명회를 개최하는 것을 지원하고 있다. 이 외에도 한국 병원 체험행사를 지원한다. 이를 통해 한국 의료서비스의 장점을 홍보하고, 현지 관련 기관과의 관계채널을 구축해 나가고 있다.

〈그림 3-2〉 국제 컨퍼런스참가 의료관광 관계자

② 의료관광 웹사이트 구축 지원

싱가포르에서는 정부와 산업체의 파트너십 형태로 2003년도에 싱가포르메디슨(Singapore Medicine)이라는 기구를 만들었고, 싱가포르 의료를 알리는 대표 웹사이트를 구축하였다. 일본은 경제산업성이 46개의 의료기관을 모아서 일본에서의 의료관광을 소개하는 웹사이트를 만들었다. 이 사이트는 일종의 포털사이트로 일본 의료의 우수한 기술, 병원 소개, 비자 및 여행 관련 정보 제공, 단계별 상담에 대한 내용을 담고 있다.

국내에서는 2007년에 결성된 대형병원 중심의 한국국제의료협회(KIMA)의 웹사이트를 통해서 36개 참여 의료기관을 소개하고 있다. 또한 보건산업진흥원에서는 유치기관 등록 및 환자보호에 대한 내용을 중심으로 웹사이트를 운영하고 있고, 한국관광공사에서는 이미지 홍보 및 상품 마케팅 위주로 웹사이트를 구축하고 있다. 또한, 의료관광을 추진하고 있는 지자체 및 협회에서도 의료관광 관련 웹사이트를 갖추고 있다.

Composed of Qualified Healthcare Providers in Korea

We are waiting for you with the excellent quality of care, affordable prices and easy accessibility

Why patients choose Medical Korea?

〈그림 3-3〉 한국국제의료협회 웹사이트 이미지

(4) 인적교류 지원

정부에서는 의료관광 기반 조성과 한국 의료이미지를 해외에 홍보하기 위해 의료인들의 국제 교류 활동을 지원하고 있다.

① 학술교류 지원

외국과의 학술교류를 지원함으로써 의료기술을 소개하는 기회로 활용하고 있다. 또한 외국 의료인의 초청연수 기회를 확대해 나가고 있다. 이를 통해 한국의 앞선 의료기술을 해외에 알리고, 장차 외국인환자 유치 네트워크를 확보해 나갈 수 있다.

② 의료봉사 활동

한국 정부는 의료봉사 활동인 '나눔 의료'를 강조하고 있다. 해외 저소득층이나 치료가 힘든 환자를 국내 의료기관으로 초청하여 무료시술을 해줌으로써 한국 의료의 국제적 이미지를 높이고 있다. 이 경우 시술 및 입원비는 의료기관이 부담하고, 초청에 따른 항공비 및 체재비는 정부기관이 지원하는 경우가 많다. 이때 해당 국가 및 국내 언론을 통해 이와 같은 활동을 적절히 홍보하여야 한다.

(5) 인프라 지원

정부에서는 의료관광인프라 지원을 위해 투자를 한다. 특히 의료관광 전문 인력과 전문 업체의 양성을 통해 기반을 구축하도록 해야 한다.

① 의료특구 지정

자유무역지대는 여러 나라에 있지만, 의료에 초점이 맞추어진 의료특구는 많지 않다. 이런 곳은 세금이 없거나 매우 낮은 수준이기에 외국의 자본을 유치하는데 유리하다. 의료특구에 위치한 외국계 병원은 비용을 낮출 수 있기 때문에 외국인환자를 유치하는 데 유리한 조건을 갖게 된다. 외국의 선진 의료기관을 유치하여 자국의 의료수준도 높이고 동시에 의료관광객을 유인하리라는 기대로 최근에 여러 나라가 의료특구에 적극적인 관심을 보이고 개발을 시도하고 있다.

아랍에미리트의 두바이는 2002년부터 세계최고 수준의 의료서비스를 받을 수 있는 헬스케어 시티(Healthcare City)를 추진해왔다. 2012년 현재 100여개의 의료기관과 3,000여명의 전문인력이 근무하고 있다. 인도의 경우에도 의료관광을 활성화하기 위한 특구를 지정하였다. 중국에서는 보건부와 상하이 시가 공동으로 상하이국제의료특구를 추진하고 있다. 이 특구는 국제병원센터, 의료장비 및 바이어 산업지구, 국제 의료캠퍼스, 임상의료연구 파크, 국제 재활센터, 국제 비즈니스센터를 구역별로 설치하려는 구상이다.

② 의료관광 인재 양성

한국은 2013년부터 국제의료관광코디네이터 국가기술자격증 제도를 도입함으로써 전문 인력공급을 원활하게 하고자 하였다. 일본은 2009년부터 의료관광 인력양성을 위해 중국어, 러시아어, 영어 통역 인재양성 프로그램을 운영하고 있으며, 1인당 교육비로 5만 엔을 정부에서 지원하고 있다. 국내에서는 의료관광 전문 인력 양성을 위해 한국관광공사와 한국보건복지인력개발원(http://www.kohi.or.kr/)과 같은 공공기관 뿐만 아니라, 각종 학교나 협회에서 양성교육을 자체적으로 실시하고 있다.

〈그림 3-4〉 의료관광 전문 인력 양성 세미나

③ 의료관광 에이전시 육성

정부는 외국인환자 유치업체의 전문성과 경쟁력 제고를 위하여 2010년부터 언어권별로 선도 유치업체를 선정해 지원하고 있다. 선도업체로 지정이 된 업체는 이를 자사의 홍보에 적극 활용할 수 있다. 2013년에 보건복지부로부터 국내 외국인환자 유치 선도업체로 지정된 곳은 다음과 같다.

〈표 3-1〉 보건복지부 지정 외국인환자 유치 선도업체(2013년)

언어구분	업체명	홈페이지
러시아권	닥스메디컬코리아, 코비즈	www.docstour.kr http://www.cobizkorea.com
중국어권	코엔씨	www.koreamedicaltour.com
아랍어권	휴케어	http://www.hucaregroup.com
베트남어권	고려의료관광개발	http://www.koreamtd.com
몽골어권	에스제이유비크	www.sj-u.co.kr

④ 연구비 지원

일본 정부는 2009년에 대학교수, 병원장 등 각계 인사로 구성된 의료산업 연구회를 설립하여 의료의 국제화, 의료기기의 발전에 대한 연구를 지원하고 있다. 싱가포르는 2012년에 10억 달러의 의학연구비를 투자하였다. 한국도 의료관광 활성화를 위해서 보건산업진흥원과 한국문화관광연구원(http://www.kcti.re.kr/)을 통해서 해외시장조사, 경제효과분석 및 활성화 정책 마련 등의 연구 사업을 지원하고 있다.

4) 의료관광 경쟁력 분석

의료관광에 국가가 적극적으로 개입한 최초의 사례로 1950년대에 미국 환자를 유치하기 위한 쿠바 정부의 노력을 예로 들 수 있다. 최근에는 동남아시아 국가에서 천혜의 관광자원을 활용하여 적극적으로 추진하고 있다. 심지어 미국과 같이 의료관광에 대해 자유방임적 입장을 취하였던 국가에서도 정부 개입의 필요성에 대해 논의가 이루어지고 있다. 그런데 이 논의의 핵심은 국가가 의료관광의 활성화를 위하여 적극적인 개입을 해야 한다는 것이 아니고, 의료관광에 수반될 수 있는 의료사고나 분쟁으로부터 자국민을 어떻게 보호할 것이냐는 데 초점이 맞추어져 있다. 즉, 의료사고에 따른 피해를 예방하거나 피해가 발생할 때에 자국민에게 적절한 보상이 이루어질 수 있는 방안을 확보하는 것과 같은 리스크 관리의 안전판을 마련하는 데 국가가 개입하여 일정 부분의 역할을 해야 한다는 주장이다.

의료관광 산업이 세계적인 경쟁력을 갖기 위해서는 해당 국가의 제반여건이 의료관광의 활성화에 유리한 조건을 갖추고 있어야 한다. 따라서 자국의 경쟁력을 객관적으로 볼 수 있는 분석틀을 가지고 자국의 상황을 살펴볼 필요가 있다. Porter(1990)[22]는 한 국가의 국제경쟁력에 영향을 미치는 요인들을 체계적으로 분류하였다. 이 책에서는 특정 산업 분야에서 국가가 경쟁력을 갖추게 되는 근거를 4개의 결정요인과 2개의 부수적 요인으로 제시하였다. 4개의 결정요인은 요소조건, 수요조건, 연관 산업 및 지원 산업, 그리고 기업의 전략과 구조 및 경쟁양상이었고, 2개의 부수적 요인은 기회와 국가라고 밝혔다.

첫 번째 결정요인인 요소조건(factor conditions)은 생산에 투입된 것들로서, 인적자원, 물적자원, 지식자원, 자본, 인프라 등을 의미한다. 의료관광산업의 관점에서 보면 자국 의료진의 실력, 의학연구 수준, 의료장비 및 시설, 자연적 관광자원을 의미한다. 두 번째인 수요조건(demand conditions)은 해당 산업의 재화 및 서비스에 대한 소비자 수요의 양과 질을 의미한다. 자국 내의 소비자의 수요가 정교하고 요구수준이 높거나 타 문화권까지 포용할 수 있을 때 자국 내 산업의 경쟁력은 올라간다. 한국의 미용성형에 대한 수요가 많고 높은 수준의 기술을 소비자가 원하기 때문에, 이런 소비자들을 만족시키는 과정에서 미용성형 분야의 세계적인 경쟁력이 생겨난 것과 같은 이치이다. 세 번째인 연관 산업 및 지원 산업(related & supporting industries)은 특정 산업에 재료를 공급하거나 관련된 산업을 의미한다. 공급업체가 높은 질의 재료를 적정한 가격에 공급할 수 있다면 이를 이용하는 업체는 경쟁력을 확보하게 된다. 의료관광과 관련된 이 요인의 예는 화장품 같은 미용 상품, 호텔, 쇼핑센터, 식당 등이 될 수 있다. 네 번째인, 기업의 전략과 구조 및 경쟁양상(firm strategy, structure, and rivalry)은 특정 국가 내에서 기업이 만들어지고 조직되고 관리되며 그리고 경쟁을 하는 상황을 의미한다. 이는 의료기관이 외국인환자를 유치하기 위하여 만든 전략, 의료기관의 특화된 서비스, 의료관광 유치기관과의 경쟁상황 등으로 설명할 수 있다.

이러한 네 가지 결정요인 이외의 부수적 요인으로 언급된 기회(chance) 요소는 기업의 통제권 밖의 외부조건으로서 혁신적 발명, 에너지자원의 고갈, 세계 금융시장의 위기, 전쟁과 테러, 자연재해 등과 같은 것을 의미한다. 그리고 국가(nations)라는 요인은 산업에 깊은 영향을 미치는 해당 국가 정부의 정책을 말한다.

---

22   Porter, M. E.(1990), The Competitive Advantage of Nations, New York: The Free Press

〈그림 3-5〉 의료관광 국가이미지홍보 포스터

2. 정부 추진과정

한국에서 의료관광 산업의 중요성에 대한 인식을 시작한 것은 2005년 무렵이다. 그해 11월에 관련 기관을 중심으로 외국인환자 유치활성화를 위한 실무협의회(working group)가 구성되었다. 정부는 2006년부터 이를 활성화하기 위한 상품개발, 홍보, 전문 인력 양성 제도 등을 추진하였다. 2007년은 의료관광 사업이 본격적으로 시작된 해이다. 그해 3월 의료기관 34개와 한국보건산업진흥원, 한국관광공사 등이 함께 해외환자 유치 민관공동협의체인 한국국제의료서비스협의회를 발족시키고 정부의 의료관광 사업 파트너로서 각종 의료관광 활성화 사업에 참여하도록 하였다. 이 협의회는 2009년 의료법 개정으로 의료관광이 본격화되기 전까지 의료관광 산업기반 조성의 핵심 조직체로 활동하였다.

1) 중앙 부처 추진

2009년에 정부는 의료관광 산업 또는 글로벌 헬스케어 산업 육성을 통한 한국 관광시장의 규모 확대를 정책방향으로 설정하고 의료관광 산업의 추진을 위하여 의료법과 관광진흥법 등 관련법과 제도를 신설하였다. 또한 우수 의료관광업체 및 프로그램에 대한 국가인증 제도를 도입하고 의료관광 마케팅과 온·오프라인 홍보기능을 강화하는 한편 의료관광 브랜드를 개발하고 지자체별 관광자원과 조화를 통한 지역개발을 추진하여 왔다.

의료법 개정으로 외국인환자의 유치행위가 허용된 이후에는 메디컬비자 도입, 유치기관 등록제, 의료기관 숙박업 등 부대사업 인정 등 지원제도를 보완해 나가며 의료관광을 육성시켜 왔다. 정부는 2015년에 의료관광객 30만 명 유치를 목표로 동북아시아 의료관광 허브로의 도약을 준비하고 있다. 그동안 카타르 정부, UAE 보건부, 아부다비 보건청, 두바이 보건청과도 환자 송출과 의료인 교류를 위한 국가 간 MOU를 체결하였다. 향후에도 지속적으로 차별화된 홍보, 마케팅을 통한 한국의료에 대한 인지도를 높이는 한편 한국의료서비스를 안정성, 높은 품질, 적정 가격를 갖춘 고품격 서비스로 인식시키기 위하여 다양한 지원정책을 펼치고 있다.

정부에서 의료관광 산업 육성정책을 마련하기 위한 초기 도입단계에서는 복지부와 문화부 간의 업무영역에 대한 조정 과정을 거쳤다. 2009년 1월 의료법 개정안 공포 이후 두 정부부처 간에는 추진 업무에 대한 정보를 교환하고, 공동 협력 사업의 발굴을 위해 정기적으로 정책 실행 공공기관과 함께 업무 조정회의를 개최하였다. 복지부는 의료관광정책 추진 주무 부처로 법률 및 제도의 정비, 의료콘텐츠와 품질관리, 의료기관·의료인 등록 및 행정지도, 의료사고의 예방 및 분쟁 대책의 마련, 외국인환자 유치 전문 기업의 육성, 해외 보험사와 국내 의료기관과의 업무협약 체결 지원 등을 담당하고 있다. 반면에 문화부는 한국 의료관광 이미지에 대한 해외 홍보, 국제 비즈니스 네트워크의 구축 및 의료관광사업체의 해외 마케팅 활동 지원, 외국인 방문객 안내 및 편의 제공, 의료관광 사업체의 수용여건 지원 등을 담당하고 있다.

이 밖에 법무부와 외교부는 해외 공관을 통한 국제 교류의 활성화와 외국인의 한국 방문비자의 발급 및 관리를 통한 외국인 출입국 업무를 담당하고 있다. 산업통상자원부는 관련 산업의 육성 차원에서 산업단지의 건설 및 지역경제권 육성 사업을 전개하고 있으며, 기획재정부는 관련 분야의 보험 상품 관리, 금융편의 제공 및 세입 관리를 담당하고 있다. 그리고 교육부와 노동부는 전문 인력 양성 및 국가자격증 제도를 담당하고 있다. 현재 의료관광정책을 추진하고 있는 정부부처와 전담기관의 현황은 아래와 같다.

〈표 3-2〉 중앙정부의 의료관광 추진 부처 및 실행기관

정책 총괄	정책수립 정부부처	정책실행 공공기관	주요 업무
국무총리실	보건복지부	보건산업진흥원	의료관광 국내 기반조성 의료 분야 국제 교류 및 홍보
	문화체육관광부	한국관광공사	의료관광 해외 홍보마케팅 외국인 유치 및 안내
	법무부	출입국관리사무소	비자제도 마련, 외국인 출입국 관리
	외교부	재외 공관	외국인 비자 발급
	기획재정부	-	예산 수립 및 세제 관리
	산업통상자원부	-	국내 의료산업 육성
	고용노동부	-	산업인력 양성, 국가 자격증 제도 관리
	교육부	-	학교 전문 인력 육성

구체적으로, 복지부는 외국인환자 유치 활성화를 통한 의료서비스산업 육성 정책을 제시하면서 제도 개선 및 환경 조성 부문, 추진 체계 및 인프라 강화 부문, 그리고 해외 홍보활동 부문으로 구분하여 구체적인 정책 방안을 모색하고 있다.

〈표 3-3〉 복지부 외국인환자 유치 및 의료서비스산업 육성 정책

부문	주요 정책 내용
제도개선 및 환경조성	- 의료 관련 각종 제도 개선 - 의료기관 평가제도 선진화 (신뢰도 제고) - 의료사고 관련 분쟁 예방 체계 마련
추진체계 및 인프라 강화	- 관련기관 협력 체계 강화 (민 · 관 협의회 법인화 추진) - 의료기관 인프라 강화 (국제진료서비스 전문 인력 양성, 콜센터 설치) - 해외 네트워크 활성화 (의료기관, 보험사 등)
해외 홍보활동	- 한국 의료 브랜드 개발 · 홍보 - 진료비 가이드라인 마련 (가격 경쟁력 유지) - 다양한 해외 홍보 활동 실시

자료 : 보건복지부(2009). 글로벌헬스케어산업 활성화 정책

문화부의 경우, 관광부문에서의 의료관광 산업 육성을 위한 정책 수립을 위하여 법과 제도 개선, 수용태세 구축 및 상품개발, 그리고 해외 홍보 등으로 구분하여 구체적인 추진전략을 단계별로 제시하였다.

〈표 3-4〉 문화부 의료관광 활성화 정책

부문	1단계 (도입기: 2009~2010년)	2단계 (성장기: 2011~2012년)	3단계 (성숙기: 2013년 이후)
법·제도 개선	- 의료법 및 관광진흥법 개정 - 의료사고 및 분쟁대비책 마련 - 외국인 입국 편의제도 마련	- 의료관광산업 지원책 확대 - 의료기관 국가 인증제도 도입	- 불법 및 부실 의료관광 사업체 관리
수용태세 및 상품 개발	- 전문 교육기관 설립 및 인력 양성 - 관련 기관간의 협력 네트워크 구축 - 국가 인증방안 마련 및 국제 인증 획득	- 전문 인력 국가 자격증 제도 도입 - 중증환자 치료여건 개선 - 의료기관 홍보안내 강화	- 휴양 의료관광 프로그램 개발
해외 홍보	- 주요 목표시장 대상 홍보강화 - 의료관광 홍보안내센터 설립 및 웹사이트 운영 - 의료관광브랜드 및 슬로건 개발	- 잠재지역으로 시장 확대 - 의료신기술 및 난치수술 성공사례 홍보	- 목표시장의 확대 - 실버층 등 건강관리관광 상품 개발

자료 : 문화관광연구원(2008), 의료관광 활성화 방안 자료를 토대로 재작성.

2) 전담기관 운영

의료법 및 관광진흥법 등 관련 법률에 의거 의료관광 정책 실행업무를 위임받은 중앙정부 산하 전담기관이 의료관광 활성화를 위한 정책 실행을 담당하고 있다. 정부는 특별법에 의해 설립된 중앙 전담기관에 해당 업무를 위임하여 시행하도록 하고 있다. 보건복지부는 한국보건산업진흥원(Korea Health Industry Development Institute, KHIDI)에 외국인환자 유치와 관련된 업무를 위임하고 있으며(의료법 시행령 제42조), 문화관광부는 한국관광공사(Korea Tourism Organization, KTO)에 의료관광 활성화 사업을 시행하도록 하고 있다(관광진흥법 시행령 제8조의2).

2000년대 초반부터 영향을 미친 한류(韓流)로 인해 아시아 주변국을 중심으로 한국의 미용·성형 분야에 대한 관심이 갑자기 높아짐에 따라, 관광공사는 한류 콘텐츠를 활용하여 해외 홍보 및 외국인 유치업무를 하면서 2005년부터 미용·성형 분야를 중심으로 의료관광 상품 개발에 관심을 표명하였다. 이어서 2007년부터 의료기관과 공동으로 '의료관광 코디네이터' 양성 교육을 시작하였으며, 본격적인 의료관광 상품개발 및 해외 홍보마케팅 사업을 시행하였다. 관광공사는 2010년에는 의료관광 수행 전담부서인 '의료관광센터'를 설치하여 의료관광정책 실행 및 육성사업 수행을 위한 중앙 전담기관으로서 업무를 수행하고 있다.

한편 보건산업진흥원은 한국 보건의료산업의 육성을 위한 연구 수행과 국내 의료기관의 평가 및 해외 진출을 지원하는 업무에 주력하고 있었다. 2000년대 초 보건산업진흥원은 의료서비스 국제교류에 대한 세계적인 추세에 대하여 연구보고서를 발표함으로써 의료관광을 국내에 소개하기도 하였다. 그리고 2005년 말 정부와 관련 공공기관에서 추진한 '의료관광 추진 실무자 위원회'에 참여하면서, 의료서비스의 국제교류 사업을 시작하게 되었다. 한편, 진흥원은 2007년 3월 국내 의료관광 추진 주요 의료기관이 참여한 '국제의료서비스협의회' 창설의 주도적인 역할을 수행하면서 정부에서 정책실행을 위한 예산을 지원받기 시작했다. 2008년까지 한 개 팀 규모에서 담당했던 업무를 2009년부터는 네 개 팀을 포함한 사업단 규모로 확대하였으며 지금은 해외환자유치지원실에서 업무를 수행한다.

〈표 3-5〉 정책실행 공공 전담기관 주요 수행 업무

기관	업무구분	주요업무
한국보건산업 진흥원	의료 콘텐츠 관리	- 외국인환자 수용 매뉴얼 개발: 경쟁국 외국인환자 진료 가격, 외국인환자 통계실적 조사·분석 - 외국인환자 유치 정책개발 및 제도개선 - 외국인환자 유치기관 등록제도 운영 - 의료분쟁조정 제도 확립, 상담센터 운영
	한국 의료 해외 홍보	- 의료인 국제 교류 활동 지원 - 한국 의료브랜드 홍보 전략개발
한국관광공사	의료관광 해외 홍보마케팅	- 해외 홍보 및 이미지 구축 광고 - 방한 관광객 대상 홍보 및 안내 - 국제 전문 컨퍼런스 개최 및 참가, 현지 에이전트 대상 홍보설명회 개최 - 관련 업계 비즈니스네트워크 구축 지원 - 의료관광 상품 개발 및 판촉 활동 지원
	의료관광객 국내 수용여건 구축	- 마케팅 시장조사, 서비스매뉴얼 개발 보급 - 민·관·학 분야별 협력 증진 - 의료관광 전문 인력 육성 및 교육매뉴얼 보급

3. 민·관 협력 체계

현재 정부는 의료관광을 글로벌 의료서비스의 기반구축을 위한 노력과, 의료관광 상품개발을 통한 해외 홍보마케팅으로 구분하여 정책을 펼치고 있다. 의료 부문은 민간과 공공의 영역이 모두 겹치는 분야인 만큼 두 체계의 협력이 무엇보다 중요하게 작용된다.

1) 민·관 협력 네트워크

전통적으로 정부는 공공이익을 대변하고 이를 추구하는 정당성을 토대로 우월한 법적 권력과 행정권한을 행사하여 왔으나, 1980년대 이후 세계화, 정보화, 분권화, 지방화의 확산으로 정부의 독점적이고 우월적인 지위가 약화되었다. 이리하여 정부가 수행하던 행정업무에 일반 개인이나 기업체, 시민단체 등이 참여하여 공동으로 행정 기능을 수행하거나, 민간 부문에서 담당하는 기능에 대하여 정부가 재정, 정보, 인력을 지원하고 협력하여 업무를 수행하는 거버 넌스 개념이 등장하게 되었다. 따라서 거버넌스는 국가와 사회의 발전을 위해서 한정된 자원 을 배분하고 가치를 공유하는 과정에서 정부와 기업 그리고 시민사회 간의 파트너 및 네트워 크를 형성하고 있는 이해관계자들이 주도적으로 업무를 관리 · 조정 · 통제하는 행정 행위, 제 도 또는 통치운영 양식이라 할 수 있다.

현대 네트워크 사회에서는 정부를 포함한 다양한 조직 간의 공식적 또는 비공식적 협력을 통해 사회문제를 해결하는 경우가 많은데, 이를 협력적 거버넌스 개념으로 이해할 수 있다. 이 는 정부와 민간조직 및 시민사회 등 자율성을 보유하고 있는 행위자들이 참여하여 공공정책 문제의 해결을 위하여 계획 · 실행 · 평가하는 합의 추구를 지향하는 일련의 통치 방식이라고 할 수 있다. 협력적 거버넌스의 구성요소로는 전체 과정에서 주체 역할을 수행하는 참여자와 과업을 달성하기 위한 목적의 존재, 협력 과정상 투입되는 인적 · 물적 자원들, 그리고 이러한 작용과정에서 도출되는 기능과 역할 등이 있다.

파트너십은 공동의 목표를 달성하기 위해 지속적으로 협력하는 하나의 조직형태이다. 파트 너십의 형태는 다양하며 민(民)과 관(官)뿐만 아니라 관과 관, 민과 민 사이에서도 이루어지며, 그 수준과 성격도 다양하게 형성된다. 따라서 파트너십은 정부 또는 민간에서 어느 한 조직의 이해관계를 공동의 이해관계와 일치시키기 위한 협력관계라고 정의할 수 있다. 따라서 효율적 인 협력 네트워크 구성을 위해서는 파트너십의 구현이 근간이 된다. 네트워크는 하나의 조직 이 경쟁 또는 협력하는 다른 조직과 우호적인 활동을 만들어 내기 위하여 요구되는 상호 신뢰 의 망을 구축해 가는 것이다. 그리고 정책 네트워크는 정책결정과정에 참여하는 여러 정책행 위자 사이의 상호작용과 그 관계 구조를 파악하기 위하여 네트워크 개념을 정책과정의 구조분 석에 적용한 것이다.

2) 정보 네트워크 구축

민관협력체계를 운영하기 위해서는 정보망을 구축하는 것이 선결 조건이다. 이를 통해 협력 업무를 함으로써 산업발전을 도모한다.

(1) 의료관광 정보망 구축

최근 세계적으로 온라인 접근성이 높아지면서 대부분의 정보가 온라인으로 공유되고 있다. 한 조사에 따르면 의료 및 건강에 관한 정보의 79%는 온라인에서 얻은 것으로 나타났다.[23] 현재 국내의 의료관광 정보는 정부기관(한국보건산업진흥원, 한국관광공사), 지방자치단체, 의료기관 및 유치업체 등에서 각기 제공하고 있으며 의료관광 현황 소개 및 의료기관 소개 등 단순 콘텐츠 중심으로 이루어져 있다. 이에 한국 의료관광을 대표할 통합 포털사이트를 통한 서비스의 필요성이 제기되어 왔다. 이러한 허브 플랫폼(Hub Platform)은 온라인 고객관리 기능을 확대하여 사전 상담 및 안내 뿐 만 아니라 사후치료 및 만족도관리도 포함해야 한다.

(2) 전문사업자단체 운영

의료관광은 다양한 행위자들이 얽혀있는 융·복합 산업으로 구성원들 간의 상호이익 보호와 산업 활성화를 위하여 네트워크 구축이 필수적이다. 의료관광 네트워크 구성원은 의료관광 수행 공공기관, 각종 의료관광협회, 의료기관, 전문 유치업체, 여행사, 숙박업을 포함한 관광서비스 업체, 각종 관련 단체 등이 된다.

이들 단체는 보건복지부 또는 문화체육관광부에 사단법인으로 등록되어 활동하고 있다. 이 가운데 한국국제의료협회(KIMA)는 2007년에 대형 병원 중심으로 구성되어 정부의 지원에 힘입어 가장 활발하게 활동하고 있다. 그러나 이 협회는 정부로부터 재정지원을 받고 있어 자율적인 운영에는 부족한 점이 있다. 그 외의 단체들은 각 전문 분야별 중소형병원 및 클리닉을 중심으로 구성되어 활동하고 있다. 그러나 이들 단체는 회원가입이 자율적이어서 관련 분야 전체를 아우를 수는 없기 때문에 추진력 측면에서 다소 미진한 편이다. 또한, 전문 에이전시인 유치업체들로만 구성된 협회는 아직 활동이 미미한 실정이다. 이들의 공통된 이익을 대변하고 의료기관과 관계정립을 하기 위해서는 활동력이 있는 협회의 운영이 꼭 필요하다.

---

23 Research Center's Internet & American Life Project, 2011.

〈표 3-6〉 의료관광 전문 사업자 단체

단체	단체 성격	홈페이지
한국국제의료협회 (KIMA)	- 2007년 3월 설립, 보건복지부 등록 - 민 · 관 협의체, 대형 전문병원과 정부 관련기관 가입	http://www.koreahealthtour.co.kr
한국의료관광협회	- 2008년 9월 설립, 문화체육관광부 등록 - 개별 의원 및 유치업체 가입	http://www.koreamedicaltour.org
한방의료관광협회	- 2009년 6월 설립, 문화체육관광부 등록 - 개별 한방 의원 및 유치업체 가입	http://www.omto.or.kr
한국글로벌 헬스케어협회	- 2010년 3월 설립, 보건복지부 등록 - 개별 의원 및 병원, 유치업체 가입	http://www.kgha.kr
전국글로벌 의료관광협회	- 2010년 3월 설립, 보건복지부 등록 - 개별 의원 및 병원 가입	http://www.medicaltour.or.kr
대한의료 관광협의회	- 2013년 2월 설립, 문화체육관광부 등록 - 의료관광 연관 단체의 협의체 형태 - 전국 의료관광안내센터 위탁 운영	

(3) 한국 의료 브랜드 구축

정부는 의료관광 사업효과를 극대화하기 위하여 모든 유관사업을 포괄하는 국가브랜드로 "Smart Care, Medical Korea"라고 정하였다. 국가브랜드로서의 직관성, 대표성, 언어적 요소, 확장성 등 다양한 요소가 종합적으로 고려되었다. Medical Korea는 국가브랜드의 대표성과 신뢰감을 직관적으로 전달하여 한국 의료서비스의 품질에 대한 자신감을 표현해 주고 있다. 그리고 Smart Care는 한국 의료의 차별적 강점인 최첨단 장비와 우수인력을 직관적이고 창의적으로 표현하였다.

Smart Care

MEDICAL KOREA

〈그림 3-6〉 한국 의료관광 국가 브랜드

(4) 홍보안내센터 운영

현재 한국을 방문하는 관광객을 대상으로 보다 빠르고 종합적인 정보 제공을 위하여 의료관광 홍보안내센터가 운영되고 있다. 2009년에는 인천국제공항과 한국관광공사(청계천 입구)에 설치되었고, 2011년에는 부산광역시(서면 메디컬 스트리트)에 그리고 2012년에는 대구에도 문을 열었다. 이 센터에서는 관광홍보기능을 겸하면서 방문자들에게 상담 활동을 통해 맞춤형 의료관광 정보를 제공하고 있으며 스파, 산후조리원, 숲 치료 등 웰니스 프로그램과 같은 새로운 의료관광 테마 육성을 위해 관련 정보를 제공하고 있다. 또 한방 체험존과 건강 검진기기를 함께 설치하여 본인의 체질과 신체상태를 알아볼 수 있도록 하여 한국 의료에 참여하도록 유도하고 있다.

〈그림 3-7〉 의료관광 홍보안내센터

3) 시장정보 분석 활용

의료관광 참여 의료기관 및 유치업체에서 제공하는 통계자료를 기반으로 정책을 추진하며, 해외 주요 타깃 시장에 대한 소비자 만족도 분석 및 시장조사 자료를 통해 사업의 효율적인 추진을 도모한다.

(1) 수요자 관점 의료관광 통계분석

의료관광 시장의 성장으로 관련 산업에 미치는 영향이 늘어나 다양한 관점에서의 의료관광 정보에 대한 수요가 증가하고 있다. 그러나 현재 활용되고 있는 외국인환자 통계는 이들의 관광 활동에 대한 내용이나 동반자 정보, 의료기관 밖에서의 활동이나 건강과 관련된 소비에 대한 정보는 포함되지 않아 수요자 관점에서의 폭 넓은 정보수집이나 정보가공이 어려울 수 밖에 없는 한계를 지니고 있다.

동반자에 관한 정보의 중요성에 대해서는 UN의 관광통계에 대한 국제권고안(IRT 2008)[24]에서도 언급하고 있다. 이에 따르면 관광객은 혼자서 여행을 하는 것은 아니며, 여행과 관련된 활동, 방문, 소비를 공유하는 일행이 있는 경우가 더 많다. 따라서 여행객이 여행단체에 속해있는지 여부와 속해 있다면 그 여행단의 규모도 확인할 것을 권장하고 있다. 또한 방문객이 자비로 한 지출을 파악하는 것뿐만 아니라 다른 사람들이 방문객을 위해 지출한 것에 대한 올바른 추정치를 파악하는 것도 중요하다고 밝히고 있다. 따라서 의료관광에서도 치료를 받는 본인뿐만 아니라 동반자 역시 의료관광객의 범위로 보는 것이 필요하다.

의료관광이 고부가가치 산업으로 성장하기 위해서는 광의의 의료관광객이 필요로 하는 정보를 파악하여 적절한 상품을 구상하고 서비스를 제공하는 것이 우선 되어야 한다. 이를 위해서는 의료관광객의 규모나 의료서비스 외에 이용한 서비스 등 다양한 측면의 조사가 요구된다. 또한 국제적인 기준을 만족하는 자료를 구축하면 다양한 정보가공이나 글로벌 시장과의 비교가 가능하게 된다. 의료관광이 가지는 복잡하고 주관적인 특성으로 인하여 의료관광 통계와 관련된 모든 이해관계자들을 만족시키는 정보의 수집이나 가공방법은 없는 실정이다. 더욱이 의료기관에서의 치료가 아닌 행위들이 관광과 결합하는 경우에는 의료관광의 범위를 규정하기 어려울 수도 있다. 또한 국가차원의 조사와 데이터베이스 관리를 통해 비효율적인 자원

---

24 International Recommendations for Tourism Statistics, UNWTO, 2008.

사용 문제의 해결도 기대할 수 있다.

2012년 법무부 출입국 통계와 문화체육관광부에서 실시한 외래 관광객 실태조사에 따라 전체 의료관광객 수를 추정해보면 의료서비스를 받은 순수 의료관광객은 2.79%로 28만 2,402명이며, 의료서비스를 포함하여 미용, 온천 등 건강 상품을 경험한 광의(廣義) 개념의 의료관광객은 9.87%로 99만 9,036명으로 추정해 볼 수 있다.[25]

(2) 방한 의료관광 만족도조사

정부는 한국 의료관광의 강점과 약점을 파악하고 관광콘텐츠 확보를 위하여 실제로 한국을 방문하여 의료서비스를 받은 경험자들을 대상으로 만족도 조사를 실시하였다.[26] 2012년 조사에서는 의료기관의 인프라와 의료진의 서비스 외에도 의료관광객의 체류기간과 체류 중에 선호하는 관광활동에 대한 만족도를 함께 조사하여 관광콘텐츠에 대한 수요를 파악하고자 하였다. 또한 동반자 및 활동별 소비지출 현황을 함께 조사하여 향후 의료서비스와 연계된 관광프로그램을 개발할 때도 도움이 되고자 하였다. 이 조사에 따르면 의료비용과 관광비용(숙박비, 쇼핑비용, 기타 관광비용 등)의 지출 비율은 57:43인 것으로 나타나 의료비 외에도 부가적으로 지출한 금액까지 포함할 경우 2012년에 입국한 외국인환자가 지출한 금액은 약 3,509억 원으로 추산된다.

(3) 해외 의료관광 수요자조사

정부는 한국 의료관광 잠재 소비자들의 의료관광에 대한 인식을 파악하고 이를 의료관광 마케팅 전략에 활용하기 위하여 한국 의료관광에 대한 경험이 있거나 관심이 있는 외국인을 대상으로 의료관광 수요자 조사를 실시하였다(한국관광공사, 2012). 조사 결과 의미 있는 수치가 나온 곳은 중국, 일본, 미국 정도였으며 한국 의료관광 상품을 이용할 의사가 있거나 한국 의료관광에 대해 알고 있는 핵심 수요자는 중국이 39.8%로 가장 높았고, 미국이 30.6%, 일본은 24.7% 순이었다. 그러나 한국 의료관광에 대한 인지도가 모두 50%를 넘지 못하여 보다 적극적인 홍보 활동이 필요한 것으로 보인다.

특히 한국 의료관광 홍보설명회나 전시박람회의 홍보부스, 그리고 한국 의료관광 홍보안내

---

25 의료관광 통계 산출, 2012, 한국문화관광연구원

26 한국 의료 및 관광서비스 만족도 조사, 2012, 한국관광공사

센터 방문 이후 한국 의료관광에 대한 이미지가 개선되었다는 비율이 높게 나타났다. 한국 의료관광 상품을 이용할 의향이 없는 이유에 대해서도 불충분한 정보를 꼽은 비율이 가장 높았기 때문에 의료관광 잠재 수요자와의 접점을 확대하는 것이 필요한 것으로 보인다. 또한 핵심 수요자들의 의료관광 정보수집은 TV 및 라디오와 주변인의 추천이라고 응답한 경우가 가장 높아 스타를 활용한 마케팅, 한국 의료관광 서포터스 등 구전홍보 효과가 강화될 수 있는 마케팅 방안이 효율적인 것으로 판단된다. 의료관광을 할 때 동반자는 배우자 혹은 친구의 비율이 대체로 높았으며, 동반자 수는 평균적으로 중국이 2.7명, 일본이 1.5명, 미국이 1.7명으로 조사되었다.

(4) 시장동향 분석보고서 배포

고객 만족을 통한 의료관광 시장의 질적 성장을 위하여 정부는 지역별, 진료 분야별 시장분석을 실시하고 이를 토대로 교육 프로그램과 매뉴얼 및 가이드를 개발하고 있다. 매년 일본, 중국, 미주, 러시아, 태국, 싱가포르 등 의료관광 현황에 대한 시장동향 분석을 실시하고 있다. 또한 한국 의료관광 주요 유치대상 지역인 일본, 중국, 러시아, 베트남 등에 대해서는 시장조사 보고서를 지속적으로 발간하고 있다. 의료기관 및 유치업체는 이를 통해 해당 지역의 사업 타당성을 검토하고 비즈니스 네트워크 구축을 지원하게 된다.

4) 대형병원과 전문병원의 기능 분담

대형병원은 특성상 외국인환자 진료에 있어서 중증치료와 난치병 치료에 적합하고, 전문병원 및 클리닉은 경증치료와 선택적 진료에 보다 적절하다. 따라서 이들 기관들 간의 협력체계가 무엇보다 중요하다.

(1) 대형병원의 특징

대형병원은 대학병원 또는 대기업 소속병원으로 의료관광과 같은 신규 사업 결정을 위해 경영진이 전략적으로 결정을 내리기 보다는 교수진 및 의료진이 합의를 도출하는데 시간이 많이 소요된다. 또한 특정 분야의 상업적 성공이 의료경영진과 의료진에게 직접적인 보상으로 곧바로 연결되지 않기 때문에 특화된 부분에서 의료관광을 적극적으로 추진하기 어렵다. 그러나 대형병원은 전문 인력을 다수 보유하고 있고, 재정이 비교적 견실하며, 우수한 의료시설 및 병원 환경을 가지고 있다. 또한, 치료 이외에도 교육 및 연구 기능을 병행하고 있는 것도 강점이다.

그러나 수술실을 여러 진료 분야에서 함께 사용하기 때문에 수술실의 공급능력과 수술집도의 시간제한 등으로 인해 일반환자의 수술보다는 중증환자나 긴급한 환자에게 수술실을 우선적으로 사용하도록 하고 있다. 이러한 기능적 분담과 제도적 한계 때문에 대형병원은 소수 몇 가지의 선택수술만을 집중적으로 할 수는 없다. 따라서 대형병원은 위험성이 있는 중증치료와 암수술과 같은 난치병치료에 적합하다. 한편 비교적 뒤늦게 의료관광에 뛰어든 동남아 및 인도의 경우에는 대형병원 위주로 의료관광이 추진되고 있다.

(2) 전문병원의 특성

전문병원은 척추 · 관절수술, 성형수술, 불임시술, 또는 미용시술과 같은 선택적으로 특정 진료만을 실시하는 중소형 병원이나 의원에 해당된다. 전문병원은 대체로 설립자가 개인이며 실질적인 경영인으로 의료관광과 같은 신규 사업과 관련하여 조직 구성, 예산 지출, 시설 도입에 관한 의사결정을 신속하고 확고하게 할 수 있다. 의료진에게 진료에 따른 인센티브 지급의 적용도 비교적 손쉽다.

따라서 이곳에서는 의료 분야를 특성화하고, 고객 지향적으로 운영하며, 공격적인 마케팅의 전개가 언제나 가능하다. 이들 개인 의료진이 설립한 병의원은 마케팅과 고객서비스를 통해 환자유치에 보다 적극적이고, 수요의 증가에 따라 의료진 및 시설확충을 신속히 해 나간다. 전문병원의 의료관광 활성화는 외국인환자 유치를 오래전부터 실시해 온 유럽에서 일반화되어 있는 현상이다.

〈표 3-7〉 대형병원과 전문병원의 특성 비교

구분	대형병원	전문병원
조직 구성	• 대학 및 기업 중심	• 개인 경영인 중심
전문분야	• 종합 분야 및 중증환자 중심 • 심혈관센터, 암센터 등	• 전문분야 및 특화 • 척추, 관절, 성형, 안과, 치과 등
선택수술	• 빈도가 많지 않음	• 빈도가 많음
의사결정과정	• 의료진의 합의로 시간이 걸림	• 오너경영인의 신속한 의사결정
자원 및 예산투입	• 예산지출과정이 복잡함 • 지원예산 제한적	• 지출과정 단순 • 지원예산 한도 내에서 적극적
시설	• 외국인환자 수용 여건 우수	• 외국인환자 수용 여건 미약
국제인증	• 인증 여건 우수	• 인증 여건 미약

〈그림 3-8〉 대형병원과 전문병원이 함께 참가하는 국제의료관광컨퍼런스

02절 의료관광 추진 기관

●●● 　의료관광의 전 과정에 걸쳐 이해 주체들과 제도는 상호작용이 이루어진다. 이러한 것에는 핵심과 주변, 둘로 구분해 볼 수 있다. 우선 핵심층에는 의료관광 서비스와 직접적으로 연관되어 있는 의료기관, 전문유치업체, 보험사, 전문 인력이 그것이며, 그리고 정부의 법과 제도, 육성 정책 등이 주위를 둘러싸고 있는 형태를 띤다.

1. 의료기관

의료기관은 외국인환자의 니즈에 맞는 질 높은 서비스를 제공하는 역할을 수행한다. 병원에 근무하는 의사, 간호사, 의료기사, 영양사 및 행정직의 모든 조직 구성원들은 외국인환자에게 최상의 서비스를 제공하기 위하여 잘 조율된 팀을 이루어야 한다. 치열한 국내외 의료기관과의 경쟁 속에서 외국인환자를 유치하기 위해서는 차별화된 경쟁우위를 가져야 한다. 다른 경쟁 의료기관보다 수준 높은 의료기술이나 다른 곳에 없는 독자적인 의료기술을 혁신적으로 개발해야 한다.

1) 조직 및 업무

외국인환자 유치 및 서비스 제공을 위하여 이를 전담하는 부서를 병원마다 새롭게 설치하고 있다. 일반적으로 외국인환자와 관련한 업무는 유치 관련 마케팅, 외부기관과의 협약 등의 대외적 업무와 환자에 대한 구체적인 진료서비스 관련 업무, 그리고 기타 지원 업무로 나누어 볼 수 있다.

(1) 추진 조직

외국인환자의 유치 관련 마케팅과 외부기관 협약 등의 대외적 업무와 환자에 대한 구체적인 진료서비스와 관련된 업무가 어떻게 관리되느냐에 따라서 조직유형은 구분된다. 하나는 대외적 업무와 진료서비스 업무를 두 개의 별도 부서로 나누어 운영하는 것이다. 다른 하나는 이 둘의 업무를 한 곳에서 총괄 운영하는 조직을 두는 것이다.

대체로 대학병원과 같은 대형병원에서는 대외 업무와 진료서비스 업무가 분리되어 운영되는 편이다. 분리형 조직의 장점은 각 부서가 각자의 맡은 업무에 서로 덜 간섭을 받고 집중해서 몰입할 수 있다는 것이다. 또한 별도의 부서로 운영되기 때문에 해당 업무에 대한 오랜 경험을 쌓고 이를 통해 전문화가 가능하다는 점이다. 그러나 단점으로는 부서 간에 협조가 원만하게 이루어지지 않을 경우가 많다.

통합형조직은 대체로 중소규모 병원에서 운영하고 있는 방식이다. 이 조직의 장점은 국제진료센터와 대외협력팀이 한 조직상에 위치해 있기 때문에 신속하게 의사결정이 이루어지고 협조가 잘 된다는 점이다. 또한 의료전문지식을 요하는 업무처리에 효율성을 띠며 인력의 활용도 비교적 높다. 특히 외국인환자의 수가 적을 경우에 매우 효율적이다.

(2) 업무 내용

진료서비스 업무는 외국인환자의 진료와 직접적으로 연관된 서비스로서 환자의 접점에서 발생하는 일을 다룬다. 이러한 업무의 수행을 위해서는 의학용어나 병원행정에 대한 이해, 그리고 임상적 경험이 요구된다. 대체로 예약, 출입국, 진료 관련, 검사 관련, 보험, 통역, 리스크 관리, 진료비 관련, 진단서 관리, 환자 만족도 관리, 그리고 관광자원 관리 등으로 구분이 가능하다.

〈표 3-8〉 의료기관의 외국인환자 진료서비스 업무

업무 구분	세부 내용	관련 서류
예약 업무	• 예약 상담 및 견적 산출 • 예약 확인 및 예약 변경 관리 • 예약 및 준비사항 통보	외국인환자 인적사항, 견적 산출 예약 확인서 작성 및 발송
출입국 업무	• 비자발급 관련 지원 • 공항 환영 및 환송	의료목적 입증서류 발급 및 발송
진료 관련 업무	• 병원 진료 과정 안내 및 소개 • 진료 시 통역 및 진료 후 안내 • 진료비 관련 업무 • 입원 및 퇴원 관련 업무	진료 동의서 작성 지원 다국어 안내문 제공, 처방전 제공 진료비 청구서 설명, 영수증 작성 퇴원 확인서
검사 관련 업무	• 검사일정 점검 및 검사 안내 • 검사결과지 작성 및 관리	검사결과지 외국어 안내 검사결과지 전달
보험 업무	• 보험회사 관리 • 예약자 보험 관리 • 보험 관련 내규 및 서류 관리	보험회사별 서식 관리 보험회사 환자지불계약 확인 청구서류 작성
리스크 관리 업무	• 리스크 발생 사례 분석 • 법무팀 및 관련 위원회 확인	원인규명 및 환자의 불만 경청 해결방안 강구
진료비 관련 업무	• 진료비 지불보증 확인 • 진료비 미수금 관리	지불자 확인 미수금 독촉
환자 만족도 관리 업무	• 환자 만족도 관리 • 만족도 향상을 위한 맞춤서비스	설문지 제작 및 의뢰 감사편지 발송
관광자원 업무	• 호텔예약 및 식당안내 • 관광 상품 및 관광지 안내	

대외 업무를 수행하는 부서는 마케팅 업무, 외부기관과의 교류 업무, 관광지원 업무 등으로 나누어 볼 수 있다. 이 업무는 주로 대외적인 협약, 마케팅 활동과 연관되어 있다. 따라서 마케팅 및 관광 관련 지식이 필요하며, 대외적인 협상 능력도 갖추어야 한다.

〈표 3-9 〉 의료기관의 외국인환자 국제협력 업무

업무 구분	세부 내용	관련 서류
마케팅 업무	• 마케팅 기획	마케팅 기획 및 관련 업무 총괄
	• 상품 개발	해당 부서와 협력하여 상품 개발 상품 브로슈어 제작 및 배포
	• 광고 홍보 업무	홍보물(인쇄 및 영상) 제작 홈페이지 구축 및 운영 홍보 설명회 및 컨퍼런스 운영
외부 기관 협력 업무	• 정부부처와 협력	유치 의료기관 등록 업무 외국인환자 통계자료 관리
	• 외국병원 및 유치업체와 협력	MOU 체결 및 상호 교류
관광 지원 업무	• 호텔, 여행사 등과 업무 협약	공급가격 결정 공동 프로모션
	• 공항 환영 및 환송	출입국관리소 및 공항과 협력

(3) 준비 사항

　의료관광을 추진하는 의료기관들은 외국인환자에게 수준 높은 의료기술을 통한 만족할 만한 서비스를 제공하기 위하여 갖추어야 할 사항이 있다. 가장 먼저 외국인환자를 유치하기 위한 타깃 지역별로 경쟁력 있는 의료 상품을 제시할 수 있어야 한다. 그리고 경쟁 지역 및 의료기관과 대비한 적절한 의료수가(醫療酬價)의 책정이 필요하며, 이에 대한 정보가 사전에 환자에게 알려지도록 해야 한다. 이러한 정보는 국내 및 해외의 비즈니스 네트워크를 구축하는데 기본적인 마케팅자료가 되기도 한다. 또한 의료관광 코디네이터와 같은 전문 인력을 확보하여 외국인환자와의 상담 활동을 통한 유치 및 안내 업무를 수행하도록 한다. 그리고 외국인환자와 접촉을 하게 될 병원 인력 모두가 이들에 대한 수용태세를 갖추고 있어야 한다. 아울러 의료분쟁에 대비하기 위하여 보험이나 공제에 가입하고, 분쟁조정제도를 정확히 파악하여 만일의 사태에 대비한다. 더불어 병원 내에서 사용하는 각종 행정업무 서류에 대해서도 해당 외국어로 준비가 되어 있어야 하며, 병원건물 내의 표지판과 홍보 리플릿 및 인터넷 웹페이지 등도 모두 외국어 병기가 이루어져야 한다.

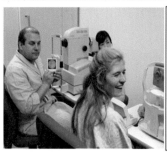

〈그림 3-9〉 의료기관 준비사항

2) 의료기관 자원

의료기관의 자원으로는 인적 자원, 물질적 자원, 재정적 자원, 기술적 자원 등이 있다. 이 가운데 의료관광 업무를 추진함에 있어 가장 중요하게 고려되는 사항은 인적자원이다.

(1) 인적 자원

의료관광에서 고려되는 가장 중요한 인적자원으로는 전문 의료인과 의료관광코디네이터 (병원 코디네이터)가 있다.

① 국제 전문의사

국제 전문의사는 국제인증 등 글로벌 경쟁력을 갖추고 외국인환자를 유치하고자 하는 의료기관의 전문 의사로서 의료서비스의 핵심적인 역할을 하게 된다. 최근에는 해외에서 학위 또는 수련과정을 마치거나 의료 활동을 경험한 의사가 늘고 있으며 의료기관에서도 국제 진료센터를 개설하는 등 의료관광객과 의료진 사이의 언어, 문화적 공감대 형성에 힘쓰고 있다. 외국인환자에 대한 정확한 진단과 뛰어난 의료기술을 가진 이들은 의료관광의 중추역할을 담당하고 있다.

② 국제 임상간호사

국제 임상간호사는 글로벌 경쟁력을 갖춘 양질의 전문적인 임상간호 서비스를 제공한다. 이들은 의료상황의 전 과정에서 환자와 보호자, 그리고 의료진 간에 효과적이고 원활한 진료가 이루어질 수 있도록 조절, 중재 및 관리하는 간호사로서 외국인환자 유치 의료기관에서 의사와 함께 중요한 역할을 담당한다.

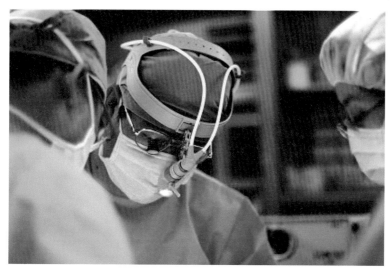

〈그림 3-10〉 의료진의 수술 집도 장면

③ 국제의료관광코디네이터

국제의료관광코디네이터는 외국인환자에 대한 서비스를 기획하고, 유치 및 진료 서비스 관리를 수행하는 전문직을 의미한다. 이 직무는 대형병원과 중소형병원 간의 차이가 있다. 대체로 대형병원에서는 역할을 구분하여 수행하는 편이지만, 중소형병원에서는 보다 종합적인 능력이 요구되기도 한다. 이들에게 요구되는 역량은 구체적으로 다음과 같다.

- 외국어 소통 능력: 기본적인 외국어 대화 능력, 글쓰기 능력 및 독해 능력
- 의사소통 능력: 고객의 요청을 경청하고 정확하게 설명할 수 있는 능력
- 전문용어 이해: 의학용어, 질병코드 및 처치코드
- 마케팅 지식과 능력
- 관광 서비스 지식과 능력
- 문화적 이해 역량

(2) 기술 자원

의료기관의 의료관광을 위한 새로운 기술적 자원으로 원격진료시스템의 구축과 의료인증의 확보가 중요하게 거론된다.

① 원격진료: 유헬스

의료관광과 관련된 중요한 기술적 자원이 유헬스(U-health) 시스템이다. 유헬스는 정보통신 기술을 사용하여 원거리에서 보건의료정보 및 의료서비스를 전달하는 모든 활동을 말한다. 유헬스의 장점은 원격 모니터링 등을 통해 의료의 불필요한 부분을 줄일 수 있고, 만성질환 및 예방을 통해서 질환의 발생 및 합병증을 최소화하여 의료비를 감소시킬 수 있다는 것이다.

외국인환자가 의료관광 목적지 국가를 방문하기 전에 온라인상으로 사전에 상담을 받을 수 있다면 의료관광의 의사결정이 보다 원활하게 이루어질 수 있을 것이다. 또한 치료 후의 사후관리가 온라인상에서 이루어 질 수 있다면 의료관광객은 안심하고 치료를 받을 수 있고, 의료서비스의 연속성이 보장될 수 있을 것이다. 이런 관점에서 유헬스는 의료관광을 추진하는 병원이 동원할 수 있는 중요한 기술적 인프라가 되고 시장에서 경쟁우위를 갖게 하는 요소가 된다.

② 국제 인증

의료기관에 대한 인증은 국내 및 국제 인증이 있다. 이 모두가 의료관광을 추진함에 있어 중요한 기술자원이 된다. 그러나 국제 인증은 대체로 미국, 유럽 등 선진국의 환자나 유치업체에게는 중요한 고려사항이 될 수 있지만, 의료 후발국의 환자에게는 그만큼 중요한 고려사항이라고 할 수는 없다. 아직은 이 제도에 대한 인지도가 높지 않기 때문이다.

대표적인 의료기관 국제인증 프로그램인 JCI(Joint Commission International)는 환자가 병원을 들어서는 순간부터 퇴원까지 전 과정을 몇 개의 분야로 나누어 환자의 안전성과 양질의 의료서비스 제공에 대한 평가를 수행하고 있다. 현재 전 세계 90개 국가에서 500개가 넘는 의료기관이 JCI 인증을 받았다. 국내에서도 2007년 세브란스신촌병원이 국내에서 처음으로 JCI 인증을 받은 이후, 국내 대학병원과 전문병원을 중심으로 이에 대한 인식이 확산되면서 현재 30개 정도의 병원 및 의원이 JCI 인증을 받은 상태이다. 인증은 입원 기능이 있는 병원 전체를 인증 받는 경우와, 외래치료를 위주로 하는 의원급으로 구분하여 받고 있다. 또한 의료전문가 양성 시스템 및 응급센터 등 분야별로 인증을 하고 있다.

〈표 3-10〉 국내 JCI 인증병원 현황(2014년 현재)

인증구분	의료기관	인증일자
의료교육병원 (Academic Medical Center Hospital)	세브란스신촌병원	2007. 5
	전남대화순병원	2010. 3
	인하대병원	2010. 7
	가톨릭성모병원	2010. 7
	부산대양산병원	2010. 12
외래환자 케어 (Ambulatory Care)	ABC성형외과의원(부산)	2012. 10
	AK안과의원(대구)	2011. 6
	부산밝은세상안과의원(부산)	2011. 3
	고운세상김양제피부과(부산)	2012. 10
	이앤미우리들치과의원(부산)	2011. 9
	굿월치과의원(부산덕천)	2011. 11
	굿월치과의원(부산하단)	2011. 12
	굿월치과의원(부산서면)	2011. 12
	이삼헬스센터(부산)	2012. 12
	노블레스이명종성형외과의원(부산)	2012. 10
	오휘종신경과의원(대구)	2011. 6
	서울밝은세상안과의원(서울)	2011. 2
	스마일라인치과의원(수원)	2012. 4
	선치과의원(대전)	2012. 4
	선헬스케어센터(대전)	2013. 3
뇌졸중 센터 (Primary Stroke)	세브란스신촌병원	2010. 4
	이화여대병원	2012. 1
병원 (Hospital)	고대안암병원	2009. 7
	연세대강남세브란스병원	2010. 4
	아주대학병원	2011. 6
	단국대학병원	2012. 7
	이화여대병원	2011. 7
	세종종합병원	2011. 11
	미즈메디여성병원	2012. 3
	건양대학병원	2012. 12

출처: JCI(Joint Commission International) 홈페이지

3) 리스크관리

외국인환자에 대한 진료서비스는 병원이나 환자 모두에게 익숙하지 않은 상황이기에 의료사고나 계약상의 문제와 같은 리스크에 노출될 가능성이 높다. 따라서 리스크에 대한 관리가 철저히 이루어져야 한다.

(1) 리스크 개념 및 유형

리스크란 기업 활동의 결과로 생길 수 있는 도덕적, 사회적 또는 경제적인 측면에서의 손실 가능성을 말한다. 일반적으로 의료기관에서 발생할 수 있는 리스크는 우선 임상적 리스크와 비즈니스 리스크로 구분해 볼 수 있다. 의료관광과 관련해서는 특히 환자진료 리스크와 재정적 리스크에 주의를 기울여야 한다. 외국인환자를 치료할 때에 언어가 다르고 관습과 믿음이 다르기 때문에 잘못된 의사전달의 위험이 있다. 의사소통상의 문제는 바로 의료사고로 이어질 수 있다. 즉 의료관광 시장에서는 환자진료 리스크 수위가 높다. 또한 외국인환자가 치료비 지급을 거부하거나 에이전시로부터 비용을 받지 못해서 미수금이 발생할 수 있다. 이는 재정적 리스크에 해당된다.

〈표 3-11〉 의료기관의 외국인환자 관련 리스크 유형

구분	리스크 유형	세부 내용
임상적 리스크	환자진료 리스크	환자의 임상정보 비밀 누출
		종교, 국적, 성별 등에 대한 차별
		환자 위급 시 대처 부실
비즈니스 리스크	의료진 리스크	의료진과 병원 간 소송 등
	직원 리스크	직원에 대한 차별 및 성 범죄
	재정적 리스크	치료비 미수
	기타 리스크	폐기물 관련 오염 등

(2) 리스크관리

리스크관리란 환자나 직원, 조직의 자산에 대한 위험을 확인하고 평가하여 이를 줄이기 위한 체계적인 노력이다. 리스크관리를 수행하는 데에는 의사, 간호사, 진료지원 부서와 행정실

의 주체가 모두 관여하게 된다. 의사는 치료라는 의료전달체계를 확립하는 주체가 되고, 간호사는 돌봄이라는 환자관리체계의 주체가 된다. 진료지원 부서는 진료지원 체계구축의 주체이고, 행정 부서는 행정지원 체계구축의 중심이 된다.

〈표 3-12〉 의료기관의 외국인환자 리스크관리

관리 주체	관리 체계	관리 내용
의사	의료전달체계 확립	환자진료 시스템
		서면 양식의 정비
		응급상황에 대비한 전달체계 확립
간호사	환자관리체계 확립	환자 사고 예방을 위한 환자 관리 체크리스트 준비
		업무 내용 간호 차트 기록
		응급상황 발생에 대비한 내부 보고체계 확립
진료지원부서	진료지원체계 확립	응급상황에 대비한 내부 비상연락망 구축
		의사의 지시에 따른 신속한 검진결과 피드백
행정부서	행정지원체계 확립	응급상황 접수 후 보호자에 대응
		경찰, 보건소, 언론사 등 요구 시 대응 후 의료진과 연결
		각 팀별 책임범위와 역할 분담

2. 전문유치업체 (의료관광 에이전시)

의료법에 의하여 의료기관 외에 의료관광객을 유치 혹은 알선하고자 하는 유치업자 역시 보건복지부에서 정하는 요건을 갖추어 등록하여야 한다. 한편, 글로벌 헬스케어 활성화 방안의 일환으로 국내외 보험회사에게도 외국인 환자 유치업무를 할 수 있도록 하는 의료법 개정안이 준비되었으나 아직 국회에서 계류 중이다. 개정안에는 일부에서 우려되고 있는 바와 같이 보험회사가 해외의료 관련 보험 상품을 통해 외국인 환자를 유치하고, 이 과정에서 과도한 수수료를 요구하는 등 시장 질서를 저해하는 행위에 대해서는 등록취소를 하는 등 제재할 수 있도록 규정하고 있다.

1) 전문 유치업체 개념 및 역할

의료관광 유치업체(에이전시)는 외국인환자를 국내 병원으로 알선하고 관광을 비롯한 국내 체류에 있어 필요한 서비스 업무를 제공한다. 의료관광 유치업체는 의료관광 코디네이터나 의료관광 마케터 등을 고용하고 상품을 개발하여 판매하며, 고객인 의료관광객에게 가장 적절한 의료기관을 추천하고 의료관광객이 만족할 만한 서비스를 받을 수 있도록 지원한다. 유치업체는 외국인환자와 최초로 대면하여 한국의 의료정보와 진료비 등을 상담하고 정보를 제공하기 때문에 의료관광객이 목적지를 결정하는 데 큰 영향을 미치게 된다.

의료관광 유치업체는 현지에서 의료관광객을 직접 모객하기도 하고 활동범위나 전문성에 따라 해외 현지 유치업체와 국내 유치업체가 협업하여 역할을 구분하기도 한다. 유치업체는 의료관광객의 모객 외에도 통상적으로 공항영접 및 환송, 의료관광 통역과 호텔 등의 알선 수배, 관광프로그램의 기획, 의료분쟁과 의료사고에 대한 대응책 마련, 진료기록의 정리 및 현지 발송 등 의료서비스를 제외한 모든 업무를 담당하게 된다.

(1) 유치업자의 개념

의료관광에이전시는 의료관광 촉진자, 의료관광 브로커, 의료관광 유치업자라고도 불리는데 환자가 해외에서 의료서비스를 받도록 외국의 의료기관과 연결시켜주고 중간에서 여러 절차상의 편의를 제공해 주는 회사를 말한다. 에이전시가 제공하는 절차상의 편의는 의료관광을 가기 전의 정보제공, 여행 관련 예약 및 여행일정관리, 통역서비스, 의료기관과 관련된 서류관리, 귀국 후의 사후관리 등을 포함한다. 결국 단순한 연결업무에 더해서 다양한 가치를 제공하고 있으며, 이런 이유에서 의료 및 마케팅 활동에 대한 폭넓은 지식과 경험을 갖추고 있어야 한다.

의료관광 에이전시가 다양한 업무를 수행해야 하기 때문에 이들의 업무에 지원서비스를 제공하는 다른 업종과 파트너십을 형성하게 된다. 인터넷 광고업체, 여행사, 호텔, 법률회사 등이 의료관광 에이전시의 업무를 지원하는 서비스를 제공하고 있다. 이들을 이용할 때 기대되는 장점은 원스톱 쇼핑이 가능하고, 검증되고 신뢰할 수 있는 의료기관으로 접근할 수 있으며, 언어장벽의 극복 등이 가능하다. 반면에 단점으로는 에이전시들 간의 수준차이가 생기며, 특정 목적지나 병원에 치중하게 되고, 에이전시를 통한 커뮤니케이션 과정에서 발생할 수 있는 의사소통상의 오류가 생길 수 있으며, 에이전시에 지불되는 추가적인 비용이 발생하기도 한다.

(2) 유치업자의 역할

이러한 전문 유치업자의 역할은 대체로 다음과 같이 정리하여 설명할 수 있다.

① 교육자로서의 역할

의료관광을 고려하는 환자는 자신들의 서비스 욕구에 맞는 의료기관이나 의사를 어떻게 선택해야 할지, 그들의 의료의 질적 수준이 어떤지, 어떤 서류 절차를 거쳐야 할지 등 다양한 의문점을 갖게 된다. 의료관광 에이전시는 이런 상황에서 고객에게 충분하고 정확한 정보를 제공함으로써 환자들을 교육시키는 역할을 수행해야 한다.

② 주최자로서의 역할

의료관광 에이전시는 의료관광이 진행되는 전 과정에서 서비스가 매끄럽게 연결되도록 조율해야 한다. 이를 위해서는 의료관광에 관여되는 다양한 이해당사자들을 하나의 연결고리로 끌어들이고 이를 주관하는 역할을 해야 한다.

③ 연결자로서의 역할

의료관광 에이전시는 의료관광객과 의료기관을 연결하는 역할을 수행해야 한다. 적합한 의료기관을 선택하도록 지원하고 실제로 의료기관에서 서비스를 받을 때 환자가 필요로 하는 제반 서비스를 제공받아 만족스러운 결과를 얻도록 지원해야 한다. 의료관광객이 외국의 의료기관에서 서비스를 받게 되는 거래과정은 여러 경로가 존재할 수 있다. 의료관광객이 이들 의료기관을 직접 선택하여 방문하거나, 의료관광 에이전시가 중간 역할을 하는 경우이다.

④ 대변자로서의 역할

의료관광은 익숙하지 않은 외국의 생소한 환경에서 이루어지기 때문에 예측 못한 여러 가지 일이 발생할 수 있다. 원래 예약과 다른 서비스가 제공된다든지 언어소통이 잘 안될 수 도 있다. 이런 상황에서 의료관광에이전시는 의료관광객을 위한 대변자 역할을 수행해야 한다.

전문 유치업체 역할 및 준비사항

유치 에이전시(여행사) 역할

개인별 맞춤 서비스
고품격 관광 + 사후관리

해외
- 의료 관광객 모객 및 송객
- 귀국 후 애프터케어 역할 수행
- 해외여행 필요 사항 지원

국내
- 국내 의료기관과 환자 예약 상담
- 의료 통역 알선
- 진료 후 의무기록 정리 및 배송
- 숙박 및 편의시설 알선
- 치료 후 국내 관광/쇼핑 안내

〈그림 3-11〉 의료관광 전문유치업체 역할

(3) 비즈니스 모델

의료관광 에이전시 모델에서 주요 수익원은 수수료(broker's fee)이다. 수수료는 일반적으로 의료기관이 에이전시에 지급한다. 그러나 비의료인에게 환자소개에 대한 수수료를 주는 것이 윤리적으로 옳지 않은 것으로 인식되는 경우도 많으며 불법적인 것으로 되어 있기도 하다. 수수료를 주게 되면 필요 없는 의료서비스가 증가되어 전체적인 의료비가 상승되고, 의료실력보다는 수수료를 많이 주는 병원으로 환자를 유치하려는 경향이 나타날 수 있기 때문이다. 그러나 이를 지나치게 규제만 하게 되면 외국에 기반을 둔 업체에 대해서는 규제하지 못한채 자국의 업체만 규제하게 되어 산업기반이 흔들리게 될 우려가 있다. 따라서 수수료의 상한선을 설정하거나, 환자에게 수수료를 공개하도록 유도하는 등의 투명한 거래환경을 조성하는 것이 보다 최선의 방법이 될 수 있다. 의료관광 에이전시의 비즈니스 모델은 다음 두 가지로 나누어 볼 수 있다.

① 여행사 모델

이 형태는 환자브로커 모델로 의료계나 보험업계의 경험이 적은 경우에 선호한다. 이 경우, 브로커는 의료기관에서 발생하는 일에 최소한으로 관여하거나 거의 관여하지 않고 단지 환자를 의료기관에 소개하고 수수료를 받는 형태이다. 여행사가 하는 일은 의료기관의 선정, 여행계약 정도로 제한되어 있다. 이는 대체로 미용, 검진과 같은 경증질환이나 선택적 진료에 적절하다. 이 경우 수수료는 고정적으로 정해지는 경우가 많다.

② 전문업체 모델

이 형태는 환자가 보다 복잡하거나 중증의 임상적 문제를 가지고 있을 때 적합하다. 이 경우 의료관광 에이전시는 환자의 안전관리, 의료서비스의 연속성, 비용절감 등의 보다 복합적인 이슈를 다루어야 한다. 이러한 케이스관리 모델에 준해서 사업하는 에이전시는 의료기관과 매 건마다 수수료를 협상할 수 있다.

2) 에이전시 활동

2009년 관련법이 통과된 뒤 등록된 의료관광 에이전시는 현재 500여개에 이른다. 대체로 이들은 외국인환자 유치에 대해서 의료기관에 10~20% 정도의 수수료를 요구하는 것으로 알려져 있다. 그러나 상당수 에이전시는 실제로 유치 및 매출실적이 매우 적거나 심지어 없는 것으로 나타났다. 2010년도 외국인환자 유치통계에 따르면 국가별 유치현황은 중국(46.7%), 일본(16.4%), 러시아(16.1%) 순서였다. 이들의 환자 유치경로를 보면, 60.2%의 환자는 직접 유치, 나머지는 해외 바이어를 통한 것이었다. 또한 유치유형을 보면 단체방문 환자가 53.1%로 다소 많은 편이다.

(1) 유치 활성화를 위한 지원

문화체육관광부는 의료관광 활성화를 위해 외국인환자 유치 및 지원 관련 기관에 대하여 관광진흥개발기금을 대여하거나 보조할 수 있도록 하고 있다. 또한 국내외에 외국인 의료관광 유치 안내센터를 설치하고 운영할 수 있으며, 지방자치단체의 장이나 의료기관 또는 유치업체와 공동으로 해외 마케팅 사업을 추진할 수 있다. 더불어 의료관광 전문인력을 양성하는 교육기관 중 우수 교육기관이나 우수 교육과정을 선정하여 지원할 수 있다.

최근 개별 의료기간의 해외 진출이나 해외 현지 홍보가 이루어지고 있지만, 의료관광의 장기적인 활성화를 위해서는 전문 유치업체의 육성이 필수적이다. 유치업체는 개별 의료기관이 비용이나 접근성 등의 문제로 마케팅을 실시하기 어려운 지역에서도 의료관광 마케팅을 수행할 수 있으며 개별마케팅이 어려운 지역의 전문적이고 특성화된 의료기관을 찾아 연계시킬 수 있다는 측면에서 의료관광객의 수요에 맞춘 다양하고 전문화된 의료관광 상품 개발이 가능하다. 이들 유치업체들은 국내외 의료기관 및 전문 업체와 국제 비즈니스 네트워킹을 실시하고 파트너십을 구축해 나가게 된다.

(2) 의료기관과의 업무 협약

의료관광에이전시와 의료기관과의 협약은 일반적으로 두 가지 방식으로 이루어진다. 하나는 병원에서 에이전시를 찾아 요청하여 협약을 맺는 방식이고, 다른 하나는 에이전시가 병원에 찾아와 선별 협약이 맺어지는 것이다. 두 가지 모두 상호간에 협약에 대한 의사타진이 이루어지고 나면, 에이전시 평가자료를 요구하게 되고, 평가자료를 통해 협의가 이루어지고 나서 최종적으로 협약이 체결된다.

에이전시를 통해 외국인환자가 의료기관을 찾아오는 경우 병원이 치료비용을 받는 경우는 다음과 같은 방법이 있다. 첫째는 병원이 모든 비용을 환자로부터 받고 에이전시에게 미리 정한 수수료를 지불하는 것이다. 둘째는 에이전시가 먼저 전체 의료비를 환자로부터 받고 수수료를 공제한 뒤 병원에 치료비용을 지불하는 것이다. 후자의 경우 문제가 발생하였을 때 에이전시가 먼저 비용을 받았기 때문에 분쟁 당사자가 여럿이 되어 복잡해 질 가능성이 있다. 따라서 이럴 경우 계약서에 미리 명시해 두어야 한다. 의료기관은 진료비 분쟁에 대비해서 에이전시와 여러 시나리오별 해결방안을 사전에 조율해 두어야 한다.

3) 의료관광 에이전시 업무 매뉴얼

의료관광 에이전시와 의료기관 간의 업무는 단계적으로 진행된다. 우선 의료관광 에이전시에서 고객의 건강상태와 서비스 욕구에 대한 정보를 의료기관에 보낸다. 그러면 의료기관이 치료 관련 견적서를 에이전시에 회신하고 에이전시는 적절한 의료기관을 선정하여 통보한다.

의료기관이 환자의 진료계획을 짜고 예약을 하면 환자가 의료기관에 방문하여 의료서비스를 받게 되고 그 후 의료기관이 에이전시에 수수료를 지급하게 된다.

의료관광 코디네이터는 의료시장에서 외국인환자를 유치하고 관리하기 위한 구체적인 진료서비스 지원, 관광 활동 지원, 국내외 의료기관의 해외 진출 지원을 담당한다. 즉, 의료관광 마케팅, 의료관광 상담, 리스크 관리 및 병원행정업무 등을 담당하게 된다. 치료관광형의 의료관광 흐름에 맞추어 고려해 볼 수 있는 의료관광 코디네이터의 활동에 대하여 알아본다.

(1) 문의 및 상담

외국인환자와의 상담이 시작되면 환자에 대한 개인정보, 진료기록, 각종 검사 결과물과 진단서 등 환자정보를 확보하여야 한다. 이를 통해 의료관광객이 관심을 보이는 진료 상품과 관광 상품도 체크하여 신속히 대응할 수 있도록 해야 한다.

(2) 의뢰 및 체류계획 설정

이들 정보를 수집하게 되면 고객의 상황에 따라 진료과목을 결정하고 국내 의료기관에 진료계획 및 진료비 산정을 의뢰하게 된다. 이때 외국인환자로부터 정확한 정보를 받아야 병원에서 진료계획을 세울 때 도움이 된다. 이들이 국내에서 체류해야 하는 기간과 비용에 대해서도 정확하게 예상할 수 있도록 진료계획은 상세하게 산출하는 것이 중요하다. 진료계획안에는 치료 일정에 따른 입원일수 및 외래진료 횟수, 치료 전 검사, 예상 진료 및 부가서비스 등이 고려되어야 한다. 산출된 진료비는 의료관광객이 입국을 결정하게 하는 예민한 요소이며, 입국 후에 진료비가 일부 변동될 수 있음을 반드시 고지해야 한다. 사전에 진료비 변동여부에 대해 충분하게 숙지가 되어 있지 않으면 이에 대해 불만이 제기될 수 있다. 이런 이유로 각 서비스 항목을 파악할 수 있도록 서비스체크리스트와 진료비 예상 상세 견적을 만들어 보내주는 것이 바람직하다.

(3) 의료기관 예약 및 비자 업무

외국인환자가 국내 의료기관에서 치료받기로 결정이 되면, 그 다음 절차로 입국 비자 신청을 해야 한다. 법무부는 외국인환자와 동반자의 합법적인 장기체류를 위하여 2009년 5월 출입국관리법 시행규칙을 개정하여 '의료관광비자'를 발급하고 있다. 90일 이하의 간단한 진료에는

90일 이하의 단기비자인 C-3-M 비자를 받고, 90일 이상의 장기 치료와 재활이 필요한 경우에는 1년 기간의 장기비자인 G-1-M 비자를 발급받으면 된다.

(4) 숙박시설 예약 및 공항영접

외국인환자가 입원을 해야 하는 경우에는 공항에서 바로 입원을 할 수 있도록 사전에 의료기관 측과 병실 예약 부분을 확인해 두어야 한다. 입국 당일 바로 병원에 입원하지 않아도 되는 경우에는 환자가 선택한 숙박시설을 예약하고 확인하도록 한다. 공항 영접은 귀빈 의전 대상자와 일반인 의전 대상자로 구분하고 긴급 환자는 별도의 절차를 거치도록 한다.

(5) 의료기관 방문, 검사 및 치료

의료기관에 의료관광 코디네이터가 상주하고 있는 경우에도 공항 영접을 나간 사람이 환자와 함께 외래접수까지 도와주는 것이 좋다. 그리고 의료기관에 사전 예약을 위해 환자의 개인정보를 의료기관에 공개한다는 의료기록 및 개인정보 이용동의서를 받아두어야 한다. 외국인환자에게 진료와 검사과정을 미리 알려주어 의사소통이 안 되어 생길 수 있는 불안감과 불편함을 줄여주도록 노력한다. 모든 과정에서 최종결정은 환자 본인이 하도록 충분히 설명해 주고, 생각할 시간을 주어 정확히 이해하고 결정했는지 확인해야 한다.

〈표 3-13〉 의료기관 방문, 검사 및 치료할 때 유의점

구분	유의 사항 및 확인사항
접수	• 외국인환자 비자 종류와 체류기간 • 보험 가입 여부와 가입증명서, 해당 보험사에 지급보증 여부 확인 • 퇴원할 때 병원으로부터 받아야 하는 보험청구 서식 확인
입원	• 입원기간 중에 가급적 매일 한번 이상 요구사항 파악하여 병원에 전달 • 휴대폰을 대여해 주며 항상 연락이 가능하도록 함 • 환자의 진료 진행사항을 의료진에게 확인하여 초기 견적 내용과 비교하여 입원 일수가 늘어나지 않도록 유의함
검사 및 수술	• 각종 검사 및 수술은 시행 전에 검사 내용과 방법, 부작용 등을 환자에게 자국 언어로 설명 • 준비된 서면 자료를 통해 충분하게 알려주고 동의서에 서명하도록 함

(6) 퇴원

외래 진료가 끝나거나 입원을 했던 환자가 퇴원을 하는 경우 수납을 하게 된다. 수납은 돈과 관련된 업무이기 때문에 환자가 납득할 수 있도록 진료내역에 대한 자세한 설명과 진료비 납입 방법을 상의하여 결정한다. 퇴원할 때에는 환자의 보험청구 관련 서식과 환자의 의무기록과 복용해야 할 약에 대한 설명, 추후 관리방법에 대해 서면작성하여 설명과 함께 전달한다. 만약 의료기기나 약을 항공기를 이용하여 가지고 가야 한다면 항공사나 세관에 제출할 소견서를 별도로 작성하여 준비해야 한다. 퇴원 후 관광 및 쇼핑 일정이 있는 경우나 추가일정이 있을 때는 관광 프로그램을 통하여 안내한다.

(7) 체류기간 연장

외국인환자가 허가 받은 체류 기간을 초과하여 머무르게 되는 경우가 발생할 수도 있다. 이때 본인 및 대리인이 체류기간 연장신청을 하고 국내 체류기간을 재허가 받아야 한다. 만료일 이전에 신청이 완료되어야 한다. 체류기간연장허가서를 작성하고 여권과 체류기간 연장 필요성을 입증하는 소명자료를 갖추어 제출해야 한다.

(8) 후속관리

환자가 의료서비스 및 관광일정을 마치고 자국으로 돌아갈 때에도 의료관광 에이전시의 도움이 필요하다. 공항까지 가는 교통편을 준비하고 환송서비스를 제공한다. 이들이 한국에서 부가가치세 면제품목을 구입한 경우 면세구역 안에 있는 세금환급코너에서 세금환급을 받을 수 있도록 신고서를 작성하거나 절차를 숙지시켜준다.

환자가 자국으로 돌아간 이후에도 지속적인 건강관리나 추가진료에 대한 상담이 필요하다. 치료를 받고 1주일 정도 지난 시점에 치료 효과와 약 복용 후의 반응 등에 대하여 상담하고 문제가 있을 때에는 주치의에게 물어 개선할 수 있는 방안을 제시할 수 있어야 한다. 이들 환자의 만족도가 높은 경우, 자국으로 돌아가 추가로 환자를 보내주거나 주변에 한국행을 적극적으로 추천해주기 때문에 지속적인 관리는 필수적이다.

그리고 만일 부작용이나 의료사고가 발생할 때에는 보험사, 의료기관 등과 협조체계를 구축하여 이에 대한 신속하고 명확한 대응이 이루어져야 한다. 2012년 4월부터 한국의료분쟁조정중재원(www.k-medi.or.kr 02-6210-0114)이 설립되어 의료사고 및 불편사항으로 발생하는 분쟁에 대해 도움을 주고 있다. 이 중재원에서는 의료서비스 과정에서 겪는 의료사고와 관련된 기초 상담부터 고액의 중상해와 사망사고에 대한 손해배상 사건까지 포괄적인 의료분쟁 해결 역할을 수행하며 소송 전 단계에서 부터 기초상담 및 법률상담과 조정역할 등을 담당한다. 그러나 중재원은 외국인 전담 상담기관이 아닌 만큼 사전에 사건배경과 현재상황 및 문제점 등에 대한 사전 자료를 철저히 준비하는 것이 좋다.

4) 의료관광 에이전시 리스크관리

의료관광 사업을 하는 과정에서 에이전시는 여러 리스크에 노출 될 수 있다. 이 가운데 영업이익의 불확실성과 관련된 비즈니스 리스크와, 환자의 진료와 연관된 임상적 리스크가 있다. 비즈니스 리스크의 경우가 더 많을 수 있으며, 이런 리스크를 최소화하기 위해서는 이를 관리할 수 있는 시스템이 갖추어져야 한다.

(1) 비즈니스 리스크

의료관광 사업이 국내에 도입된 초기단계여서 아직까지 의료관광 에이전시는 확실한 수익모델을 확보하지 못하고 있으며, 이들은 사업상의 여러 리스크를 많이 경험해 보지 못한 상태이다. 또한 리스크에 대한 충분한 선례분석이 이루어지지도 않았기에, 이에 대처할 수 있는 노하우를 에이전시들이 갖추고 있지 못한 실정이다. 비즈니스 리스크관리를 위해서 현금흐름을 정확히 파악하여 재정적 계획을 수립할 수 있게 하거나 계약서류의 형식과 내용을 정확하게 하여 고객과의 불필요한 충돌에 따른 비용을 예방하거나 줄여주는 노력이 필요하다.

① 현금흐름관리

특히 의료관광과 같은 신규시장에서는 시장의 수요가 안정적이거나 예측 가능하지 않고 변동 폭이 클 수 있기 때문에 현금흐름의 관리가 중요하다. 의료관광객이 비용을 지불하지 않을 경우와 병원이 수수료 지불을 하지 않는 경우 등 예측하지 못한 상황으로 인해 발생할 수 있는 현금흐름의 문제에 대처하기 위해서는 현금관리계획을 사전에 수립해 두어야 한다. 이런 사전 준비의 일환으로 재무제표는 회계기준을 바탕으로 작성한 손익계산서와 현금흐름을 바탕으로 계산한 현금흐름표로 구분하여 작성해야 한다.

② 환불 정책

의료관광 에이전시는 환불에 대한 명확한 정책을 갖고 있어야 한다. 계약서상에도 환불의 조건이 구체적으로 명시되어야 하며 고객에게도 정확히 설명이 되어야 한다. 계약서상에 작성해 놓아도 고객이 환불방침에 불만족하여 소송을 걸어올 수도 있다. 이런 경우에 대비하여 계약서 외에도 해당 고객의 서비스에 투입된 예약서류, 지불서류, 영수증 등을 잘 관리하고 있어야 한다.

(2) 임상적 리스크

의료관광 에이전시가 의료기관에서 제공되는 의료서비스에 직접적으로 관여하지는 않기 때문에 임상적 리스크의 일차 책임당사자는 아니다. 그러나 신뢰할 수 있는 외국의 의료기관을 소개하지 못한 책임을 물어 고객이 의료관광 에이전시에 소송을 제기할 수도 있다. 따라서 의료기관을 철저하게 검증하는 정책과 절차를 갖추고 있어야 한다. 또한 의료사고와 리스크에 관련하여 책임과 보상 등에 대해 명확히 다룬 서류가 준비되어 있어야 한다. 이는 소송에 따른 불필요한 비용을 예방하거나 줄이는 데 도움이 된다.

5) 의료관광 에이전시 경쟁 환경 분석

의료관광에이전시가 의료관광 시장에 등록하고 진입하는데 요구되는 자본 능력이나 차별화된 서비스와 같은 조건이 까다롭지 않기 때문에 의료관광 에이전시가 무분별하게 설립되고 있다. 이는 충분한 역량을 갖추지 못한 업체가 증가하고 있다는 것을 보여주기도 한다. 이와 같이 진입장벽이 낮아 경쟁은 심화되고, 신규시장을 주도적으로 이끌어갈 혁신적 역량에는 업체 간 차이가 별로 없다. 또한 이들이 제공하는 서비스의 차별화도 이루어지지 않을 수 있다. 의료관광 에이전시를 통해 유치된 외국인환자는 대체로 전체 외국인환자의 20% 정도 되는 것으로 파악되고 있다. 결국 낮은 시장 점유율을 가지고 업체들 간에 치열한 경쟁이 이루어지고 있다.

의료기관은 해외환자를 유치하는 데 의료관광 에이전시에만 의존하고 있지는 않다. 의료기관에서는 전문 박람회에 참가하거나 홍보 설명회 개최를 통해 해외 의료관광 관련 업체와 직접적으로 접촉할 수 있는 기회를 얻게 된다. 또한 인터넷이나 지인을 통해 해외 파트너 의료기관의 정보를 얻기도 한다. 즉, 의료기관 에이전시 뿐만 아니라 여러 가지 정보채널이 존재하고 있는 실정이다. 한편 의료관광 시장에서의 구매자는 외국인환자이거나 보험회사 등이다. 이들은 외국인환자를 유치하려고 하는 세계 곳곳의 의료기관 가운데 하나의 대안을 찾고 있는 상황이다.

그리고 의료관광 공급자인 국내 중대형 의료기관이나 프랜차이즈 클리닉들은 자체적으로 해외환자를 유치하는 활동을 하고 있다. 공급자 입장에서 이들은 의료관광 에이전시만을 통해서 환자를 유치하려고 하지는 않는다. 결국, 의료관광 에이전시는 안정적인 수익을 확보하기 위해서 지속적으로 경쟁력 제고방안을 마련해 나가야 한다. 이를 위해 외국의 보험사나 해외 에이전트와의 네트워크를 구축하여 환자의 안정적인 공급이 이루어질 수 있는 인프라를 구축할 필요가 있다. 또한 의료기관과의 협상에서 우위를 점하기 위해 전문적인 해외 마케팅 역량을 강화해 나가야 한다. 그리고 의료관광 에이전시의 인증제도 도입을 통해서 진입장벽을 높여 나갈 필요가 있다. 인증제도는 의료관광 에이전시가 고객의 입장을 대변하는 역할을 수행할 수 있는 전문적이고 윤리적인 기준을 제시함으로써 무분별한 업체의 난립을 막고 역량수준을 높이는 데 기여할 수 있다. 관련 협회와 같은 민간기구를 통해 이를 추진하는 것이 보다 바람직하다. 결국 의료관광 에이전시와 공급자인 의료기관과의 신뢰구축이 가장 중요하다고 할 수 있다. 이들의 신뢰에 기반을 둔 네트워크가 확보되어야만 외국인환자와의 협상에서도 유리한 위치를 점할 수 있기 때문이다.

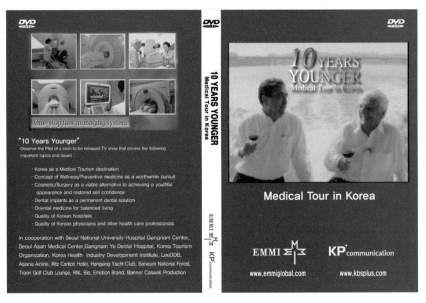

〈그림 3-12〉 에이전시가 제작한 한국 의료관광 홍보 DVD

3. 보험사

의료관광과 관련하여 보험사는 안전판의 역할을 수행한다. 의료관광객, 의료서비스 제공자나 의료관광 에이전시는 의료관광과 관련하여 임상적 리스크나 비즈니스 리스크에 노출이 된다. 이 리스크에 따른 손실을 보장하는 다양한 보험 상품들이 등장하였고, 이 보험은 갑작스런 손실에 대해 가입자들을 보호하는 안전판이 되어 준다.

1) 보험 상품의 유형

해외여행객, 의료기관이나 의료인, 그리고 의료관광 에이전시를 대상으로 하는 다양한 보험 상품이 시장에 존재하고 있다.

(1) 해외여행객을 대상으로 하는 보험

해외여행 건강보험이란 여행객이 외국으로의 여행 중 받게 되는 의료서비스로부터 발생하는 경제적 손실을 보장하는 보험 상품이다. 해외여행 건강보험 상품은 주로 가입자가 해외여행 중 사고와 같이 비의도적인 이유로 인해서 받게 된 의료서비스를 보장해주고 있다. 그러나 기존 보험 상품은 해외에서 의도적인 의료서비스에 대해서는 보장해 주지 않아, 환자는 자신의 경비로 지불했다. 따라서 외국에서의 의료서비스를 보험사가 보장해준다면 의료소비자의 입장에서는 선택의 폭이 넓어지기에 의료관광시장이 빠르게 성장하는 원동력이 될 수 있다. 결국 의료관광시장의 성장과 함께, 외국에서의 의도된 의료서비스를 보장하는 특화된 보험 상품이 등장하고 있다.

(2) 의료기관 및 의료인을 대상으로 하는 보험

의료서비스 제공자인 의료기관이나 의료인을 대상으로 하는 보험 상품에는 의사 및 병원배상책임보험이 있다. 이 보험은 의료전문서비스 제공으로 인해 발생하는 제삼자의 신체장애나 사망에 대하여 피보험자가 법률적인 손해배상책임을 부담함으로써 입게 되는 손해를 보상하는 보험을 의미한다.

외국인환자가 증가하고 있는 현실에서 외국인환자의 의료사고 발생 가능성도 높아지고 있다. 또한 선진국에서는 징벌 성격의 배상을 인정하고 있기 때문에 외국인환자에 대한 배상비용은 국내 환자에 비하여 높다. 결국 의료서비스 제공자가 부담해야 하는 배상비용이 높아지기 때문에 배상책임보험의 중요성이 강조되고 있다. 또한 외국인환자에게도 자신이 이용할 의료기관이나 의료인이 배상책임보험에 가입되어 있다는 것은 의료사고가 발생해도 배상받을 수 있다는 안전장치가 있다는 것을 의미하기에 의료기관에 대한 신뢰감을 높이는데 도움이 된다.

(3) 의료관광 에이전시를 대상으로 하는 보험

의료관광에이전시가 고객으로부터 소송을 당했을 때 발생할 수 있는 비용을 보장하는 보험 상품도 등장하였다. 국내에서는 의료관광 에이전시가 한국보건산업진흥원에 등록신청 하기 위해서는 법령에서 정한 일 억원 상당에 해당되는 금액을 보증보험에 가입하여야 한다.

보증보험 중에는 인허가 보증보험이라는 것이 있는데, 이는 인가·허가·면허·승인·특허·등록 등의 출원자가 허가 관청에 예치하여야 할 각종 인허가 보증금(예치금)을 대신하여 활용하도록 하는 보험을 말한다. 이 보험은 인가·허가 등을 받은 자(보험계약자)가 행정행위에 따른 제반 조건을 이행하지 아니함으로써 허가 관청(피보험자) 또는 제삼자가 입은 재산상의 손해를 보상한다.

2) 의료관광 보험 시장

외국의 의료기관으로부터 특정한 의료서비스를 받기 위해 방문하는 의료관광을 지원하는 보험 상품은 아직 많지는 않다. 그런데 최근 미국과 영국에서는 의료관광을 보장하는 보험 상품이 등장하고 있다. 이들 보험 상품은 해외의 의료서비스 자체를 보장하는 것과 의료서비스로 인한 합병증과 같은 리스크가 발생할 경우 보장하는 것으로 구분할 수 있는데, 각 유형별로 상품이 출시되고 있다.

(1) 미국

미국인의 26%가 공적보험인 메디케어(medicare)와 메디케이드(medicaid)에 가입되어 있는데, 이 보험은 외국에서 발생한 의료서비스는 특별한 경우를 제외하고는 보장하지 않는다. 60%의 미국시민이 직장보험의 혜택을 받고 있는데, 이들 대부분의 보험도 역시 해외에서의 의료서비스는 보장하지 않는다.

대부분의 보험회사는 해외에서의 의료서비스를 보장하는 보험 상품과 관련해서는 관망하는 태도를 보이고 있다. 그러나 블루크로스블루쉴드(blue cross blue shield), 시그나(CIGNA), 애트나(Aetna) 등과 같은 보험사는 여행비용까지 포함하여 해외에서의 의료서비스에 대해서 보장하고 있다. 회사 직원들에 대한 건강보험료 지원에 부담을 느끼고 있던 고용주들은 외국의 의료기관에서 의료서비스를 받게 하는 경우, 상대적으로 저렴한 보험 상품을 제시하는 이 보험사들에게 관심을 보이기 시작하였다. 앞으로 의료관광 시장의 확장 추세에 맞추어 이 보험시장은 점차 확대될 전망이다.

(2) 영국

영국의 건강보험은 일반적으로 해외에서의 의료서비스에 대해서 보장하지 않는다. 그러나 최근에 해외 의료서비스를 보장하는 민간 보험 상품이 출시되기 시작하였다. 하지만, 이처럼 의료관광을 지원하는 보험회사는 일정액까지의 적은 액수만 제한하여 지급하고 있다. 또한 미국 보험회사와 달리 여행 관련 서비스는 제공하지 않고 환자 개인에게 맡기고 있다. 그렇지만 이러한 가운데서도 중소기업을 타깃으로 하는 합리적인 가격에 의료관광을 할 수 있는 상품이 등장하고 있다.

(3) 싱가포르

싱가포르의 보험회사 락튼싱가포르(Lockton Singapore)는 전 세계 고객을 대상으로 300여 개의 JCI 인증 의료기관에서의 의료서비스와 관련하여 발생할 수 있는 리스크를 보상하는 보험 상품인 스코프(Scope)를 출시하였다. 이 상품은 21세에서 69세 사이 연령대의 고객을 대상으로 하고, 100여 가지의 수술에 대한 리스크를 보장하고 있다.

(4) 일본

일본에는 의료관광객을 위한 보험시장이 형성되어 있지는 않다. 단지 해외에서의 사고나 응급상황으로 인한 의료서비스 이용을 보장하는 보험시장만이 존재한다. 해외를 여행하는 일본인 여행객 중 비의도적인 의료서비스 이용으로 인해서 자국의 보험회사에 비용을 청구하게 되면 이를 배상해 주는 경우가 있다. 이러한 업무관계가 이루어지는 일본의 보험사로 동경해상화재보험이 대표적이다.

(5) 해외 의료서비스 지원회사

해외 의료서비스 지원회사는 다국적기업, 보험회사 등에 의료 및 응급지원서비스를 제공하는 회사이다. 다국적기업은 해외 사업장에 많은 직원을 보유하고 있고 직원들의 국제적인 교류가 많다. 따라서 이런 회사를 중심으로 해외에서의 의료서비스나 응급의료서비스에 대한 수요가 생겨났고 이를 지원하는 회사가 등장하게 되었다.

동남아시아 지역에서 주로 활동하는 인터내셔널에스오에스(International SOS)사가 대표적이다. 이 회사는 전 세계 70개국에서 서비스를 제공하고 있다. 제공되는 서비스는 고객 회사 직원들에 대한 백신접종과 같은 예방서비스, 의료서비스, 응급후송서비스, 보험회사의 업무대행 등 다양하다.

〈그림 3-13〉 인터내셔널 SOS 회사 로고

3) 의료관광 보험업무

보험회사의 업무 내용은 의료기관과의 계약을 위한 업무 협약과 고객들이 실제 보험을 청구하는 것과 관련된 지급 업무가 있다.

(1) 보험회사와 의료기관과의 업무협약

보험회사와 의료기관 간에 업무협약이 이루어지기 위해서는 여러 상황에 따라 의료기관과 보험회사와의 접촉이 이루어진다. 이 과정에서 상호간에 자사 네트워크에 포함시킬 수 있는 기관인지 파악하기 위해 자료를 요구하여 검토 과정을 거친다. 그리고 나면 의료기관과 보험회사가 세부 협약 사항에 대해서 협상을 한다. 이 단계에서 할인율이나 분쟁이 발생할 경우 해결방안에 대한 논의가 이루어진다. 특히 분쟁발생 시 해결방안에 대한 협의가 이루어지지 않을 때는 중재회사를 통해 합의하기도 한다. 합의가 완료되면 양 기관은 제출된 자료의 평가와 협상결과에 따라 협약을 맺는다.

(2) 보험회사와 의료기관 간의 업무과정

외국인환자의 의료기관 이용 상황은 의도된 의료서비스와 의도하지 않은 급작스런 이용 상황으로 구별해 볼 수 있다. 대부분의 여행보험 상품은 외국인환자가 외국 여행 중 갑작스런 이유로 의료기관을 이용하게 되는 경우 이를 보장한다.

① 의도된 의료서비스 이용

의료관광 보험 상품을 가진 외국의 보험회사는 자사의 가입자가 외국의 의료기관에서 치료를 요구할 때, 먼저 환자에 대한 정보를 의료기관에 보낸다. 보험회사는 지불보증에 대한 사전 승인을 하고 의료기관에 공식적인 치료 관련 견적서나 보험회사의 서식 작성을 요청한다. 이때 보험회사가 여러 의료기관에 요청을 하기 때문에 의료기관 간에 경쟁이 일어난다. 따라서 의료기관은 최대한 빠른 시간 내에 답변을 해야 한다. 보험회사는 의료기관으로부터 받은 서류를 검토하여 자체의 정책을 통해 승인 후 환자의 진료계획을 짜고 예약을 하게 된다. 이에 따라 환자가 의료기관을 방문하여 의료서비스를 받게 되면 의료기관은 보험회사에 진료비를 요청한다.

② 의도되지 않은 의료서비스 이용

외국인환자가 갑작스럽게 해외에서 의료서비스를 받게 될 경우에 보험회사의 업무처리 방식은 여러 가지가 있을 수 있다. 외국에서의 갑작스런 의료서비스를 보장하는 자국의 의료보험회사의 보험증서를 갖고 있는 경우라면, 환자가 방문하는 의료기관은 해당 보험회사로부터 지불보증을 확인받아 의료서비스를 제공한다. 이 때 환자는 치료 후에 의료비를 지불하지 않고, 추후 보험회사가 의료기관에 납부하는 방식이다.

응급으로 환자가 방문할 경우에는 보험증서를 바로 확인하기가 어렵다. 의료기관마다 차이는 있지만 일반적으로 치료를 먼저하고 보험가입 여부를 확인한다. 그러나 경우에 따라서는 환자가 의료기관에 선지불하고, 직접 보험회사에 추후 청구하기도 한다.

4) 의료관광 보험 활용

의료보험은 크게 공공의료보험과 민간의료보험으로 나누어진다. 대체로 공공분야 보다는 민간보험이 우선적으로 의료관광에서 활용될 가능성이 높다. 민간보험사는 공익성보다는 영리성을 추구하고 있기 때문이다. 그러나 양국 간 협의와 지역 내에서의 경제협약 등으로 인해 공공의료보험에 있어서의 인접 국가와의 상호 적용도 점차 확대되고 있다.

의료관광은 의료관광 목적지 국가나 외국인환자에게 상호 이익이 되는 것이다. 심지어 의료관광 출발지 국가에서조차도 의료보험을 적절히 활용한다면 이들에게도 이익이 될 수 있다. 의료관광 수요가 활성화 된다면 다음과 같은 혜택이 발생하게 된다.

① 의료관광 목적국은 의료관광의 적용확대로 고소득자 외에도 중산층 시장으로까지 접근할 수 있는데, 중산층은 일반적으로 자신의 의료비용을 독자적으로 지불할 수는 없지만 보험의 적용으로 인해 해외에서 치료를 받을 수 있는 기회를 얻게 된다. 해외에서의 의료서비스 이용으로 비용이 절감되면 향후 소비자는 보다 저렴한 보험료를 납입할 수 있다.

② 의료관광 소비자는 해외에서의 보험 적용으로 인하여 저렴한 비용으로 양질의 의료서비스를 받을 수 있게 되므로 이익을 얻게 된다.

③ 보험을 부담하는 고용주의 입장에서도 직원들이 저렴한 비용으로 치료를 받을 경우 전체적으로 납부하는 보험 비용을 절감할 수 있다.

공공부문에서는 대체로 보호주의적 성향을 가지기 때문에 공공의료보험이 국민들의 해외 치료에 지원하는 것을 반대하는 경향이 강하다. 그러나 국가 복지의료 정책으로 공공보험이 과중한 비용을 감당하기 어려운 현실에서는 이러한 경향이 앞으로 완화될 수도 있다. 실제로 영국과 캐나다와 같은 지역에서는 해외의료서비스를 국가 의료보험 재정 부담을 완화시키고 전체적인 의료비용을 줄일 수 있는 수단중의 하나로 보고 있다.

의료관광 목적지로 홍보하는 국가와 의료기관들은 의료보험을 운영하는 국가에서 가입자들로 하여금 해외에서의 치료비를 부담하는 제도를 운영하도록 노력하고 있다. 이를 위해 각국 정부는 정부 및 보험회사와 협상을 벌여 나가고 있다. 여러 목적지 국가에서는 거대한 민간 보험회사나 특정 국가의 공공의료보험과 접촉하여 협상을 진행하고 있다. 이때 의료기관들은 병원인증이나 국제라이센스 취득을 통해 의료품질에 대한 보증으로 활용하고 있다. 그리고 의료관광에서 보험적용을 늘리기 위해서는 중개인을 적절히 활용해야 한다. 이로 인해 중개서비스 비용이 발생하지만 이들은 가치 있는 정보를 제공해 준다. 이들은 중개수수료를 받고 외국인환자와 의료기관, 그리고 보험사 모두에게 유리한 가장 좋은 조건의 의료거래를 성사시킬 수 있다. 이러한 훌륭한 중개업자가 증가하게 되면 서로간의 의사소통은 더욱 원만하게 진행될 것이다.

〈그림 3-14〉 의료관광 보험 업무협약 사례

4. 의료관광 전문인력

외국인환자가 원활한 의료서비스를 받기 위해서는 의료인 외에도 여러 가지의 도움이 필요하다. 그 중에서도 의료관광객의 모국어와 한국어를 동시에 구사할 수 있으며 전문적인 의료지식을 갖추고 환자의 마음을 이해해 줄 수 있는 의료관광 코디네이터는 외국인환자가 보다 편안한 환경에서 치료받을 수 있도록 하여 의료서비스의 만족도를 높이는 데 크게 기여하는 의료관광의 핵심인력이다.

1) 의료관광 코디네이터 종류

의료관광 산업이 발전함에 따라 의료관광객을 대상으로 하는 전문 인력의 수요도 급격히 늘어나고 있다. 의료관광은 고객이 문화와 언어적으로 낯선 환경에서 전문가에 의존하는 서비스를 받는 상황이므로 불안감을 느끼기 쉽기 때문에 환자와 심적 공감대를 형성하는 것이 무엇보다 중요하다. 특히 신체와 생명을 다루는 상황이기에 이는 무엇보다 우선시 되어야 한다. 따라서 의료관광시장의 성장을 위해서는 전문적인 의료지식 뿐만 아니라 문화적 이해를 바탕으로 원활한 의사소통이 가능한 의료관광 전문가의 필요성이 높아지고 있다.

〈표 3-14〉 의료관광 전문 인력 종류

명칭	주요 역할	교육 내용
의료관광코디네이터 (진료코디네이터)	• 외국인환자 상담 및 예약, 사후관리 • 병원 안내 및 진료 통역 • 관광 통역 및 안내	의료 실무 병원 행정 실무 관광 실무
의료관광마케터 (국제의료마케터)	• 유치를 위한 상품 개발 • 국제 비즈니스 네트워크 구축	의료관광 실무 홍보마케팅 실무
의료통역사	• 전문 시술 의료 통역	전문 의학 용어

(1) 의료관광 코디네이터

세계시장을 타깃으로 하는 의료관광 산업에서 언어능력은 가장 중요한 능력으로 손꼽을 수 있다. 의료관광 코디네이터는 의료관광객이 양질의 의료서비스를 제공받고 의료서비스 제공자가 효과적으로 고객을 케어 할 수 있도록 의료지식과 통번역 능력을 바탕으로 의료관광 유치업무의 핵심을 담당하고 있다. 이들은 공항영접 및 환송, 병원의 행정업무, 진료 및 요양 절차 안내, 관광레저 및 문화 안내, 보험 등 외국인환자의 입국에서 출국뿐 아니라 사후관리까지 필요한 모든 관련 서비스를 지원하게 된다. 특히 의료진과 환자와의 중개자이며 의사소통 창구 역할을 수행한다. 이들은 메디컬센터, 종합병원 및 대학병원을 포함하여 각 분야별 의료기관 혹은 의료관광 유치업체에 소속되어 활동하기도 한다. 의료관광 코디네이터는 영어, 중국어, 일본어, 러시아어 등 언어적 능력 외에도 문화적 공감대 형성과 고도의 전문적 의료관광 통번역 지식을 갖추어야 한다.

(2) 의료관광 마케터

의료관광 마케터는 국내외 의료관광서비스의 공급과 수요를 상호 연결하고 교환이 일어나도록 하여 상품개발 및 홍보 등 의료관광서비스의 가치를 창출하는 활동에 참여하게 된다. 이들은 여행사, 의료컨설팅 업체에서부터 메디컬센터, 종합병원 및 대학병원을 포함한 의료기관까지 폭넓은 영역에서 활동하고 있다. 최근엔 해외 에이전시들과 비즈니스 네트워크 구축이 이들의 중요한 업무가 되고 있다.

(3) 의료통역사

환자의 진료와 수술, 간호를 담당하는 의료진과의 의사소통은 매우 중요하다. 원만한 의사소통은 외국인 환자의 만족도를 높이고 재방문을 유도하는 핵심요소가 된다. 의료 통역사는 모국어를 구사하거나 이와 비슷한 수준의 언어능력을 필요로 한다. 대체로 국내에 거주하는 외국인이 이러한 역할을 담당하는 경우가 많다. 전문시술에 대한 의료 통역을 위해서 전문의학용어에 대한 이해가 반드시 필요하다.

(4) 의료관광 푸드코디네이터

의료관광 푸드코디네이터는 종교 및 지역별 식문화에 대한 이해를 바탕으로 외국인환자에게 그들의 입맛에 맞는 자국의 요리를 제공하는 역할을 담당한다. 해당 환자에게 맞춤 요리를 제공하는 것은 환자들의 만족도를 높이는 것은 물론 부가가치를 향상시켜 의료기관의 수익성 향상 등 의료관광 발전에 기여하고 있다. 대체로 외국인환자가 많이 방문하는 대형병원의 영양사 및 조리사가 이들의 역할을 담당하게 된다. 이들을 위해 의료관광객을 위한 그들 나라의 대표음식에 대하여 매뉴얼을 개발하여 필요로 하는 곳에 보급하고 있다.

〈그림 3-15〉 의료관광객을 위한 대표음식 매뉴얼

(5) 의료관광 국제간병사

국제간병사(care giver)는 외국인환자의 입원 기간 내내 환자 가까이에서 전문적인 간병 서비스는 물론 통역 등의 서비스를 제공하게 된다. 그러므로 전문적인 간병지식과 질병별 간병 방법은 물론 영어, 일어, 중국어, 러시아어, 몽골어 등 외국어 구사능력과 해외 환경에 대한 이해도 요구된다. 대체로 이러한 업무는 국내에 정착한 외국인이나 다문화가정 출신이 맡고 있다.

(6) 의료관광 테라피스트

의료관광 테라피스트(therapist)는 스파, 허브, 에스테틱을 비롯하여 손을 사용하여 피부에 일정한 자극을 주어 생체반응을 일으키게 하여 환자의 건강을 증진시키는 역할을 담당한다. 최근 웰니스 관광의 활성화로 외국어 의사소통 능력을 갖춘 테라피스트의 수요가 늘고 있다.

2) 전문인력 교육 프로그램

의료관광 산업 전문인력 수급에 대한 수요가 증가하면서 이들에 대한 교육기관도 늘고 있다. 이에 전문교육기관의 교육 프로그램의 품질을 유지하고 교육 커리큘럼의 기준을 만들어 나갈 필요성이 있다.

(1) 전문인력 및 교육 프로그램

의료관광 코디네이터는 하고 있는 업무의 형태에 따라 여러 가지로 구분이 가능하다. 많은 교육기관과 관련 전문기관에서는 위와 같은 직무를 기준으로 다양한 의료관광 교육 과정을 운영하면서 전문가를 양성하고 있다. 의료관광 코디네이터, 의료관광 국제 간병인, 의료관광 푸드코디네이터, 한방 의료관광 코디네이터, 의료관광 마케터 등의 양성과정이 그것이다. 교육생은 주로 의료기관 및 유치업체, 여행사 종사자를 대상으로 하는 재교육과 이 분야에서 일하기를 희망하는 다문화가정 구성원 또는 일반인, 학생 등이다.

① 기본역량 교육

기본역량 교육은 의료관광코디네이터로서 업무수행에 필요한 기본역량 강화를 목표로 한다. 의료관광 입문자를 대상으로 의료관광 산업에 대한 전반적인 이해와 전문직으로서의 의료관광 코디네이터의 역할과 자세 등으로 교육내용을 구성한다.

〈표 3-15 〉 의료관광전문가 양성과정 기본역량 교육 가이드라인

교과목	학습 목표
의료관광 산업의 이해	• 글로벌 헬스 케어 산업의 이해 • 의료관광산업의 이해 • 의료산업화 트렌드 이해
의료관광 코디네이터 역할과 임무	• 의료관광 코디네이터의 역할과 필요 역량 • 서비스 마인드 함양과 리더십 제고
의료관광 컨시어지(concierge)	• 호텔 예약 업무 • 관광안내 및 수배업무 이해
외국인환자 출입국 관련법	• 의료관광객 출입국 관련법과 제도 이해 • 의료비자 발급 및 절차 이해
의료관광 상담 및 커뮤니케이션	• 기본방법 이해 • 효과적 커뮤니케이션 이해
기초 의료 외국어	• 상황 언어에 대한 이해 • 주요 상황별 의학용어 이해

출처: 한국의료관광 총람, 한국관광공사, 2012.

② 핵심역량 교육

핵심역량 교육은 의료관광 마케터로서의 활동과 의료시술 상품에 대한 이해를 바탕으로 하는 실무 마케팅 역량 개발을 목표로 한다. 의료관광 마케팅 전략 수립 및 실행 계획, 마케팅 도구의 개발 및 전략실행 등 환자유치를 위한 홍보 및 마케팅 업무에 대한 폭넓은 이해와 실무능력을 제고할 수 있는 교육내용으로 구성한다.

〈표 3-16 〉 의료관광전문가 양성과정 핵심역량 교육 가이드라인

교과목	학습 목표
주요 국가별 의료관습 및 문화	• 주요 국가별 문화 이해 • 주요 국가의 의료문화 및 관습에 대한 이해
의료관광 소비자 행동의 이해	• 의료관광 소비자 심리 이해 • 의료관광 소비자 욕구와 동기, 행동 결정 요인 이해
외국인 의료보험 실무	• 해외 주요 보험사 상품 이해 • 외국인 의료수가 체계 이해 • 의료기관 배상책임보험제도에 대한 이해 • 외국 보험사 보험 청구 업무처리과정 숙달
의료관광 법과 제도	• 의료법 현황 이해 • 의료분쟁 관련 대응 방법에 대한 이해 • 의료관광 산업 활성화를 위한 제도 및 정책에 대한 이해
의료관광 문제 해결 및 리스크 관리	• 의료관광 리스크 관리에 대한 개념 이해 • 발생 가능한 리스크 사전 예방 시나리오 모색 • 문제해결능력 향상
외국인환자 진료 및 서비스 프로세스	• 의료관광 상품 운영 시스템에 대한 이해 • 단계별 상품 운영 프로세스 및 서비스 제공체계 숙달
의료관광 상품 기획	• 의료관광 상품에 대한 이해 • 의료관광 상품기획 실무능력 향상
의료관광 마케팅 사례연구	의료관광 마케팅 성공사례를 통한 전략수립 능력 향상
의료관광 인터넷 마케팅 전략	온라인 마케팅 도구 활용법 습득과 적용능력 향상

출처: 한국의료관광 총람, 한국관광공사, 2012.

(2) 국제 의료관광 코디네이터 국가자격증

이러한 의료관광 전문 인력을 육성하고 활용하기 위하여 정부에서는 2013년부터 '국제 의료관광 코디네이터'라는 명칭으로 국가 자격증 시험 제도를 운영하고 있다. 이는 의료관광 교육 수료자의 체계적인 관리와 공인 자격증을 통한 신뢰성과 타당성, 그리고 공정성을 확보하여 처우에 대한 개선을 하기 위함이다. 이들 국제 의료관광 코디네이터는 보통 의료관광 전문 의료기관 또는 의료관광 유치업체에 소속되어 의료관광객 활동 전반의 편의를 위한 서비스를 제공하게 된다. 이들은 의료서비스 및 관광서비스 지원 관리에 대한 업무수행능력과 어학능력

을 평가받게 된다. 또한 시험자격도 관련 학과를 졸업하거나 동일 및 유사 직무 분야에서 업무 경력이 있는 사람, 의사 및 간호사, 보건교육사, 관광통역안내사, 컨벤션기획사 등 관련 자격증 이 있는 사람들을 대상으로 실시된다.

〈표 3-17 〉 국제 의료관광 코디네이터 국가자격시험 개요

구분	필기시험	실기시험

시험과목	1. 보건의료관광행정
	2. 보건의료서비스지원관리
	3. 보건의료관광마케팅
	4. 관광서비스지원관리
	5. 의학용어 및 질환의 이해
		1. 보건의료관광 실무
		  - 의료관광마케팅, 관광 상담 등
		2. 의료관광 기획력
		  - 진료서비스 관리, 관광 관리 등
		3. 의료관광 실행 능력
		  - 고객만족서비스 실시 및 관리 능력

시험방법	객관식 4자택일, 100문항	작업형 또는 필답형 (주관식)
합격결정 기준	1. 과목당 100점 2. 매 과목 40점 이상, 전 과목 평균 60점 이상	60점 이상

〈표 3-18 〉 국제의료관광코디네이터 공인어학성적 기준요건

외국어	기준 점수
영어	• TOEIC: 700점 이상　　　 -TEPS: 625점 이상 • TOEFL: CBT(197점 이상), IBT(71점 이상) • FLEX: 625점 이상　　　 -G-TELP: 65점 이상
일본어	• JPT: 650점 이상　　　 -NIKKEN: 700점 이상 • FLEX: 720점 이상　　　 -JLPT: 2급 이상
중국어	• HSK: 5급 이상과 회화 중급이상　 -BCT: 모두 5급 이상 • FLEX: 700점 이상　　　 -CPT: 700점 이상
기타 외국어	• 러시아어, 태국어, 베트남어, 말레이 · 인도네시아어, 아랍어 : FLEX 700점 이상

비고: 취득한 성적의 유효기간(보통 2년) 내에 응시자격기준일(필기시험일)이 포함되어야 함

3) 전문 교육기관 및 프로그램 구성

의료관광 산업이 발전함에 따라 의료관광 전문 인력의 수요가 늘고 있다. 이에 의료관광 코디네이터를 중심으로 통역사, 마케터 등 의료관광의 전문 인력에 대한 다양한 교육 프로그램이 운영되고 있다. 교육기관으로는 대학, 공공기관 및 협회, 민간교육기관 등으로 다양하다. 평균 교육기간은 8~12주이고 모집정원은 30~40명 정도로 이루어지고 있다.

(1) 전문 교육기관

의료관광 전문 인력을 양성하고 있는 공공 기관으로 한국보건복지인력개발원 (www.kohi.or.kr)과 한국관광공사(www.visitkorea.or.kr)가 있다. 그 외에도 각종 협회와 대학의 평생교육원에서도 다양한 양성 프로그램을 운영하고 있다.

(2) 교육 프로그램 구성

다음은 전문 인력을 양성하고 있는 관련 협회의 의료관광 교육 프로그램의 사례이다.

〈표 3-19〉 글로벌의료서비스 전문 인력 양성과정

구분	학습주제	교육과목	시간
의료관광 코디네이터	의료관광 개념 및 의료관광프로세스	• 의료관광산업의 개념 이해 • 의료관광 실태/산업전망/트렌드 • 국제진료 영역과 업무 프로세스/역할 및 역량 • 진료 외 분야(영접, 예약, 쇼핑, 관광 등)	8
	의료관광 법과 제도, 리스크관리	• 의료관광 법과 제도 • 리스크관리(실례)	4
	의료관광 에이전시 역할 및 임무	• 의료관광 에이전시 역할 및 업무 프로세스 • 국가별 문화적 특성 및 의료 윤리	8
	의학용어	• 의료관광 의학용어	12
	의료관광 마케팅	• 국제의료 소비자 행동의 이해 • 고객 특성별 조사 및 분석, 사례연구 • 의료관광 상품 홍보 및 광고 • 마케팅 전략	8
	의료관광 상품개발	• 의료관광 상품에 대한 이해 • 국내 및 해외 상품 현황 • 의료관광 상품기획 및 사례연구	12
	의료관광 현장학습 및 취업전략	• 종합병원 현장학습 • 외국인환자 유치 업무 보조 및 관찰 • 시뮬레이션 체험 • 취업전략	8
병원 코디네이터	보건환경 및 업무이해	• 의료체계 및 원무 관리 • 의료정보시스템의 이해(의료 환경)	12
	병원 업무 실무	• 환자관리 및 상담관리 • 병원 커뮤니케이션 및 업무프로세스	12
	의료서비스 Basic Attitude	• 고객응대 기본 및 유형별 커뮤니케이션 스킬 • VOC의 활용 및 고객만족의 실무	8
	의료서비스 Skill Upgrades	• 서비스 프로세스 MOT 분석 • 모니터링 기법 & 매뉴얼 제작	8
	병원코디네이터 현장	• 진료프로세스 및 고객 불만처리 실무 • PR 시뮬레이션 체험	8

출처: (사)대한의료관광코디네이터협회, 2014.

의료관광 전문인력 역할

**전문
인력**

- 코디네이터 : 외국인 환자 상담 및 안내
- 마케터 : 해외 홍보 및 마케팅
- 의료통역 : 통역 지원
- * 전체를 "국제의료관광코디네이터"로 통칭

**인력
수요**

- 의료기관
- 유치업체 : 여행사, 전문업체
- 관련 기관/단체 : 공공기관, 지자체, 협회 등

〈그림 3-15〉 의료관광 코디네이터 역할 및 진출

〈그림 3-16〉 의료관광 전문 인력 채용박람회

〈그림 3-17〉 의료관광코디네이터 상담활동

03절 관광 분야 역할

●●●　　UNWTO(세계관광기구)의 정의에 따르면 관광이란 방문하는 국가에서 24시간 이상 체류하면서 여행목적이 여가, 레크리에이션, 휴가, 운동, 건강, 공부, 종교, 방문, 사업, 임무수행, 회의참가 등으로 생업이 목적이 아닌 모든 행위를 말한다. 그리고 관광객은 이러한 행위에 참가하는 방문객을 말한다.

　　외국인환자는 의료관광 목적지를 선택할 때 교통수단, 숙박 및 음식, 문화 및 레저 관광자원 등 관광요소에 대해서도 매우 중요하게 고려한다. 거의 모든 의료관광객은 목적지 국가에서 의료기관 외에도 관광 시설을 사용하게 된다. 따라서 의료관광 산업에서 관광자원도 고객에게 서비스를 제공하는 빼놓을 수 없는 요소이다. 동남아시아와 중남미 지역의 경우 일부 병원들은 해변의 호텔에서 가까운 거리에 위치해 있거나 아예 호텔과 함께 위치한 경우도 있다. 국내의 경우에도 서울 강남 지역과 부산 지역을 중심으로 고급호텔과 병원을 합친 메디텔(medi-tel)이 새롭게 부각되고 있다. 의료관광객은 호텔에 머물면서 편리하게 치료를 받을 수 있고, 또한 프라이버시를 보호받을 수 있다. 결국 의료관광은 호텔 산업과 공생관계라 할 수 있다. 의료관광객에게는 방문 지역의 음식도 중요한 고려요소이다. 종교나 관습으로 인해 특정 음식을 기피하거나 선호할 경우 가장 중요한 문제가 음식이기 때문이다. 한국의 병원들이 이슬람권의 환자를 유치하고자 할 때 부딪친 문제가 이슬람 음식에의 접근성이었다. 이들 음식은 돼지고기와 알코올이 포함되지 않아야 하며, 율법에서 허용된 음식인 할랄푸드(halal food)만이 가능하다. 음식문제가 갖추어져있지 않는다면 관광객의 유치는 한계가 있다. 그리고 여행사의 전문성, 여행 상품의 다양성, 여행업체의 네트워크, 합리적 가격 등도 목적지 국가에 대한 긍정적

이미지 형성에 중요한 요소이다. 또한 대중교통 이용의 편리성과 가격 등과 같은 교통 인프라 측면도 관광객에게 중요한 고려 요소이다. 이 외에 인터넷 접근성, 안내 및 편의시설도 관광객에게 고려해야 할 가치 있는 서비스 항목이다.

1. 관광 산업의 융·복합

융·복합(convergence)이란 둘 또는 그 이상의 개체나 어떤 현상이 함께 어우러지는 것을 말한다. 즉, 여러 산업이나 경제활동이 서로 섞여 융합(fusion)되고 수렴되는 현상을 일컫는다. 이러한 융·복합은 단순히 어떤 기술이나 제품을 합치는 것이 아니라, 다른 기술이나 제품을 융합하여 기존 제품들의 산술 합보다 더 큰 가치를 창출해내는 것을 의미한다. 관광 산업에서 융·복합은 타 산업과의 융합을 통해 경제적으로 시너지 효과를 올리는 것을 들 수 있다.

1) 융·복합의 이점과 발전 방향

융·복합화는 기업혁신의 틀로 활용되면서 각 산업에서 점차 보편화되어가고 있다. 수많은 산업과 사업 분야에서 제품의 창조, 쇠퇴, 소멸이 반복되어가는 가운데 기존에 없는 완전히 새로운 상품을 만들어내는 것은 상당히 어렵다. 따라서 효율성 측면에서 우수한 재조합을 통한 혁신이 이러한 형태로 등장하였다.

(1) 융·복합의 이점

융·복합은 다양한 산업에서 검증된 기술과 아이디어 등을 창조적으로 재조합해 새로운 가치를 창출하는 것으로 다양화, 고도화 되는 고객 니즈를 충족시키는 효과적인 혁신방안을 말한다. 이러한 현상은 추진되는 것에 따라 여러 가지 이점을 얻을 수 있다. 첫째, 융·복합을 통해 기존 산업 내에서의 제품과 서비스로는 창출하기 어려운 고객에 대한 효용 창출이 가능하다. 편의성을 높이려는 인간의 욕구가 진화하는 가운데 산업 혁신을 통한 효용증대에는 한계가 있으므로, 산업의 융합을 통한 다양한 혁신의 생성과 획기적인 효용 증대가 나타나게 되었다. 의료관광의 경우 의료서비스의 고부가가치 산업화를 위해 추진되기 시작하였다.

둘째, 대부분의 기존 사업이 경쟁자가 많은 레드오션으로 변모하는 상황에서 융·복합화는 경쟁에서 자유로운 블루오션 생성을 통해 고부가가치 사업의 창출이 가능하다. 이러한 영역의 경우 기존 기술만으로는 접근이 어렵기 때문에 시장경쟁자가 소규모이므로 고부가가치 창출이 가능하다. 관광 산업은 무형의 서비스를 제공하는 사업으로 새로운 가치창조를 위해서는 다른 매개체가 필요하다. 셋째, 융·복합 영역의 경우 게임 룰에 근본적인 변화가 발생하도록 하여 미래 비즈니스 세계의 변화를 주도한다. 미국에서는 'expedia.com'이나 'travelocity.com' 등과 같은 여행 검색 포털사이트를 이용한 온라인 관광산업이 큰 성장을 이루고 있다.

(2) 융 · 복합의 발전방향

융·복합은 앞으로 더욱 많은 분야에서 진행될 것이며, 이미 상당한 발전을 이루고 있는 인터넷 정보기술 분야에서 가장 두드러질 것으로 보인다. 관광산업에서는 지리정보시스템(GIS), 내비게이션(Navigation), IT 등과의 접목이 두드러질 전망이다. 또한 연관 관계가 그다지 없어 보였던 3차 산업 간에도 융·복합이 빠르게 진행될 것으로 예측된다. 이 가운데 의료서비스와 관광 산업의 융·복합은 고부가가치 산업화의 가장 발전적인 모델로 주목을 받고 있다.

관광 산업에 있어서 마케팅과 전자상거래가 융합될 수 있는 새로운 길이 열렸다. 관광과 IT 산업의 융합은 마케팅 비용을 줄이고, 중간 유통 과정을 줄이며 새로운 마케팅 관계를 구축하는 역할을 하고 있다. 여행 관련 포털사이트, 웹기반 호텔예약 시스템, 항공권과 자동차 임대업 연계 예약시스템 등 관광객이 직접 관광 상품을 선택하고 프로그래밍 하는 웹기반이 갖추어지고 있는 추세이다. 개별관광객(FIT)과 특정목적관광객(SIT)이 증가함에 따라 웹기반의 관광정보 예약 및 수배 시스템은 그 수요가 계속 증가할 것으로 보인다.

많은 산업 분야에서 소프트화 및 서비스화가 가속되면서 서비스 산업의 비중이 빠르게 증가하고 있다. 이에 따라 무형자산의 부가가치 기여도 증대로 산업 간의 융합은 급진전되어 가고 있다. 또한 산업 간 경계가 와해되면서 전체산업은 산업 간 또는 비즈니스 간에 유기적으로 결합된 네트워크형 산업구조의 변화과정을 겪고 있다. 따라서 기존의 독립된 개별 산업은 새로운 영역에 흡수되거나 점차 영역이 축소될 것이다. 따라서 관광산업에 있어서도 이런 융합현상은 다양하게 시도되고 있다. 예를들어, 농촌관광의 경우 관광 활동의 기본문제를 해결하도록 하고, 체험관광 프로그램 및 마을 내 농산물 판매 등을 통해 부가가치를 창출해내고 있다.

2) 관광 산업 융·복합화 분야

관광 산업에서 융·복합화가 가능한 분야는 거의 모든 산업 분야를 망라한다고 할 수 있다. 이 가운데 최근 부각되고 있는 것으로는 의료관광과 웰니스관광, 농어촌 체험관광, 그리고 휴대용 정보통신기기를 활용한 유비쿼터스 관광 등이 있다.

(1) 의료관광과 웰니스관광

의료관광은 의료서비스와 휴양·레저·문화 활동 등 관광 활동이 결합된 새로운 관광형태를 말한다. 의료서비스의 고부가가치 산업화를 위해 추진하고자 하는 것이 고부가가치 의료관광 사업과 새로운 의료기술의 개발 활성화이다. 현재 세계의 많은 나라들은 민간 또는 정부의 주도로 의료서비스와 건강증진 상품을 관광 사업과 연계하여 발전시키고 있다.

의료서비스를 받기 위해 방문하는 관광객은 대체로 체류기간이 길다. 특히 미용이나 성형, 건강검진, 간단한 수술 등으로 찾아오는 외국인 방문객의 경우 관광을 연계하여 머물기 때문에 체류비용도 높다. 단순한 관광지 답사에 그치던 과거의 관광행태에서 직접 참여하여 체험함으로써 자기의 거주지에서 경험할 수 없는 방문 지역에서만의 특이한 문화 및 서비스 체험이 미래의 관광 상품이 될 것으로 보인다.

웰니스(wellness)란 건강한 생활의 모든 영역을 포괄하는 광의적 개념의 건강으로써 운동, 영양, 휴양을 통합하여 추구해 나가는 것이다. 이러한 웰빙(wellbeing)을 추구하는 문화와 관광이 결합된 개념으로 관광을 통한 삶의 질 향상을 추구하는 새로운 관광의 트렌드가 강조되고 있다. 이것에는 보양, 의료, 미용 등 건강증진관광, 자연휴양자원을 이용한 친환경관광, 전통음식 시식 및 조리를 포함한 먹거리 관광, 전통문화 및 농어촌 체험을 통한 체험관광 등 다양한 유형의 관광 활동을 포함하고 있다.

(2) 농어촌 체험관광

체험관광의 대표적인 형태인 농어촌관광은 대중적 관광에 대한 대안적 형태의 관광으로 떠오르고 있다. 대규모 관광시설을 조성하고 대자본을 유치하여 관광산업을 진흥시키는 형태의 대중적 관광은 대규모 시설 설치로 인한 환경 훼손과 대량의 관광객 유입으로 인한 관광자원 고갈 등의 문제를 낳고 있다. 반면 농어촌 체험관광은 이에 대한 대안으로서 농어촌 환경, 자연생태계, 농어촌 생활, 농어촌의 전통문화 등을 관광의 소재로 삼아 소규모 관광객들을 대상으로 지속가능한 관광을 추구하고 있다. 또한 농수산물의 수급불균형과 대외 시장개방으로 인해 농어업생산이 위축되고 농어촌사회가 공동화되는 것에 대처하기 위하여 경쟁력을 유지시키는 방안으로 농업과 어업을 관광과 결합시켜 부가가치를 창출함으로써 농어업을 생산중심에서 서비스중심으로 변화시키는 것이 가능해졌다. 이처럼 1차 산업인 농어업과 3차 산업인 관광을 결합시켜서 새로운 부가가치를 창출하는 중간 산업(0.5차 산업)을 실현해내는 것이다.

(3) 스포츠관광

현대인들의 스포츠에 대한 관심의 증대는 관련 서비스의 개발을 자극하여 건강과 스포츠에 관광 상품을 결합한 스포츠관광의 발달을 가져왔다. 스포츠관광에는 스포츠 이벤트 관람과 스포츠 관련 명소 방문, 그리고 적극적인 스포츠 참여 등의 세 가지 범주로 구분해 볼 수 있다. 또는 이를 크게 관람형과 참가형으로 분류하기도 한다. 이중에서 월드컵축구나 올림픽경기와 같은 스포츠 이벤트는 개최 지역에 미치는 파급효과가 무척 크다. 따라서 최근에는 이러한 메가 이벤트와 각종 대회 등의 활성화와 관련하여, 스포츠와 관광의 욕구를 동시에 충족시킬 수 있는 형태로 발전해가고 있다. 그리고 생활스포츠를 즐기는 동호인들이 날로 증가하고 있어 이들을 대상으로 하는 스포츠경기 기획업도 새로운 업종으로 부각되고 있다.

(4) 공연 및 영화 촬영지 관광

영화나 드라마와 관광을 연계시켜 세트장, 촬영지 등을 관광명소로 꾸미거나 영화제 개최, 연관 업체 입지 등으로 지역 전체가 영상문화의 메카로 자리 잡아 가고 있다. 영화 장면 체험코스 개발, 영화 및 드라마와 관련된 문화상품을 개발하여 촬영지를 단순히 구경하는 곳이 아닌 테마가 있는 관광지로 개발한다. 영화관광은 대중문화와 엔터테인먼트 산업이 관광 산업과 융합되어 스토리를 덧붙이고 패키지화하여 부가가치를 높이게 된다. 1996년 부산국제영화제의 성공적 개최 이후, 부산은 영화도시로 자리잡아가고 있다. 이미 아시아 최고 영화제로 성공한 이후 주변의 많은 지역에서 관광 상품으로 개발하여 외래 관광객들이 방문하는 기회로 활용되고 있다. 또한 뉴질랜드는 영화 "반지의 제왕" 촬영지로 알려진 것을 계기로 세계적인 관광지로 거듭나게 되었다.

대중음악 공연을 활용하여 관광 상품으로 성공한 사례는 국내외에서 많이 찾아 볼 수있다. 유명 뮤지션들의 국내 및 외국에서의 공연은 많은 사람들의 관심의 대상이었으며 공연관광 상품으로 판매되고 있었다. 국내에서는 2000년대 초부터 아시아를 중심으로 일기 시작한 한국 대중문화 붐으로 인해 한국 아이돌스타들의 공연이 관광 상품의 하나로 자리 잡았다.

〈그림 3-19〉 공연관광상품

〈그림 3-20〉 드라마(대장금)

(5) 유비쿼터스관광

유비쿼터스(Ubiquotus)란 용어는 '언제 어디서나', 또는 '동시에 존재한다.'라는 뜻으로 즉 물이나 공기처럼 도처에 퍼져 있는 자연상태를 의미한다. 이 용어는 정보사회의 차세대 키워 드가 되었다. 즉 휴대전화를 중심으로 하는 모바일 단말기에 컴퓨터칩을 집어넣어서 어디에서 든 사용할 수 있게 되면 이것도 유비쿼터스 영역에 포함된다는 주장이 나오면서 휴대용 단말 기야말로 유비쿼터스의 주역이라고 인식되었다.

이런 기기들이 네트워크로 연결되면 원하는 관광지에 찾아갈 때 GPS와 내비게이션을 이용 해서 도로사정과 원하는 곳까지의 최단거리를 알려줄 수도 있고, 현지의 날씨상황도 알 수 있 게 된다. 또한 관광지에서 어디를 다니더라도 휴대폰으로 지역에 관한 실시간 정보를 얻을 수 있으며, PDA나 소형 컴퓨터로 보다 많은 실시간 정보를 얻을 수 있다.

유비쿼터스를 활용하여 관광객이 호텔서비스를 직접 제어하기도 한다. 개별관광객들은 다 른 관광서비스와 호텔서비스를 동시에 제어하는 것이 가능하다. 따라서 호텔서비스를 이용하 는 개별 관광객의 관리가 점점 더 고도화된다. 호텔 종사자는 업무에서 발생하는 각종 관련 정 보를 고객들이 알기 쉽게, 그리고 알고 싶게 만들어가는 노력이 필요하다.

〈그림 3-21〉 도심 관광 명소(청계천의 야경)

〈그림 3-22〉 가을 풍경(지리산 청학동)

2. 관광자원과 의료관광

관광자원은 의료관광객이 특정 목적지 국가를 선택하도록 자극하는 역할을 한다. 즉 특정 지역의 방문을 유도하는 동기유발 역할을 수행한다. 태국은 의료서비스와 휴양을 연계하였고, 브라질은 의료서비스와 카니발축제를 패키지화하기도 하였으며, 남아프리카공화국은 의료서비스를 사파리투어와 연계시키기도 하였다.

〈표 3-20〉 관광자원 종류

자연관광자원	문화관광자원	사회관광자원	위락관광자원	산업관광자원
강·호수, 동식물, 기후, 지형, 해안, 섬, 산악, 기상, 자연현상 등	전통 민속, 축제, 유적, 사적, 건축물, 기념물, 박물관·미술관 등	음식, 생활, 교육, 종교, 음악, 스포츠, 사회형태, 국민성 등	레저시설, 스포츠시설, 쇼핑센터, 놀이공원, 카지노 등	유통단지, 관광목장, 전시회, 농어업시설, 공공시설 등

1) 자연관광자원과 의료관광

자연관광자원이라 함은 자연에 존재하고 있는 상태로 관광자원으로 활용 가능한 자원을 말한다. 자연관광자원은 거의 모두가 의료관광과 직접적인 연관성을 가지고 있다. 즉, 물, 식물, 기후, 지형 등을 활용하여 건강 회복과 치유가 가능하다.

(1) 물자원

바다, 강, 호수, 폭포와 같은 자연자원은 항상 여행객에게 매력적으로 다가오는 요인이다. 물과 관련된 여가활동에도 여러 가지가 있다. 온천, 스파와 같이 휴식을 즐기는 정적인 활동이 있는가 하면, 수상레저스포츠 활동과 같은 동적인 것도 있다. 일반적으로 물은 깨끗하게 씻어 낸다는 정화의 의미를 가지고 있다. 해양관광객을 유인하는 리조트에도 다양한 유형이 있다. 태국, 말레이시아, 멕시코, 쿠바 등 해양관광자원을 가지고 있는 지역에서는 의료서비스와 접 목하여 브랜드를 구축하는 전략을 취하였다. 이들 지역에서는 해변에서의 휴양을 즐기면서 피 부 관리와 같은 뷰티 관련 서비스를 받도록 하거나 임상적 치료를 받을 수 있는 곳으로 자국의 브랜드 이미지를 만들었다.

(2) 식물자원

숲은 매력적인 경치와 맑은 공기를 제공한다. 또 꽃, 허브와 같은 식물도 중요한 관광자원이 며, 단풍관광, 숲 체험 등도 이러한 활동에 속한다. 최근에는 숲과 식물의 치유효과를 이용하여 관광자원화하기 위해서 삼림욕장, 자연휴양림 등이 만들어지고 있다. 독일, 스위스, 일본 등은 산림을 이용한 치유 관광 상품을 오래전부터 개발하여 활용하고 있다.

(3) 지형자원

지형은 언덕, 산, 계곡, 사막 등을 의미한다. 산과 계곡과 같은 아름다운 경치를 무대로 트레 킹, 하이킹, 사진촬영, 드라이브 등의 활동을 유발하며, 겨울에는 스키, 크로스컨트리 등 레저 스포츠 장소로도 이용된다. 교통수단의 발달로 인해 보다 많은 사람들이 산에 쉽게 접근할 수 있게 되었고 레저와 관광 활동의 장소로 활용하고 있다. 남아공과 두바이에서는 사막의 특유 한 환경과 휴식의 체험이란 차별적 요소를 의료서비스와 연계하여 의료관광객을 유치하고 있 다. 국내에서는 제주도에 도보 여행자를 위한 올레길이 2007년부터 개발되어 많은 관광객이 찾게 됨으로써 큰 성공을 거두고 있다. 지금은 제주 올레의 성공에 자극 받아 많은 곳에서 도보 여행자를 위한 길을 발굴하여 소개하고 있다.

(4) 기후자원

날씨와 기후도 중요한 관광자원이다. 동남아시아, 남태평양, 카리브 해, 지중해와 같은 지역은 그곳의 기후와 연계하여 멋진 관광지를 연상하게 한다. 기후와 함께 오염되지 않은 상쾌한 공기도 여행객이 기대하는 중요한 관광요소이다. 은퇴자들이 기후조건이 좋고 생활비가 저렴한 지역으로 이주하는 현상이 생겨나고 있는데 이를 장기거주관광(long stay tourism)이라고 한다. 이는 재산을 본국에 둔 상태에서 타 문화와 삶을 즐기기 위하여 오랜 기간 해외로 이주하여 생활하는 것을 의미한다. 주된 거주지가 있으면서 다음 지역에 두 번째 집을 장만한다고 하여 세컨드 홈 관광(second home tourism)이라고도 한다. 말레이시아, 태국, 필리핀 등과 같은 나라는 외국인 은퇴자 유치에 매우 적극적이다.

연금이나 보험 혜택을 자국에서 받고 있는 은퇴자가 해외로 나와서 장기거주 할 경우 직면하게 되는 문제 중의 하나가 의료서비스의 이용이다. 해외에서의 의료서비스 이용에 대해서 자국의 국민건강제도가 일반적으로 보상을 허용하지 않기 때문에 결국은 은퇴이주자가 질병 치료를 위해서 본국으로 일시 귀국하거나 아니면 해외에서 자기비용으로 치료를 받아야 한다. 따라서 이들은 결국 자연스럽게 의료관광객이 된다.

〈그림 3-23〉 봄 풍경(청산도)

〈그림 3-24〉 가을 풍경

2) 문화관광자원과 의료관광

문화자원은 각 지역마다 역사성과 특이성에 기초하기 때문에 관광의 차별화에 기여할 수 있다. 또 문화는 언어, 음식, 예술 등 다양한 하위 요소를 가지고 있기 때문에 관광자원으로서의 무한한 발굴 가능성이 있다. 즉 지속가능한 관광을 유도할 수 있는 자원이다. 그리고 문화자원은 기존에 역사적으로 존재해온 것이지 새로 창조하는 것이 아니기에 그다지 추가비용이 들지 않는다. 투자비용에 비하여 효과가 굉장히 크다고 할 수 있다. 의료관광 방문객들은 문화 및 레저 활동을 통해 방문지에서의 관광 활동에 참여한다.

(1) 문화자원의 유형

대체로 문화자원은 유형자원과 무형자원으로 구분된다. 유형자원은 건축물, 예술작품, 서적 등으로 눈에 보이는 형태를 갖춘 것을 말하고, 무형자원으로는 음악, 춤, 언어, 종교나 의식과 같이 형태가 존재하지 않은 것들을 의미한다. 또는 문화자원의 하위차원을 분류함에 있어 문화와 자연유산, 공연과 의식, 시각예술 및 공예품, 서적 및 출판물, 청각 및 시각적 매체, 디자인과 창의적인 요소 등으로 구분하기도 한다. 이러한 문화관광 자원을 활용하는 관광 행위는 문화의 향유와 엔터테인먼트 요소를 내포하고 있어 모두 건강추구여행이라고 할 수 있다.

(2) 문화자원관광

문화자원의 체험에 초점이 맞추어진 관광을 특별히 문화관광이라고 한다. 문화자원에 대한 관광객의 관심도는 갈수록 늘어나고 있다. 미국여행산업협회(2008)가 실시한 조사결과에 따르면 여행객의 40%가 여행동기로 문화, 예술, 역사 등을 향유하는 것을 목적으로 하는 문화관광인 것으로 나타났다. 대체로 이들은 교육수준이나 소득수준이 높고 다른 유형의 관광객에 비해서 더 많은 돈을 지불하는 것으로 나타났다.

(3) 관광의 문화자원에 대한 영향

관광과 문화자원 간에도 상호작용의 관계가 있다. 관광이 문화자원에 긍정적으로 미치는 영향은 미술작품, 수공예품, 춤, 의식 등의 문화자원의 보존과 진흥에도 큰 도움이 된다. 그러나 관광행위는 잘 관리되지 않으면 오히려 문화자원의 파괴, 상업화를 야기할 수 있다. 또한 지역문화의 고유성이 무시되고 점차 사라져 갈 위험이 있다.

〈그림 3-25〉 남산한옥마을

〈그림 3-26〉 경복궁

3) 사회 및 산업관광자원과 의료관광

사회 및 산업관광자원이란 관광 목적지 지역 주민들의 일상생활과 생산요소 그 자체가 관광자원이 됨을 의미한다. 편리하고 안전한 대중교통, 자유롭게 걸을 수 있는 도시 거리 환경, 좋은 품질을 갖춘 편리한 쇼핑 시설, 음식 및 엔터테인먼트 시설까지 모두 포함한다. 주변 경쟁국에 비해 뛰어난 자연 및 문화 관광자원이 부족한 한국의 입장에서는 사회 및 산업적 관광자원을 활용한 외국인 의료관광객 유치가 보다 효과적일 것으로 보인다. 실제로 외국인 관광객들을 대상으로 한 한국의 관광매력도와 방문지에 대한 설문결과를 보면 인사동, 명동, 동대문 및 남대문 시장에서의 쇼핑에 많은 응답을 한다. 또한 편리하고 깨끗한 지하철을 비롯한 대중 교통시설에 높은 만족도를 보인다.

의료서비스를 받기 위해 입국한 외국인 방문객은 병원 내에서의 생활을 제외하고는 일반 관광객과 비슷한 생활을 한다. 그리고 대부분 병원에서 머무르는 시간은 길지 않다. 그러므로 이들이 방문지에서 안심하고 편리하게 일반인과 다름없이 생활할 수 있는 여건을 갖추고 있다는 것은 의료관광 목적지로서 큰 장점이 된다.

〈그림 3-27〉 명동 쇼핑거리

〈그림 3-28〉 동대문패션타운

3. 관광의 구조와 관광 사업

관광 분야에 대해 알아보기 위해서는 관광의 구조에 대한 이해가 필요하다. 또한 관련법에서 정하고 있는 관광지의 개념과 관광 사업체에 대해 파악하고 있는 것이 필요하다.

1) 관광의 구조

관광의 구조는 관광주체, 관광객체, 그리고 관광매체로 이루어져 있다.[27] 그리고 이들 구조체계에 대해 관광객(관광주체), 관광대상(관광객체), 교통·정보·촉진요소(관광매체)가 구성요소가 된다.[28] 이러한 관광구조의 첫째 요소는 관광의 주체인 사람의 마음속에 내재하는 심리적 요구로서 이것을 관광욕구라고 한다. 두 번째는 관광객의 외부에 존재하며 관광욕구를 충족시켜주는 대상물이다. 그리고 셋째 요소는 관광욕구와 관광대상을 연결시키는 것인데 이것을 관광매체라고 한다. 이 관광매체는 관광사업체를 지칭하는 개념이라고 볼 수 있다. 결국 이와 같은 구조 내에서 상호 유기적인 관계를 형성함으로써 관광수요시장과 공급시장을 창출하게 된다.

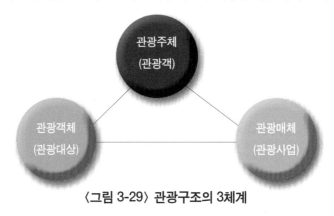

〈그림 3-29〉 관광구조의 3체계

2) 관광객(관광주체)

관광객이라 함은 24시간 이상의 기간 동안 거주지가 아닌 타 지역을 여행하는 사람을 말한다. 이들은 대체로 위락 목적과 건강상의 이유로 여행하거나, 회의참석 또는 사업상의 목적으로 여행하는 자들이다. 따라서 직업이나 사업 활동에 종사하기 위하여 여행하거나, 이민자 및 유학생, 한 국가에 거주하며 인접한 국가에서 직업에 종사하기 위해 출퇴근하거나 여행이 24시간 이상을 소요하지만 체재하지 않고 통과하는 자는 관광객에 포함되지 않는다. 세계관광기구(UNWTO)에서도 외래 관광객에 대해서 국경을 넘어 유입된 방문객이 24시간 이상 체재하

---

27 Bernecker, (1962).
28 Gunn, (1980).

며 위락, 휴가, 스포츠, 사업, 친척 · 친지방문, 회의참가, 연구, 종교 등의 목적으로 여행하는 자로 정의하고 있다.

3) 관광지(관광객체)

관광지란 자연적 또는 문화적 관광자원을 갖추고 있는 지역에 대해 관광객을 위한 기본적인 편의시설을 설치하는 지역으로서 관광진흥법에 따라 지정된 곳을 말한다. 이곳은 관광자원과 함께 관광객이 찾는 주요한 관광대상이 된다.

(1) 관광지의 개념

관광지는 관광자원이 풍부하고 관광객의 접근이 용이하며 개발제한요소가 적어 개발이 가능한 지역과 관광정책상 관광지로 개발하는 것이 필요하다고 판단되는 지역이다. 이러한 관광지에는 관광객의 관광활동에 필수적인 진입도로, 주차장, 상하수도, 식수대, 공중화장실, 오수처리시설 등 기반시설과 각종 편익시설을 공공사업으로 추진하고 숙박시설, 상가시설, 오락시설, 휴양시설 등은 민간자본을 유치하여 개발한다. 그리고 관광지는 관광객의 이용에 편리하도록 개발된 관광지뿐만 아니라, 관광자원을 갖추고 있으나 관광객을 위한 기본적인 편의시설이 아직 갖추어지지 아니한 미개발 관광지도 포함된다.

(2) 관광지의 시설기준

관광지의 신청을 하려는 자는 관광지 구분기준에 따라 그 지정 등을 신청하여야 한다. 관광지의 지정기준은 공공편익시설을 갖춘 지역이어야 한다. 다만, 그 나머지 시설은 임의로 갖출 수 있다.

〈표 3-21 〉관광지의 시설기준

시설구분	시설종류	구비기준
① 공공편익 시설	화장실, 주차장, 전기시설, 통신시설, 상하수도시설 또는 관광안내소	각 시설이 관광객이 이용하기에 충분할 것
② 숙박시설	관광호텔, 수상관광호텔, 한국전통호텔, 가족호텔 또는 휴양콘도미니엄	관광숙박업의 등록기준에 부합할 것
③ 운동·오락 시설	골프장, 스키장, 요트장, 조정장, 카누장, 빙상장, 자동차경주장, 승마장, 종합체육시설, 경마장, 경륜장 또는 경정장	'체육시설의 설치·이용에 관한 법률'에 따른 등록체육시설업의 등록기준, '한국마사회법'에 따른 시설·설비기준 또는 '경륜·경정법'에 따른 시설·설비기준에 부합할 것
④ 휴양·문화 시설	민속촌, 해수욕장, 수렵장, 동물원, 식물원, 수족관, 온천장, 동굴자원, 수영장, 농어촌휴양시설, 산림휴양시설, 박물관, 미술관, 활공장, 자동차야영장, 관광유람선 또는 종합유원시설	관광객이용시설업의 등록기준 또는 유원시설업의 설비기준에 부합할 것
⑤ 접객시설	관광공연장, 외국인전용관광기념품판매점, 관광유흥음식점, 관광극장유흥업점, 외국인전용유흥음식점, 관광식당 등	관광객이용시설업의 등록기준 또는 관광편의시설업의 지정기준에 적합할 것
⑥ 지원시설	관광종사자 전용숙소, 관광종사자 연수시설, 물류·유통 관련 시설	관광단지의 관리·운영 및 기능 활성화를 위해서 필요한 시설일 것

(3) 외래관광객 선호관광지

일본인 관광객은 명동, 남대문시장, 동대문시장과 부산을 가장 선호하는 것으로 조사되었다.[29] 대체로 도심지 쇼핑 및 유흥시설을 선택한 것으로 보인다. 대신에 중국인 관광객은 고궁, 제주도, 명동, 동대문시장, 남대문시장을 인상적인 방문지로 선정하였다. 그리고 대만, 홍콩, 싱가포르 등 동남아 지역 관광객의 경우 가장 인상적인 방문지로 에버랜드, 롯데월드를 꼽았다. 북미지역 방문객은 고궁, 이태원, 인사동을 기억에 남은 곳으로 선정하였다. 이를 통해 볼 때 한국을 방문하는 관광객은 자연자원이나 역사문화 관광자원보다는 사회적 관광자원을 더 선호하는 것을 알 수 있다. 즉, 쇼핑 및 엔터테인먼트를 위한 활동이 대다수임을 볼 때, 의료관광 상품도 이런 패턴에 따라 개발되어야 할 것으로 보인다.

---

29 한국관광공사, 2013, 2012년 관광실태

〈그림 3-30〉 인사동

〈그림 3-31〉 광화문광장

4) 관광 사업자(관광 매체)

관광 사업체는 관광객과 관광대상을 연결시켜 주는 관광매체로서 역할을 수행한다. 관련법에서는 이러한 관광 사업체를 다음과 같이 구분하여 역할을 수행하도록 하고 있다.

〈표 3-22 〉 관광사업의 종류

분류 (관광진흥법 제3조)		세부분류 (관광진흥법 시행령 제2조)
여행업		일반여행업, 국외여행업, 국내여행업
관광숙박업	호텔업	관광호텔업, 수상관광호텔업, 한국전통호텔업, 가족호텔업, 호스텔업, 소형호텔업, 의료관광호텔업
	휴양콘도미니엄업	
관광객이용시설업		전문휴양업, 종합휴양업(제1종, 제2종), 자동차야영장업, 관광유람선업(일반관광유람선업, 크루즈업), 관광공연장업
국제회의업		국제회의시설업, 국제회의기획업
카지노업		
유원시설업		종합유원시설업, 일반유원시설업, 기타유원시설업
관광편의시설업		관광유흥음식점업, 관광극장유흥업, 외국인전용 유흥음식점업, 관광식당업, 시내순환관광업, 관광사진업, 여객자동차터미널시설업, 관광펜션업, 관광궤도업, 한옥체험업, 외국인관광 도시민박업

(1) 여행업

여행업이란 여행자 또는 운송시설과 숙박시설, 그 밖에 여행에 딸리는 시설의 경영자 등을 위하여 그 시설 이용의 알선(斡旋)이나 계약 체결의 대리, 여행에 관한 안내, 그 밖의 여행 편의를 제공하는 업을 말한다. 즉, 여행업은 여행객이 국내 또는 국외를 여행할 때 필요한 교통수단의 확보, 숙박시설의 예약, 탐방장소 예약, 비자발급, 여행보험, 예방접종, 방문국가 문화 및 정보, 환전 및 세관수속 등 여행에 필요한 각종 수속과 준비를 통해 고객의 편의제공을 위해 서비스 하는 일이다. 다시 말하면 여행업이란 여행자와 여행관련업자 사이에서 여행에 관한 시설의 예약, 수배, 알선 등의 서비스를 제공하고 일정한 대가를 받는 영업 활동이다. 여행업은 신용을 바탕으로 관광객과의 계약사항을 책임 있게 운영할 수 있는 상태를 유지하여 관광객에게 일정 수준 이상의 서비스를 제공하여야 한다. 그리고 외국관광객을 유치하여 국제관광을 진흥하여 국제 경쟁력을 강화해야 한다.

(2) 호텔업

호텔업이란 "관광객의 숙박에 적합한 시설을 갖추어 이를 관광객에게 제공하거나 숙박에 딸리는 음식·운동·오락·휴양·공연 또는 연수 등에 적합한 시설 등을 함께 갖추어 이를 이용하게 하는 업"을 말한다. 관광호텔업은 관광객의 숙박에 적합한 시설을 갖추어 관광객에게 이용하게 하고 숙박에 딸린 부대시설을 함께 갖추어 관광객에게 이용하게 하는 업이다. 관광객이 일반적으로 가장 많이 이용하는 형태의 호텔이다. 한국전통호텔업은 한국전통의 건축물에 관광객의 숙박에 적합한 시설을 갖추거나 부대시설을 함께 갖추어 관광객에게 이용하게 하는 업이다. 가족호텔업은 가족 단위 관광객의 숙박에 적합한 시설 및 취사도구를 갖추어 관광객에게 이용하게 하거나 숙박에 딸린 음식·운동·휴양 또는 연수에 적합한 시설을 함께 갖추어 관광객에게 이용하게 하는 업이다. 가족호텔은 오락이나 공연시설을 갖출 수 없는 중저가의 호텔로 종전의 국민호텔업과 합친 것이다.

일반적으로 관광호텔이 30실 이상인데, 소형호텔은 20~30실 정도의 소규모 숙박시설이다. 이들 소형호텔 가운데 외국인 수용여건을 갖추고 있는 곳에 대해서 굿스테이(Good Stay)라는 명칭을 부여하여 인증하고 있다. 이 업종은 최근 중저가 숙박시설을 선호하는 개별 외국인 관광객의 증가추세에 따라 2014년에 의료관광호텔업과 함께 새롭게 호텔업으로 추가되었다. 그리고 의료관광호텔업은 의료관광객의 숙박에 적합한 시설 및 취사도구를 갖추거나 숙박에 딸린 음식·운동 또는 휴양에 적합한 시설을 함께 갖추어 주로 외국인 관광객에게 이용하게 하는 업을 말한다. 이를 메디텔(medi-tel)이라고도 하는데, 의료관광의 활성화에 따른 관광 환경의 변화에 부응하기 위하여 신설된 업종이다.

휴양콘도미니엄업이란 "관광객의 숙박과 취사에 적합한 시설을 갖추어 이를 그 시설의 회원이나 공유자, 그 밖의 관광객에게 제공하거나 숙박에 딸리는 음식·운동·오락·휴양·공연 또는 연수에 적합한 시설 등을 함께 갖추어 이를 이용하게 하는 업"을 말한다. 휴양 콘도미니엄은 관광호텔과 비슷한 시설을 갖추고 있으나, 주된 이용대상으로 그 시설의 회원이나 공유자에게 우선권을 준다는 점과 객실에 취사시설을 갖추고 있는 점이 관광호텔과 구별된다. 또 주로 가족단위로 이용하기 때문에 가족호텔과 유사하지만, 시설이 고급화 되어 있고 각종 휴양 및 오락시설 등 대규모 시설로 운영되고 있어 가족호텔보다 가격이 훨씬 높게 형성되어 있다.

(3) 관광객 이용시설업

관광객 이용시설업이란 "관광객을 위하여 음식·운동·오락·휴양·문화·예술 또는 레저 등에 적합한 시설을 갖추어 이를 관광객에게 이용하게 하는 업"을 말한다. 그리고 "관광숙박업의 시설 등을 함께 갖추어 이를 회원이나 그 밖의 관광객에게 이용하게 하는 업"도 포함하고 있다. 전문휴양업은 관광객의 휴양이나 여가 선용을 위하여 숙박시설이나 음식점시설을 갖추고, 전문휴양시설 중 한 종류의 시설을 갖추어 관광객에게 이용하게 하는 업이다. '관광진흥법시행령'에서 정한 전문휴양시설의 종류로는 민속촌, 해수욕장, 수렵장, 동물원, 식물원, 수족관, 온천장, 동굴자원, 수영장, 농어촌휴양시설, 활공장, 체육시설, 산림휴양시설, 박물관, 미술관 등 15가지가 있다. 종합휴양업은 숙박시설에 따라 제1종과 제2종으로 구분하고 있다. 즉, 일반 숙박시설일 경우에는 제1종으로 구분하고, 관광숙박업시설일 경우에는 제2종으로 구분한다. 제1종 종합휴양업은 관광객의 휴양이나 여가 선용을 위하여 숙박시설 또는 음식점시설을 갖추고 전문휴양시설 중 두 종류 이상의 시설을 갖추어 관광객에게 이용하게 하는 업이다. 제2종 종합휴양업은 관광객의 휴양이나 여가 선용을 위하여 관광숙박업의 등록에 필요한 시설과 제1종 종합휴양업의 등록에 필요한 전문휴양시설 중 두 종류 이상의 시설 또는 전문휴양시설 중 한 종류 이상의 시설 및 종합유원시설업의 시설을 함께 갖추어 관광객에게 이용하게 하는 업이다.

관광 유람선업은 일반관광유람선업과 크루즈업으로 구분되어 있다. 그리고 유람선은 관광 목적인 것과 달리, 여객선은 이동이 목적인 해상교통수단을 말한다. 일반관광유람선업은 '해운법'에 따른 해상여객운송사업의 면허를 받은 자나 '유선 및 도선 사업법'에 따른 유선사업의 면허를 받거나 신고한 자가 선박을 이용하여 관광객에게 관광을 할 수 있도록 하는 업이다. 크루즈업은 '해운법'에 따른 여객운송사업의 면허를 받은 자가 해당 선박 안에 숙박시설, 위락시설 등 편의시설을 갖춘 선박을 이용하여 관광객에게 관광을 할 수 있도록 하는 업이다.

(4) 국제회의업

국제회의업이란 대규모 관광 수요를 유발하는 국제회의(세미나, 토론회, 전시회 등을 포함)를 개최할 수 있는 시설을 설치·운영하거나, 국제회의의 계획·준비·진행 등의 업무를 위탁받아 대행하는 업으로 국제회의시설업과 국제회의기획업이 있다. 국제회의를 개최할 수 있는 국제회의 시설을 컨벤션센터(Convention Center)라고 부르는데 국내 최초의 컨벤션센터인 코엑스(COEX)를 비롯하여 현재 전국적으로 주요 도시 10곳에 컨벤션센터가 있다. 아울러 국제회의기획업은 국제회의의 계획, 준비, 진행 등의 업무를 위탁받아 대행하는데 이러한 전문 국제회의 기획업체를 PCO(Professional Convention Organizers)라고 한다.

(5) 카지노업

카지노업이란 전문 영업장을 갖추고 주사위·트럼프·슬롯머신 등 특정한 기구 등을 이용하여 우연의 결과에 따라 특정인에게 재산상의 이익을 주고 다른 참가자에게 손실을 주는 행위 등을 하는 업이라고 규정하고 있다. 카지노(casino)는 종전에는 사행행위(射倖行爲)의 하나로 보고 경찰관청에서 관리되었으나, 1994년에 관광 사업으로 전환되었다. 그리고 원칙적으로 카지노 업장에는 외국인의 출입만 허용하며, 내국인의 출입은 금지되고 있다. 그러나 폐광지역개발 지원에 관한 특별법에 의해 설립된 강원랜드에서 운영하는 카지노에 한해 내국인의 출입이 허용되고 있다. 현재 국내에는 17곳에서 카지노가 운영되고 있다.

(6) 유원시설업

유원시설업이란 유기시설(遊技施設)이나 유기기구(遊技機具)를 갖추어 이를 관광객에게 이용하게 하는 업을 말하고, 다른 영업을 경영하면서 관광객의 유치 또는 광고 등을 목적으로 유기시설이나 유기기구를 설치하여 이를 이용하게 하는 경우도 포함하고 있다.

(7) 관광편의시설업

관광편의시설업은 관광 진흥에 이바지할 수 있다고 인정되는 사업이나 시설 등을 운영하는 업을 말한다. 관광유흥음식점업은 '식품위생법'에 따른 유흥주점 영업의 허가를 받은 자가, 관광객이 이용하기 적합한 한국 전통분위기의 시설을 갖추어 그 시설을 이용하는 자에게 음식을 제공하고 노래와 춤을 감상하게 하거나 춤을 추게 하는 업이다. 관광식당업은 '식품위생법'에 따른 일반음식점 영업의 허가를 받은 자가, 관광객이 이용하기 적합한 음식제공시설을 갖추고 관광객에게 특정 국가의 음식을 전문적으로 제공하는 업이다.

시내순환관광업은 '여객자동차운수사업법'에 따른 여객자동차운송 사업의 면허를 받거나 등록을 한 자가, 버스를 이용하여 관광객에게 시내와 그 주변 관광지를 정기적으로 순회하면서 관광할 수 있도록 하는 업이다. 시내 및 주변관광지를 순회하고 다시 출발지로 돌아오는 이와 같은 관광 형태를 흔히 시티투어(City Tour)라고 부른다. 관광펜션업은 숙박시설을 운영하고 있는 자가 자연 및 문화 체험 관광에 적합한 시설을 갖추어 관광객에게 이용하게 하는 업이다. 관광 펜션(pension)은 소규모의 호텔 수준 민박시설을 말한다.

한옥체험업은 전통 한옥에 숙박체험을 하기에 적합한 시설을 갖추어 관광객에게 이용하게 하는 업이다. 여기서 한옥은 주요 구조부가 목조구조로서 고유의 전통미를 간직하고 있는 건축물과 그 부속시설을 말한다. 외국인관광 도시민박업은 도시지역의 주민이 거주하고 있는 주택을 이용하여 외국인 관광객에게 한국의 가정문화를 체험할 수 있도록 숙식 등을 제공하는 업이다. 이는 외국인 관광객의 한국가정 체험을 통해 교류를 증대하고, 부족한 도시숙박시설에 대처하기 위해 관광 사업에 추가되었다.

〈그림 3-32〉 의료관광 목적지 호텔(두바이)   〈그림 3-33〉 휴양지(부산 해운대)

〈그림 3-34〉 한국관광 이미지 홍보(사진제공 : 한국관광공사)

제**4**장

의료관광 홍보 · 마케팅

01절 서비스마케팅의 이해

●●●● 일반적으로 마케팅의 시작은 유형의 제품과 관련하여 생성되었고 발전되어 왔다. 그러나 기업이 판매하는 상품에는 유형의 제품 외에도 무형의 제품인 서비스가 포함된다. 마케팅적 사고 및 절차, 기법과 전략 등은 산업제품에 대한 마케팅과 동시에 무형의 서비스도 포함한다. 그러나 서비스는 유형의 제품과 다른 차별적인 특성을 지니고 있으므로 서비스마케팅에 대하여 따로 이해할 필요가 있다. 의료관광은 대표적인 서비스 상품이라고 할 수 있으므로 서비스마케팅에 대한 이해가 더욱 강조된다.

1. 서비스의 정의와 유형

현대는 서비스 경제의 시대라고 할 수 있다. 소비자는 점점 제품구매보다 서비스구매의 지출비중을 높여 가고 있다. 서비스 경제의 출현에 따라 서비스기업들은 마케팅 지향적 관리의 중요성을 인식하게 되었다. 이에 따라 많은 호텔들은 시장을 소득수준에 따라 세분화하고 각 세분시장에 따라 최고급, 중간 가격대, 저가격대의 설비를 갖춘 숙박시설을 제공하기도 한다.

그러나 서비스기업이 마케팅에 높은 관심을 보인 것은 비교적 최근의 일이다. 서비스는 상대적으로 유형의 제품보다 차별화가 용이하기 때문에 서비스기업에서 마케팅의 필요성을 받아들이는데 다소 어려움이 있었다. 또한 많은 서비스 상품은 정부의 규제대상으로 분류되었기 때문에 마케팅 개념의 개발이 늦어지기도 했다. 이처럼 서로 유사한 제품을 생산하여 판매하는 제조업자들은 치열한 경쟁 속에서 자사우위를 확보하기 위해 마케팅 개념을 적극적으로 수용하였지만, 의료 · 금융 · 교육 등과 같은 서비스는 비교적 경쟁이 낮은 상태에서 자신의 능력을 쉽게 판매할 수 있었으므로 마케팅에 대한 관심이 비교적 늦었던 것이다.

1) 서비스의 정의

서비스는 고객의 욕구충족을 목적으로 사람과 시설 · 설비에 의해 제공되는 행위 및 노력이라고 정의될 수 있다. 또한 서비스는 사용자에게 성과에 대한 어느 정도의 만족을 제공하지만, 소유되거나 저장될 수 없는 무형적 활동이라고 할 수 있다. 그리고 서비스는 유형의 제품과 결부될 수도 있고 그렇지 않을 수도 있다.

무형성은 서비스의 중요한 특성이다. 그러나 엄격하게 무형과 유형으로 분류될 수 있는 상품은 별로 없다. 대부분 상품은 유형성의 정도에 따라 재화와 서비스 간의 연속선상에 위치하는 것으로 볼 수 있다. 예를 들어 사무용 가구는 유형적인 반면 그곳에서 이루어진 강의는 무형적이다. 레스토랑은 음식과 같은 유형적 품목 뿐 아니라 신속성, 편의성과 같은 무형적 혜택을 제공한다.

서비스는 성과의 실현을 통해 만족을 제공한다. 성과만족은 소비자가 서비스의 무형적 활동에 의해 제공된 성과를 경험하면서 얻은 호의적 감정을 말한다. 서비스의 성과는 고객에게 만족을 제공하지만, 소비자가 서비스를 실제로 소유할 수는 없다.

2) 서비스의 유형

서비스의 유형은 서비스의 제공기준에 따라 여러 가지로 구분해 볼 수 있다.

(1) 서비스 공급 형태

사람 중심 서비스와 시설 · 설비 중심 서비스, 그리고 제품 관련 서비스로 구분해 볼 수 있다. 사람 중심 서비스는 약간의 설비가 필요하기는 하지만 주로 사람의 노력에 의해 제공되는 서비스이다. 이는 다시 숙련도와 전문성에 따라 비숙련노동 서비스, 숙련노동 서비스, 전문직 서비스로 분류해 볼 수 있다. 그리고 시설 · 설비 중심 서비스는 사람의 노력도 어느 정도 필요하지만 설비의 지원이 꼭 필요한 서비스이다. 세부적으로 설비의 운영능력에 따라 자동 설비 운영 서비스, 반숙련노동 서비스, 숙련노동 서비스로 구분해 볼 수 있다. 그리고 제품 관련 서비스는 제품이 본원적 제공물이고 서비스는 지원적 역할을 하는 경우이다. 판매 후 서비스의 하나인 품질보증은 이러한 예가 되며, 이러한 지원적 역할이 제품성공의 결정적 요인이 되기도 한다.

(2) 서비스 제공목적

서비스 제공자의 목적에 따라 영리와 비영리로 구분이 가능하고, 그리고 서비스업 소유형태에 따라 민간과 공공으로 구분할 수 있다. 일반적으로 공공은 비영리를 목적으로 하고, 민간은 영리를 목적으로 하지만 반드시 그렇지만은 않다.

(3) 서비스 제공시기

시기별로 서비스를 구분하면, 사전서비스, 서비스 제공, 사후서비스로 구분해 볼 수 있다. 여행을 하고자 하는 경우 여행예약은 사전서비스이고, 여행에 참여하는 것은 서비스제공이며, 여행 참가 후 후속 서비스를 받는 경우는 사후서비스에 해당된다.

(4) 서비스 제공형태

먼저, 서비스 제공을 받는 사람이 서비스 제공 시점에 현장에 반드시 있어야 하는 경우와, 그렇게 할 필요가 없는 경우로 구분할 수 있다. 전자의 경우 교육서비스와 같은 경우이고, 후자는 컴퓨터 수리와 같은 것이다. 또한 서비스 제공 대상자가 개인일 경우와, 기업체일 경우로 구분할 수 있다. 그리고 서비스 실행대상이 사람일 수도 있고, 사물일 수도 있다. 화물운송, 수리 및 보수 등은 사물을 대상으로 행해지는 서비스이다.

3) 서비스업의 분류

서비스업은 매우 다양하며 아이디어에 따라 얼마든지 새로운 서비스가 창출될 수 있다. Philip Kotler(2003)[30]는 서비스업을 다음과 같이 네 가지로 분류하였다.

　① **정부부문**: 사법부, 입법부, 행정부, 군대, 공립학교 등

　② **민간 비영리부분**: 사립학교, 종교단체, 자선단체 등

30 　Kotler, P.(2003), Marketing Management, 11th ed, Prentice Hall.

③ **영리부문**: 의료업, 호텔관광업, 금융업, 정비수리업, 각종 소개업 및 판매업 등

④ **제조업체 지원서비스 부문**: 컴퓨터 처리, 회계업무, 마케팅조사, 법률자문 등

〈그림 4-1〉 한국 병원 홍보활동

〈그림 4-2〉 한국 관광이미지 홍보

2. 서비스의 특징

서비스는 유형의 제품과는 다른 다음과 같은 차별적 특징을 지니고 있다.

1) 무형적 특성: 비유형성(intangibility)

유형제품은 소비자가 구매 전에 경쟁제품들을 비교할 수 있으며, 구매 후에도 어떤 물건을 소유하게 된다. 그러나 서비스는 소비자에게 감지될 수 없으며, 구매 후에도 구체적인 소유 대상이 없다. 이러한 무형적 특성 때문에 소비자는 서비스를 구매하고 소비하기에 앞서 자신이 제공받을 서비스품질에 대해 확신을 느끼지 못한다. 그 결과, 서비스 업체의 광고보다는 구전 (word of mouth)에 의한 정보를 더욱 신뢰한다.

따라서 서비스기업은 여러 가지 방법을 통해 서비스를 보다 유형적으로 보이도록 하기 위하여 노력한다. 서비스 제공자는 소비자들로 하여금 서비스를 통해 가치 있는 무엇인가를 제공받고 있다는 느낌을 주기 위해 힘쓴다. 이를 위해 각종 상징물과 심벌을 활용하고, 건물과 시설의 특징을 강조하며, 종사원의 복장까지도 신경을 쓴다. 그리고 유명인을 광고모델로 활용하여 서비스를 유형화하려고 한다. 심지어 개인 전문직 서비스 종사자들은 졸업장, 학위증, 임명장, 자격증 등과 같은 징표를 걸어두어 자신의 실력을 나타내고자 한다.

2) 서비스품질의 이질적 특성: 비표준화(heterogeneity)

서비스품질은 제공자의 제공 상황에 따라 매우 다르게 나타나, 일반화 시키고 표준화하기가 어렵다. 즉 같은 서비스내용도 서비스기업에 따라 품질이 다르며, 한 서비스기업 내에서도 종업원에 따라 서비스품질은 차이가 나기 때문이다. 심지어 동일한 서비스 제공자도 상황에 따라 다른 품질의 서비스를 제공한다. 종업원의 심리적 · 육체적 상황에 따라 제공되는 서비스품질은 다를 수밖에 없다.

따라서 서비스를 제공하는 기업은 서비스를 표준화하기 위해 노력하고 있다. 보다 신뢰성 있는 서비스를 제공하기 위해, 서비스 제공자의 선발과 교육에 많은 투자를 한다. 또한 각 서비스업무 분야별로 매뉴얼을 작성하도록 하여 이를 따르도록 한다. 그리고 심지어 서비스 제공자를 사람에서 기계로 대체함으로써 일관된 서비스를 제공하려고 노력한다.

3) 서비스 잠재력의 소멸성(perishability)

서비스 잠재력은 소멸되며 저장이 불가능하다. 즉, 소비자가 서비스가 제공되는 시점에 이를 소비하지 않으면, 그 서비스는 사라져 버린다. 비행기좌석은 재고로 저장될 수 없으며, 채워지지 않은 좌석은 그대로 사라져 버리고 만다. 서비스 잠재력은 수요가 있어야만 실현되므로 서비스생산량은 서비스수요량에 의해 크게 영향을 받는다. 이를 해결하기 위해서는 수요를 공급에 맞추거나, 또는 공급을 수요에 맞추는 방법이 있다. 안정적인 서비스수요의 확보를 위한 방법으로는 다음과 같은 것들이 있다.

① **서비스 가격의 차별화**: 수요가 별로 없는 시간에 서비스를 이용하는 고객들에게 보다 낮은 요금을 적용함으로써 피크타임(peak time)의 초과수요를 옮기려한다.

② **비성수기 수요의 개발**: 스키리조트에서는 눈이 오지 않은 기간에 잔디슬라이드나 퍼블릭 골프코스와 같은 다른 시설을 설치하여 수요를 창출한다.

③ **보완적 서비스의 제공**: 기본적인 서비스 외에 이를 보완하는 서비스를 추가로 개발한다.

④ **예약 시스템의 개발**: 예약판매는 수요의 사전확보에 유용한 방법으로 많은 서비스기업에서 활용하고 있다.

4) 생산과 소비의 동시성(inseparability)

유형의 제품은 보통 제조와 유통과정을 거쳐 소비자에게 전달된다. 이에 비해 서비스는 대부분 생산과 동시에 소비가 이루어진다. 그리고 일반적으로 서비스의 경우에는 소비가 발생될 때 서비스 제공자가 그 자리에 존재해야 한다. 유형제품의 경우 소비자가 원하는 시간과 장소에 상품을 공급하기 위해 수송·저장과 같은 유통기능이 중요하다. 그러나 무형적 특성의 서비스는 재고로 유지될 수 없으므로 시간 및 장소효용을 창출하는 수단인 수송과 저장은 그다지 중요하지 않다.

경우에 따라 서비스를 제공받는 자는 서비스 생산에 참여하고 적극적으로 협조해야 한다. 의료서비스의 경우 환자는 의사의 지시에 잘 따라야 하며, 기업이 광고대행사에 광고제작을 의뢰할 경우 제품의 특징, 포지셔닝 전략, 표적시장 등에 관한 구체적인 정보를 제공해 주어야 한다. 이 경우 서비스 생산자와 소비자의 협력정도가 서비스품질에 커다란 영향을 미친다.

5) 사전 품질평가의 어려움

품질의 평가는 어느 시점에서 할 수 있는가의 정도에 따라 탐색품질, 경험품질, 신뢰품질 등으로 구분해 볼 수 있다. 탐색품질은 소비자가 구매 이전 정보탐색과정에서 평가할 수 있는 품질이다. 경험품질은 소비자가 제품 및 서비스를 소비하고 사용함으로써 즉시 평가할 수 있는 품질이다. 또한 신뢰품질은 소비 및 사용 이후 즉시 평가가 어려우며 어느 정도 시간이 지난 후에 평가가 가능한 품질을 가리킨다.

소비자는 상품을 소비하고 나면 품질을 평가하기 마련이다. 많은 유형의 제품들은 탐색품질로써 평가가 가능한 데 비해, 대부분의 서비스는 경험품질과 신뢰품질로써만 평가가 이루어진다. 즉, 서비스는 구매 이전에 품질평가가 어렵다. 따라서 소비자는 유형 제품보다 서비스를 구매할 때는 더 많은 위험을 느끼게 된다. 이로 인해 소비자들은 서비스를 구매할 때에 광고나 판매원의 정보보다는 구전에 의한 정보에 더욱 의존하게 되며, 가격이나 서비스 제공자의 겉모습에 의존하여 품질을 추론하고, 일단 만족하게 되면 충성도가 높아지는 경향이 있다.

6) 고객 관계 마케팅의 중요성

서비스 구매자는 조언과 도움을 얻기 위하여 서비스 제공자를 찾는 경우가 많다. 의료, 법률, 교육, 상담 등과 같은 전문서비스를 구매하는 경우 이는 더욱 뚜렷하다. 즉 이러한 서비스

기업의 경우 고객과의 관계가 특히 중요하다. 서비스는 유형의 제품에 비해 기존의 고객이 재구매를 하고, 또 새로운 고객을 창출하는 현상이 두드러지기 때문이다. 따라서 서비스 제공자가 자신의 고객을 지속적으로 유지하기 위해서는 관계 마케팅이 필요하다. 관계 마케팅은 서비스제공자가 고객의 문제에 진심으로 관심을 가지고 해결해 주려는 자세를 가질 때 실현 가능하다.

3. 서비스 마케팅 전략

서비스관리자는 경쟁우위를 확보할 수 있는 마케팅전략을 수립해야 한다. 서비스의 마케팅 계획 수립과정은 유형 제품의 경우를 그대로 적용할 수 있지만 비교적 서비스기업에 알맞는 마케팅전략을 제시해 본다.

1) 시장세분화와 표적시장 선정

기존의 서비스를 개발하거나 기존 서비스를 재활성화하기 위한 계획은 경쟁우위를 제공하는 표적세분시장의 선정이 그 중심이 된다. 최근 들어 서비스기업들도 시장세분화 개념의 중요성을 인식하고 있다. 예를 들어 중간가격대의 Holiday Inn 호텔체인이 저가격호텔과 고급호텔 체인의 사이에서 어려움을 겪게 되자, 지주회사인 Holiday Corporation은 고가격 및 저가격 세분시장으로 진출하기로 하였다. 고가격 세분시장을 표적으로 Embassy Suites가 개발되었는데, 이 호텔은 사업목적의 고소득 여행자 층을 표적고객으로 여러 개의 객실을 구비한 최고급호텔체인이다. 그리고 저가격 세분시장을 겨냥하여 Hampton Inn 호텔이 개발되었는데, 이 호텔은 전형적인 Holiday Inn보다 숙박료가 25% 정도 더 저렴하며 경제성을 추구하는 사업목적 및 여행객들을 표적시장으로 하여 제한된 서비스만을 제공하는 체인이다. 또한 5일 이상 장기간 투숙하는 고객들을 표적으로 하는 호텔체인인 Homewood Suites도 개발하였다.

이와 같은 목적으로 국내의 한 은행은 고객이 추구하는 속성(attributes), 편익(benefits), 가치(value)를 이용하여 고객세분화를 실시하였다. 이들은 고객들의 인구 · 통계적 특성 및 은행이용 특성을 조사 · 분석하여 고객 맞춤형 서비스를 제공하는 데 활용하고 있다.

2) 차별화(differentiation)

서비스기업이 제공하는 서비스의 총체를 서비스패키지라고 부른다. 서비스패키지는 핵심서비스와 부가서비스로 구분된다. 핵심서비스는 고객들이 기본적으로 기대하는 서비스로서 항공여행의 경우 안전하게 예정시간에 목적지에 도착하는 것이다. 부가서비스는 핵심서비스를 지원하는 성격을 지닌 것으로 항공기 내의 영화상영, 안락한 의자, 기내 전화서비스, 단골여행 할인서비스 등과 같은 것이다.

서비스기업의 마케터는 가능한 범위 내에서 부가서비스의 차별화에 의하여 고객을 유치할 수 있다. 그러나 부가서비스의 차별화는 경쟁의 원동력이 될 수 있지만 부가서비스를 개발하기에 앞서 핵심서비스의 강화가 무엇보다 필요하다. 항공사가 자주 사고를 내거나 운항일정을 지키지 않는다면 부가서비스가 아무리 좋더라도 고객은 그 항공사를 외면하게 되기 때문이다.

3) 생산성관리(managing productivity)

서비스 생산성 향상은 서비스 생산비용을 절감시키며 보다 높은 이익을 얻거나 가격인하를 가능하게 하므로 서비스기업에 있어서 매우 중요한 과제이다. 한 서비스 기업에서 최저의 비용을 들여서 동일한 서비스를 생산해 낼 수 있다면 낮은 가격을 경쟁으로 삼아 시장 점유율을 높이거나 혹은 높은 마진을 통하여 광고, 고객서비스, 혹은 새로운 서비스의 개발에 사용함으로써 시장을 선도해 나갈 수 있다. 서비스기업이 생산성을 향상시킬 수 있는 전통적인 방법은 다음과 같다.

① 사원을 선발할 때 서비스능력과 의욕을 갖춘 지원자를 선발한다.
② 노동력이나 기계, 설비 및 자재의 낭비요소를 제거한다.
③ 사원이 보다 효율적으로 일 할 수 있도록 훈련시킨다.
④ 최신설비를 도입하고 생산과정을 표준화한다.

(1) 수요의 증대
수요를 증대시키는 방법은 다양한데, 서비스기업에서 적용해볼 수 있는 대표적인 것으로는 다음과 같다.

① 서비스 수요가 적은 시점에 가격을 할인하거나 촉진함으로써 수요를 일정한 공급능력에 맞춘다. 호텔이 비수기에 촉진 활동을 많이 하고 투숙객에게 숙박료를 할인해 주는 것이 이에 해당된다.
② 예약제도에 의하여 수요의 기준을 서비스 공급능력에 최대한 맞추도록 한다. 항공사, 호텔, 영화관 등의 예약제도가 그 예가 된다.
③ 수요가 적은 시간이나 시기에 맞는 새로운 서비스를 개발한다. 예를 들어 어떤 주점에서는 술이 팔리지 않은 주간에 한하여 음식이나 음료를 판매함으로써 공간을 활용한다. 놀이공원에서 입장고객이 적은 비수기에 각종 축제를 개최하거나 겨울에는 눈썰매장과 같은 것을 조성하여 비수기 입장객의 수를 늘린다.

(2) 공급능력의 증대

공급능력을 증대시키는 방법도 여러 가지인데, 서비스기업에서는 다음과 같이 적용해 볼 수 있다.
① 서비스 수요가 가장 많은 피크타임에 종업원의 부족으로 인한 서비스 판매기회를 놓치지 않도록 파트타임 종업원을 고용한다.
② 서비스 생산과정에 고객을 참여시킴으로써 생산성을 향상시킬 수 있다. 커피전문점에서 고객이 직접 카운터에서 주문하고 테이블에 커피를 가져가도록 하는 셀프서비스 제도를 도입함으로써 생산성을 높인다.
③ 다른 기업과 서비스 제공 시설을 공유한다. 의료기관에서 값비싼 의료기기를 다른 병원과 공유함으로써 서비스 생산 능력을 증대시킬 수 있다.

4) 마케팅믹스관리

전통적으로 마케팅믹스요소는 4P(Product, Price, Place, Promotion)로 표현된다. 서비스마케팅믹스의 요소는 유형제품에 적용되는 이와 같은 요소 외에도 세 가지의 통제 가능한 요소인 3P(People, Physical evidence, Process)를 추가하여 7P라고도 한다.

대부분의 서비스는 사람들(people)에 의해 제공되므로 사원의 선발, 교육 및 훈련, 동기부여는 고객만족에 커다란 영향을 미친다. 또한 서비스는 무형의 것이며 품질을 미리 평가하기가 어려워 소비자들은 관련 시설물을 보거나 경우에 따라 사원들의 외모나 복장에 의해 서비스품질을 추론하는 경우가 많다. 따라서 서비스기업은 적절한 물리적 실체(physical evidence)를 가지고 고객들에게 자사서비스의 품질을 알리고 신뢰감을 주어야 한다. 그리고 서비스품질을 결정짓는 요인이 결과품질과 과정품질로 나누어져 있는 것처럼 동일한 결과품질을 제공하더라도 서비스를 제공하는 과정(process)은 전반적인 서비스품질을 평가하는 데 매우 중요한 요소가 된다.

(1) 상품(product)

소비자는 서비스 상품을 구매하기 전에 상품을 만져보고 눈으로 확인하기 어렵다. 이러한 서비스의 무형적 특성 때문에 서비스 제공자는 서비스상품을 유형화하려는 노력을 해야 한다. 상표명과 심벌은 차별화하기 어려운 서비스 상품을 유형화하는 데 있어 매우 유용한 차별적 수단이다. 고객은 보통 널리 알려진 서비스 제공자의 명칭을 함께 연상하게 된다.

일반적으로 서비스의 수준은 서비스제공자와 제공시점에 따라 달라진다. 이러한 특성으로 인해 서비스 기업은 일관된 서비스 상품을 공급하는 데 많은 주의를 기울이고 있다. 서비스기업들은 서비스 제품을 가능한 표준화하려고 노력한다. 모든 고객들에게 표준화된 서비스를 제공하는 것을 중요하게 여긴다. 그러나 표준화가 차별화된 서비스를 원하는 개별 고객의 욕구를 모두 충족시키지 못할 수도 있다. 그러므로 전문서비스 제공자는 개별 고객의 욕구에 따라 차별화된 서비스를 제공한다.

(2) 가격(price)

가격은 마케팅믹스 가운데 수익을 창출하는 유일한 요소이며 마케팅믹스의 나머지 구성요소들은 비용을 발생시킨다. 가격은 서비스 수익관리에 있어 전략적 도구로 활용될 수 있다. 서비스는 소멸성의 특성을 갖기 때문에 안정적인 서비스수요의 확보가 수익성 목표를 실현하는 데 있어 매우 중요한데, 가격은 수요를 관리하는데 가장 중요한 도구로 활용될 수 있다. 즉 수요가 지나치게 많을 때는 가격을 인상하여 수요를 감소시키고, 수요가 적을 경우에는 가격을 인하하여 수요를 촉진시킬 수 있는 것이다.

서비스가격의 전략적 중요성에도 불구하고 많은 서비스기업들이 가격책정문제를 잘 다루지 못하고 있다. 서비스기업들이 가격과 관련해 자주 겪는 문제점 중의 하나는 자사 서비스 상품의 높은 가치 때문에 가격이 더 비싸다는 것을 고객들에게 잘 설득시키지 못한다는 것이다.

그리고 목표 매출을 실현하기 위해 성급하게 가격을 인하하게 된다. 또한 고객가치 중심적 가격결정방식을 고집하고, 마케팅믹스의 다른 구성요소들과의 일관성을 고려하지 않은 가격결정방식을 사용한다는 것이다.

기업은 현실성 있는 가격책정과 수익관리전략을 통해 서비스를 창출하고 전달하는데 드는 지출비용과 목표이익을 회수할 수 있어야 한다. 그러나 서비스에 대한 가격책정은 유형 재화의 가격책정에 비해 상당히 복잡하다. 마케터는 목표고객에게 맞추면서 서비스기업이 설정한 수익성 목표를 실현할 수 있는 가격결정전략을 개발해야 하는데, 이러한 목적을 달성하기 위해 기업은 서비스를 제공하는데 드는 원가, 경쟁자의 가격, 그리고 고객이 지각하는 가치 및 수요 등을 충분히 이해해야 한다. 그러므로 기업이 책정한 서비스가격은 수요를 만들어 낼 수 없을 정도로 지나치게 높은 가격과 이익을 실현하기에는 너무 낮은 가격의 어느 중간에 위치하게 된다.

(3) 유통(place)

서비스는 무형적이고 소멸성이 높기 때문에 대체로 대부분의 서비스는 서비스 제공자로부터 소비자에게 직접 판매되는 유통경로를 갖는다. 그러나 때에 따라 서비스 제공자는 중간상을 사용하기도 한다. 예를 들어 호텔이나 항공사는 여행사를 중간상으로 이용하여 고객에게 서비스를 판매한다. 서비스기업은 서비스이용의 편의성을 높이는 유통전략을 통해 경쟁우위를 확보할 수 있다. 서비스기업이 선택할 수 있는 유통경로전략은 고객에게 노출하려는 점포의 수를 기준으로 전략을 나누어 볼 수 있다.

① 개방적 유통전략: 서비스기업이 가능한 한 많은 점포들로 하여금 자신의 서비스를 취급하도록 하는 것으로 각종 편의 서비스 상품의 유통에 적절한 유통전략이다.

② 선택적 유통전략: 서비스기업의 명성을 높일 수 있고 판매능력을 갖춘 중간상들만을 선별하여 자사의 서비스를 취급하도록 하는 전략이다. 생명보험회사가 자사 전속대리점과 자격을 갖춘 독립 보험대리점을 통해 보험 상품을 판매하는 경우가 이에 해당된다.

③ 전속적 유통전략: 일정기간 내의 특정 중간상에게만 자사의 서비스를 독점적으로 판매할 수 있는 권한을 부여하는 것을 말한다. 연예인이 특정 방송국에 전속되거나 보험대리점이 특정 보험사의 보험 상품만을 취급하는 경우가 이에 해당된다.

서비스 마케터는 유형의 제품에 비하여 창고, 수송, 재고관리 등의 물류기능에 대한 관심은 상대적으로 낮다. 이에 반해, 서비스 마케터는 서비스 제공의 일정에 대해서는 보다 많은 관심을 갖는다. 서비스기업은 소비자가 구매하고 소비하기를 원하는 시점에 맞추어 서비스의 이용이 가능하도록 이를 저장할 수 없다. 그러므로 서비스 제공자는 소비자의 수요에 맞추어 서비스가 공급될 수 있도록 일정 조절을 해야 한다. 또한 인력 투입 일정을 미리 세워 놓아야 한다. 그리고 서비스의 유통에 있어 다른 중요한 요인은 입지(location)이다. 각종 호텔은 도심지와 공항근처에 밀집되어 있다. 병원과 헬스장은 교통의 요지와 주거 지역에 인접하게 위치한다. 그러나 일부 서비스 분야에서는 자동화 설비를 갖춘 유통경로의 도입으로 인해 입지의 중요성이 낮아지고 있다. 은행, 교육 등과 같은 서비스 분야는 점점 전화와 인터넷을 통해 유통되고 있다.

(4) 촉진(promotion)

서비스기업은 자사의 서비스 상품을 알리고 구매하도록 하기 위해 광고, 홍보, 판매촉진, 인적판매 등의 커뮤니케이션 수단을 이용한다. 유형 제품 마케팅의 핵심성공요인의 하나는 광고를 통해 추상적인 브랜드 이미지를 창출하는 것이다. 그러나 서비스 상품의 경우에는 추상적 이미지를 창출하려는 촉진노력은 적절하지 않다. 그러므로 서비스 마케터는 광고활동을 통해 구체적 이미지와 증거를 제시함으로써 서비스가 보다 유형적으로 보이도록 만들어야 한다. 많은 보험회사들이 광고를 통해 보험으로부터 얻게 될 혜택들을 보여주는 것은 판매되는 서비스 상품을 시각화시키는데 도움이 된다. 전문직 종사자들이 지역사회 활동에 대한 자원봉사를 통해 자신들의 서비스를 일반대중에게 알리는 것도 간접적인 광고활동의 하나이다. 한편, 서비스기업은 신속한 소비자 반응과 구매를 유도하기 위해 여러 가지 판매촉진을 실시하고 있다. 가격할인, 환불, 샘플, 쿠폰, 프리미엄, 경연대회, 경품, 단골고객 프로그램 등이 판매촉진수단의 대표적인 예이다. 대부분의 판촉수단이 단기적인 매출증대와 경쟁사 고객에 대한 상표전환 유도를 목적으로 하는 데 비해 단골고객 프로그램은 구매빈도가 높은 현재의 고객들에 대한 보상을 통해 재구매율의 증가와 상표 충성도의 형성을 그 목적으로 한다.

〈그림 4-3〉 한국 이미지 홍보활동(전시회) 　　〈그림 4-4〉 한국관광홍보(명예홍보대사)

〈그림 4-5〉 의료관광 상품 홍보 리플릿

02절 의료관광 홍보·마케팅 전략

●●● 　보건·의료 분야에서 마케팅의 도입은 1975년 미국의 한 병원에서 마케팅 담당 임원을 임명한 것이 시초라고 알려져 있다. 이제는 의료서비스 분야에서 마케팅은 미국 내 대부분의 의료기관에서 당연한 것으로 생각되고 있지만, 그 당시 마케팅이 사회 저변에 인식을 넓혀 왔음에도 불구하고 보건의료 분야에서까지 필요한지에 대해서는 많은 논란을 불러일으켰다. 그 후 1994년 미국 내 의료기관의 운영기준을 인증하는 병원합동신임위원회(Joint Commission on Accreditation of Healthcare Organization, JCAHO)에서 인증기준으로 아홉 가지의 업무수행개선 측정지침을 내놓았는데, 그 중 하나가 고객만족이었다. 고객만족을 위한 업무개선 등은 의료기관의 마케팅 지향적이고 소비자 대응적인 자세의 필요성을 인식시키는 시초가 되었다.

1. 의료관광 홍보마케팅 추진 전략

　한국 의료관광 홍보마케팅 추진 전략은 다음 그림과 같이 정리해 볼 수 있다. 먼저 한국 의료 강점 분야에 대한 타깃 시장 대상 홍보와 의료관광도 관련을 맺고 있는 전 분야의 협력 모색 방안을 들 수 있다.

의료관광 홍보마케팅 추진 전략

한국 의료관광 강점분야에
대한 타깃시장 대상 홍보

미용 ·성형 ·한방 ·건강검진 등
상품개발 집중 홍보

척추, 암, 심혈관계 등
한국의 앞선 전문 진료분야
의료기관 공동 홍보

사전(Pre)관광 + 의료체험 +
사후(Post)관광에 대한
상품개발

해외 유치업체, 정부기관, 의료기관, 보험사,
기업주 등과의 비즈니스 네트워크 구축지원

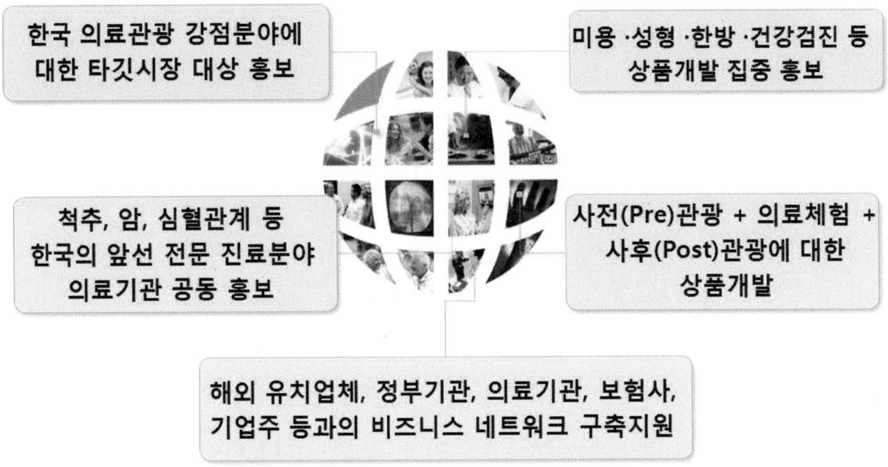

〈그림 4-6〉 의료관광 홍보마케팅 추진 전략

1) 의료관광 마케팅의 배경 및 필요성

이러한 의료보건 분야의 마케팅의 개념이 국내에 도입될 당시에도 의료서비스의 공익적인 목적과 시장에서 최대효과를 얻기 위한 마케팅의 수익적 측면이 상충되는 것이 아니냐는 논란에 휩싸이기도 하였다. 그러나 요즘에는 버스나 전철 등에서 병원 광고를 쉽게 찾아볼 수 있으며, 블로그(blog)나 소셜네트워크서비스(SNS)를 활용한 여러 방면의 의료 마케팅이 사용되고 있다. 과장 광고나 마케팅비용으로 인한 진료비 상승이라는 단점도 있지만, 의료 마케팅 결과 환자들은 보다 다양한 정보를 손쉽게 접할 수 있으며, 의료서비스 역시 질적으로 높은 성장세를 보이고 있다.

국내 의료기관이 주로 사용하는 의료마케팅은 대중매체를 이용한 노출광고나 체험 중심의 적극적인 마케팅전략을 사용하는 사례가 많다. 반면 해외환자를 대상으로 하는 의료관광의 경우 법적 지원제도가 구비되기 전인 2009년까지는 의료기관이 전문업체를 통해 해외환자를 유치하는 형태가 허용되지 않았기 때문에 수동적으로 고객이 찾아주기를 기다리거나 입소문 등

소극적 마케팅에 의존할 수밖에 없었다. 그러나 이제는 고객의 욕구를 충족시킬 수 있는 역량을 확보하고 이를 피력하는 가치위주의 질적인 관리 시스템이 요구되기에 의료관광 산업 역시 고객에 대한 철저한 분석을 바탕으로 하는 효율적인 의료서비스체계를 구축하고 이를 적극적으로 알리는 마케팅과 홍보 활동이 필요하다.

(1) 고객의 욕구 파악 및 충족

의료 이용자들의 의료에 대한 높은 기대와 고급화 성향, 그리고 의학지식의 대중화와 권리의식의 향상에 따른 의료이용자들의 능동적인 역할변화로 인하여 의료기관에서도 고객의 욕구를 파악하여 고객이 원하는 서비스를 제공하여야만 고객만족을 이룰 수 있게 되었다. 특히 시장별로 상이한 특성과 요구조건을 갖추고 있는 의료관광 시장의 경우 해당 시장별 소비자의 요구조건을 파악하고 이를 만족시킬 수 있는 서비스 품질을 구축하는 것은 가장 기본적인 역량으로 파악되고 있다.

(2) 경쟁력 확보

의료관광 산업이 고부가가치를 창출하고 국가이미지를 제고하며, 의료기관의 국제화를 가속화하는 등 의료 및 관광 산업 뿐 만아니라 국가 경제 측면에서도 주요 산업으로 부상함에 따라 싱가포르, 태국, 말레이시아, 중국 등 많은 나라들이 의료관광 산업을 국가 전략 산업에 포함시켜 사회 인프라 구축에 국가적 역량을 집중시키고 있다. 이러한 현상은 환자들로 하여금 보다 양질의 의료서비스를 제공하는 의료기관을 찾아다닐 수 있는 기회를 제공하게 되었다. 의료기관은 치열해지는 의료관광 시장에서 고객이 원하는 의료서비스를 제공할 수 있어야만 고객만족과 함께 경쟁적 우위를 점할 수 있게 된다. 따라서 고객 중심적 사고, 즉 마케팅 개념의 도입이 필연적으로 요구된다고 볼 수 있다.

(3) 수익성의 극대화

지금까지 의료기간 관리자들은 질보다는 양을 중시하는 관리시스템에 의존하여 수익성 위주의 경영을 등한시하였다. 그러나 성공적인 마케팅은 수익성을 높이게 되고 이는 의료서비스 역량 제고의 밑거름이 되어 서비스 품질을 높이는 선 순환적 역할을 담당하게 된다. 의료관광을 통하여 의료기관은 외국인환자의 진료행위에 직접적인 수익을 얻게 된다. 이때 외국인에 적용되는 국제수가는 국가적 기준이 없어 각 병원별로 기준을 정하여 관리하고 있으며, 내국인을 대상으로 하는 일반수가에 비하여 진료 분야나 상품에 따라 다르지만 일반적으로 1.5~2.5배 정도 높은 가격을 형성하고 있다.

2) 민관 협동 마케팅의 필요성

한국 의료관광 산업이 성장하는 데 있어서 가장 큰 어려움은 브랜드 부재에서 오는 해외시장에서의 낮은 인지도를 들 수 있다. 그러나 의료관광은 그 대상자가 해외에 거주하다보니 국내 정보의 접근이 어렵고 의료기관별 노출광고를 시행하기에는 비효율적인 측면에서 부담감을 느끼게 된다. 또한 외국인을 국내로 유치하는데 필요한 제도적 지원이 반드시 필요하기에 개별 의료기관이나 유치업체만으로는 마케팅 활동에 한계가 있다. 정부 역시 해외환자 유치가 국가 경제발전의 신성장동력으로 인식됨에 따라 2009년 글로벌 헬스케어를 17대 신 성장 동력 중 하나로 선정하고, 의료법과 관광진흥법 개정을 통해 의료관광을 정책적으로 지원하고자 나서고 있다. 이렇듯 의료관광의 효율성 측면에서 정부와 민간 의료관광 유치기관 모두 각자의 위치에서 의료관광 활성화를 위해 노력하고 있으나, 각각의 역량과 역할이 다르기에 정부와 민간 간의 역할분담과 협력을 통한 협동 마케팅이 의료관광의 성공열쇠로 떠오르고 있다.

의료관광 발전초기에는 관련 시설을 건설하고 운영하는 민간분야의 성장을 촉진시킬 수 있는 발전적 역할을 수행해야 하는데, 이러한 역할은 소비자의 욕구에 부합하는 데이터를 제공하고 적절한 입법을 보장하는 역할로 정부와 민간분야의 조정업무가 중요하다. 시장이 성장하면서 민간부문의 역량이 갖추어지면서 민간 영역이 팽창하게 되면 공공의 역할은 상품과 서비스의 양적, 질적인 측면을 소비자의 기대에 부합하도록 조정하는 역할과 아울러 시장의 발전으로부터 오는 부정적인 영향을 감시하는 역할로 변화하게 된다. 마지막으로 시장이 충분히 성숙하게 되면 공공기관은 새로운 시장을 창출하고 기존 상품을 개선하며 새로운 상품개발을 장려하는 역할을 담당하게 된다.

3) 의료관광 홍보마케팅 추진 전략

의료법 개정에 따라 외국인 환자에 대한 유인과 알선 사업이 허용되어 바야흐로 의료관광이 본격적인 궤도에 오르게 되었다. 이제까지 환자 스스로 찾아오거나 외국인환자에게 한국 병원 몇 곳을 소개해 주고 환자가 선택하는 것 정도만 허용되던 것이, 이제는 병원의 개별적인 외국인 환자 유치와 전담업체를 통한 소개행위가 허용되면서 정부는 이에 필요한 다양한 정책을 내놓고 있다.

(1) 의료관광 마케팅 과정

의료관광 마케팅의 일반적인 과정은 다음과 같이 네 단계의 흐름을 거친다.

① 시장조사를 통한 사업기획

② 시장을 세분화하여 표적시장을 선정한 다음 포지셔닝

③ 마케팅믹스전략 구축

④ 시장 확보 후 평가와 통제, 계획, 조정

의료관광 마케팅믹스란 각종 마케팅 수단들을 적절하게 배합하는 것을 의미하는데, 표적시장에 대한 각종 마케팅 수단을 결합하여 그 목적달성을 극대화하는 것이다. 즉, 의료관광 상품이 잠재적 소비자에게 가장 강한 반응을 일으켜 선택될 수 있도록 다양한 방법들을 전략적으로 믹스하여 표적시장에 적용시킬 수 있어야 한다.

(2) 의료관광 공공 사업 영역

의료관광의 후발주자로서 홍보마케팅을 수행할 때, 초기에는 공공의 역할이 매우 중요하다. 공공의 홍보마케팅 사업영역은 다음과 같이 구분해 볼 수 있다.

① 제도 및 수용여건 개선

의료관광 홍보마케팅 사업을 전개하기 위한 제도 및 수용여건 개선은 의료관광의 기본에 해당하는 사업기반 조성과 밀접한 연관이 있다. 국내 의료관광은 이제 막 활성화되기 시작한 단계로 공공기관은 유치업체 등록조건 완화 등의 제도개선이나 전문 인력 양성 등을 통해 의료관광 시장의 진입장벽을 낮추도록 해야 한다. 또한 의료관광 전문 교육기관에 대한 평가제도 도입을 통해 글로벌 수준의 역량을 갖춘 전문 인력을 육성시킬 수 있는 기반마련을 지원하며, 의료관광에 관심이 있는 사업체들을 위한 다양한 사업매뉴얼도 개발해야 한다. 시장조사 및 수요자 측면의 통계 등 시장의 전반적인 조사업무 역시 의료관광 기반조성 사업을 위한 업무에 속한다.

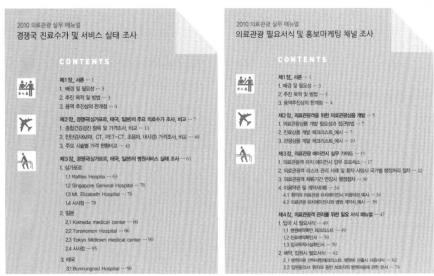

〈그림 4-7〉 경쟁국 진료수가 조사 및 의료관광 필요서식

② 해외 글로벌 네트워크 구축

해외바이어와 국내 업계를 이어주는 네트워크 구축 사업 영역은 공공의 주요 역할에 속한다. 의료관광 타깃 국가와 지역을 대상으로 국내 유치업체나 의료기관과 공동으로 해외 설명회를 개최하거나 해외 언론매체를 이용한 마케팅이 효과적이다. 이들과 함께 직접 국제 박람회 및 컨벤션을 개최하거나, 해외에서 개최된 행사에 참가하여 상담을 통해 한국 의료관광을 널리 알리는 활동을 전개하여야 한다. 주요 국가의 정부부처 및 관련 단체와 의료관광 활성화를 위한 MOU를 체결하는 경우도 늘고 있다.

③ 상품개발 및 해외홍보 마케팅 지원

공공은 의료관광 전문 기업과 함께 경쟁력 있는 의료관광 상품의 개발을 유도하고 개발된 상품의 해외마케팅 활동을 지원할 수 있어야 한다. 온오프라인을 통한 해외 광고나, 언론 홍보가 매우 효과적이다. 또한 각국 유명인을 활용한 마케팅, 소외된 계층에 대한 의료봉사등의 활동을 통한 효과적인 홍보 툴을 개발하여 한국 의료관광의 이미지를 높이는데 주력해야 한다.

〈그림 4-8〉 중국지역 타깃 의료관광 상품 광고 팸플릿

④ 의료관광 안내체계 구축 및 운영

공공에서는 개별적으로 한국을 찾아 의료서비스를 받고자 하는 잠재적 의료관광 소비자를 위하여 손쉽게 접할 수 있는 의료관광 안내체계를 구축하고 직접 운영하는 것이 필요하다. 국제공항, 관광안내센터, 메디컬 스트리트 등에는 의료관광에 대한 전문적인 안내를 담당하는 의료관광 홍보안내센터를 운영하며, 다국어로 안내되는 온라인 홈페이지 및 모바일 앱 등으로도 의료관광에 대한 정보를 제공하고 있다.

〈그림 4-9〉 의료관광 홍보안내 센터

2. 의료관광 시장의 수요조건

의료관광은 생태관광, 종교관광, 모험관광과 같은 틈새관광시장의 한 분야이다. 관광은 많은 수의 고객을 유치하지 않더라도 충분한 이익을 창출할 수 있는 정도의 고객만 유치해도 의미가 있다. 의료관광은 의료와 관광이라는 두 개의 구성요소로 이루어져 있다. 의료관광이 일반 관광과 상이한 점은 여행자가 의료서비스를 먼저 선택하고 그 다음에 목적지 관광환경에 초점을 둔다는 점이다.

의료관광객은 특별한 의료서비스를 구매하고자 하는 목적을 가지고 자신이 생각하는 명확한 의료적 목적을 달성하고자 한다. 즉 이들은 자신의 소득을 고려하여 의료서비스의 유용성을 극대화하고자 한다. 따라서 의료서비스를 구매하는 데 있어서 결정요인은 의료서비스와 함께 숙박시설, 운송 및 관광서비스시설 등 비의료적인 요소도 구매자의 실제 경험에 비추어 고려해 보는 중요한 결정요소이다.

1) 의료관광 수요결정요인

의료관광 수요를 결정하는 요인은 두 가지로 나누어 살펴볼 수 있다. 의료관광의 수요자에 영향을 미치는 일반적인 요인과, 특정지역을 의료관광의 목적지로 선택하는 요인은 무엇인지 아는 것이 중요하다. 일반적인 결정요인으로는 개인소득 및 취향, 외부세계에 대한 개방성, 의료서비스가격에 대한 기대, 건강치료의 유용성 등을 들 수 있다.

(1) 개인소득

상품으로 치료와 건강 목적의 여행은 소득과 비례하는 상관관계를 가진다. 의료관광객의 개인 가처분 소득이 클수록 선택적 시술에 대한 소비가 더욱 커지게 된다. 일반적으로 소득수준이 높을수록 더 많은 웰니스 상품을 구매하기를 원하며, 더 자주 다양한 방법으로 예방적 치료를 받고 싶어 한다. 현대인들의 길어진 수명과 변화된 라이프스타일로 인해 건강과 치료 욕구에 대한 수요는 더욱 증가되어가고 있다.

관광은 소득이 기초생활비를 초과할 때 가능하며 이러한 조건은 고소득국가에서 나타나는 보편적인 현상이다. 세계관광의 90% 정도가 중진국 이상의 국가에서 발생한다. 의료관광도 마찬가지로 가처분소득이 있는 층에서 발생하며, 저개발국이라 하더라도 부유층에서 나타나는 일반적인 모습이다. 선진국에서는 자국의 의료서비스 수준보다는 낮은 비용 및 짧은 대기시간 등의 요인 때문에 의료관광이 발생하지만 저개발국가에서는 의료서비스 수준이 낮아 발생하고 있다.

(2) 개인취향

외과 수술이나 전통적 치료, 또는 의료서비스를 위해 해외로 여행을 가기 위해서는 여행 자체를 좋아하는 취향이 좋다. 연구자들에 의하면 개인적 취향이 의사결정에 중요한 역할을 한다는 것으로 밝혀졌다. 어떤 소비자는 프라이버시를 중요하게 여기므로 해외에서 치료를 받는 것에 대해서 오히려 장점으로 활용하기도 한다. 어떤 경우에는 자국에서의 대기시간 보다는 해외에서의 치료를 통해 만족감을 가지는 것에 더욱 중요성을 두기도 한다. 그러나 아직 많은 선진국 환자들은 저개발국가의 의료수준과 위생수준에 대한 확신이 없어 주저하기도 한다.

의료관광에 대한 취향에서 빠질 수 없는 것이 웰니스에 대한 관심이다. 사람들은 항상 건강한 심신을 유지하고 싶어 한다. 건강한 라이프스타일과 예방의학에 대한 관심이 높아져 최근 다양한 형태의 스파(spa)나 피트니스 프로그램에 대한 수요도 많아지고 있다

(3) 의료관광 성향

어떤 사람들은 상당한 국제적 감각과 경험을 가지고 있어 다른 사람보다 의료관광을 위해 해외여행을 하는 성향이 강하게 나타나기도 한다. 국제교류, 무역증대, 해외여행, 인터넷, 타문화 접촉 등을 통해서 글로벌화가 더욱 촉진되고 있다. 레저에 대한 성향에서 사회적으로 차이가 나는 이유는 레저에 대한 시각이 다르기 때문이다. 레저를 즐기는 사회는 레저 활동에 상당한 가치를 두고 있으며, 그로인해 레저산업이 발달하고 여행에 대한 성향도 높다.

(4) 미래예측

의료관광의 구매결정에 영향을 주는 또 다른 요소로는 본국의 경기상황과 그에 따른 의료관광객 본인의 지속적 고용보장의 예상정도이다. 미래고용에 대한 예상과 개인소득에 대한 기대치는 현재의 서비스 구매에 대한 의사결정 요인에 영향을 준다. 또한 의료서비스에 대한 수요는 관광지에 대한 기대감도 중요한 결정요인이 될 수 있다. 관광객은 전염병의 확산에 우려를 나타낼 수 있으며 날씨에 대한 변화도 고려하고 정치적인 소요와 테러상황에도 민감하게 반응을 한다.

2) 의료관광 목적지 결정요인

의료관광 목적지에 대한 각종 정보와 의료비 등이 일정하다면, 특정 목적지 결정요인으로는 문화적 친화성, 본국과의 거리, 의료 전문성, 명성 등과 같은 것을 들 수 있다.

(1) 문화적 친화성

인도의 의료관광은 인도출신 이민자들로부터 시작되었다. 이들은 시설, 인력, 개인과의 관계에서 문화적으로 친화성이 있기 때문에 자신의 모국에서 편안함을 느낀다. 또한 가족과 친지를 방문하는 기회로 활용하기도 하면서 여행비용을 절감한다. 현지 의료시설과 의료진의 서비스에도 친숙할 뿐 아니라 비용 또한 훨씬 저렴하므로 이러한 현상은 가속화되었다. 문화적 친화성에서 가장 중요한 요소는 의사소통이다. 자신의 모국어로 의료진과 의사소통을 할 수 있다는 것은 안정감을 주게 되므로 결과적으로는 이런 현상이 지속적으로 나타난다. 종교도 또한 문화적 친화성을 결정하는 요인이 된다. 해외환자들은 자신의 주된 종교에 따라 관광목적지를 선택하게 된다.

이러한 관점에서 터키와 요르단은 중동 지역의 환자들을 유치하려고 하고 말레이시아도 이슬람 국가들을 주요 타깃으로 삼고 있다. 실제로 영국인들이 인도를 방문하고, 미국인들이 필리핀을 방문하고, 스페인 사람들이 쿠바를 방문하며, 사우디아라비아인들이 레바논을 방문하는 현상을 살펴보면 목적지 국가와 그 나라의 이민자 수 그리고 그로인한 문화적 친화성이 높다는 것을 추정해 볼 수 있다.

(2) 이동거리

의료관광객은 입지 때문에 특정 시설물이나 특정 나라로 여행을 하는 경우가 많다. 사람들은 지리상의 근접성으로 인해 쉽게 치료를 위한 여행을 하게 된다. 여러 연구 자료에 따르면 외국인 환자들은 치료를 받기 위해 여행해야 하는 시간에 대해 무척 민감하다는 것을 알 수 있다. 따라서 지리적 거리는 국경을 맞대고 있거나 인접하고 있는 지역의 의료 산업에 중요한 결정요인이 된다.

미국은 멕시코 국경 지역으로 여행을 많이 하고 있고, 동남아지역에서는 싱가포르가 의료관광 목적지로 부각하게 된 주된 이유가 이동거리 때문이다. 인도 또한 주변 국가로부터 환자를 끌어 모으고 있다. 1년에 5만 명의 방글라데시 사람들이 치료를 위해 인도를 방문하는 것으로 나타났다. 칠레는 첨단 건강치료 장비를 갖추고 에콰도르와 페루로부터 환자들을 유치하고 있다. 코스타리카는 미국남부 지역에서 몇 시간의 비행시간이면 도착할 수 있다. 요르단은 아랍인에게 의료센터로서 받아들여지고 있다.

(3) 전문성

의료관광객들은 특정 의료시설과 의료전문성에 민감하게 반응을 한다. 많은 나라들은 암이나 심혈관계 수술 뿐 아니라 안과, 치과 분야도 전문성을 가지고 환자들을 유치하고 있다. 심지어 스파나 전통기법치료 분야까지 고유의 전문성을 활용하고 있다.

쿠바는 망막색소변성증(색소성망막염, Retinitis Pigmentosa)에 대한 고유한 치료법을 가지고 있고, 백반증(Vitiligo)에 대해서는 새로운 시술과 시료약을 보유하고 있다. 방콕의 범룽랏병원은 성전환수술 등 성형수술에 전문화되어 있으며, 인도의 캘커타 지역은 심혈관질환의 진단, 치료, 연구에 전문화된 병원을 가지고 있다. 요르단의 후세인병원은 암치료법에 권위를 가지고 있고, 아르헨티나는 눈수술에 특화되어 있다. 또한 요르단의 사해에 있는 리조트와 스파는 세계적인 피부질환 치료장소이며, 칠레의 라고스 지역은 자연과 온천욕으로 유명하다.

(4) 안전성과 명성

환자들은 치료를 위해 해외로 갈 때 안전문제와 의료사고의 발생가능성에 대해 걱정한다. 의료사고의 발생가능성은 환자로 하여금 가장 성공적인 치료로 명성이 높은 지역을 선택하도록 한다. 많은 이목을 집중시킨 의료사고가 있었던 지역은 의료관광객을 유치할 가능성이 현저히 떨어질 수밖에 없다.

3) 의료관광 정보 확산

의료관광이 활성화되는 데에는 의료서비스 정보의 확산이 가장 크게 기여했다고 할 수 있다. 특히 인터넷의 보급은 촉진제 역할을 하였다. 그 외에도 전통적인 방법을 통한 정보 확산 노력이 함께 필요하다.

(1) 인터넷 활용

인터넷의 보급으로 환자들은 자신의 의료수요에 대한 정보를 손쉽게 얻을 수 있게 되었다.

또한 글로벌화의 진전으로 이전에는 쉽게 접근할 수 없었던 정보도 손쉽게 사용할 수 있다. 이에 따라 환자들 스스로 자신의 질병에 대해 조사하고 나아가 자신의 질병에 대해 의사에게 어떻게 치료해야 할지를 묻기도 한다. 이제 환자들은 자신의 질병을 치료받기 위한 병원, 시술법, 전문가에 대한 정보를 스스로 탐색하려고 한다.

따라서 인터넷은 의료관광을 육성하려는 국가에 많은 도움이 되고 있다. 인터넷을 통해 자국의 의료관광자원을 전 세계로 전파시킬 수 있게 되었다. 따라서 의료서비스 제공자는 인터넷을 통해 자신들의 의료서비스를 홍보할 수 있는데 특히 의료관광 마케팅 비용을 줄이는데 매우 효과적이기 때문에 인터넷 사용 빈도는 더욱 높아갈 것으로 보인다. 물론 인터넷이 의료관광 마케팅을 완벽하게 대체할 수는 없지만 상당한 도움이 되는 것은 사실이다. 지금 세계의 거의 모든 의료관광을 추진하는 의료기관은 인터넷 사이트를 운영하고 있다고 보아야 할 것이다. 심지어 미국으로부터 무역규제조치를 당하고 있는 쿠바는 인터넷이 미국시장에 접근 할 수 있는 유일한 방법이기도 하다. medicaltourism.com은 인도의 전 지역과 남아메리카 지역, 중동과 아프리카 지역을 포함하여 지역별로 의료관광 정보를 제공하고 있다. arabmedicare.com은 아랍어를 사용하는 지역을 대상으로 온라인 의료정보를 제공하는 사이트이다. 이 사이트는 의료시설과 의료기관에 대한 정보 이외에도 보험회사나 치료병원과 업무를 처리하는 방법에 대해서도 도움을 주고 있다. makemytrip.com은 해외에 살고 있는 인도인들을 대상으로 인도의 의료관광을 이용할 수 있도록 돕고 있다.

어떤 인터넷 웹사이트는 특정 병원이나 조직의 의료서비스와 웰니스 프로그램을 홍보해 주기 위하여 개설되기도 하였다. 이러한 사이트는 여행사나 심지어 인증기관과 직접 연계 또는 링크되어 있다. JCI는 국제적 병원인증기관으로 인증을 받은 병원과 링크되어 있다. 방콕의 범룽랏병원 사이트는 병원의 설비 외에도 외과시술 가격에 대한 정보까지도 공개하고 있으며, 호텔 사이트처럼 입원실을 사진으로 보여주고 있다.

(2) 현지 홍보사무실 운영 및 설명회 개최

비용이 많이 들기는 하지만 의료관광 정보 확산을 위해 해외 현지에 홍보사무실을 운영하기도 한다. 이들은 홍보 활동의 일환으로 홍보설명회나 세미나를 현지에서 운영하며 의료관광 정보를 전파하기도 한다. 또는 대사관에 홍보담당자를 지명하여 활용하기도 하고, 정부 당국자들 간의 협약을 통해 의료관광을 홍보하기도 한다. 그리고 이들 홍보사무실은 해외에서 개

최되는 의료관광 관련 각종 전시회 및 박람회에 참가하여 의료관광 목적지로 홍보하고 주요접
촉인사를 확보하는 역할을 맡고 있다.

〈그림 4-10〉 해외 의료관광 홍보설명회(러시아 블라디보스토크 및 몽골 울란바토르)

(3) 초청답사 및 세미나 개최

해외 의료관광 관련 인사를 대상으로 데이터베이스를 구축하여 이들을 초청하여 의료관광 상
품의 운영 현황을 보여주는 것이 비용 대비 가장 효과적인 정보 확산 방법이다. 의료기관들은 이
들에게 자신의 병원 시설물과 서비스 시스템을 홍보하거나 세미나를 개최하기도 한다. 이러한 접
촉인사 명단은 해외에서 개최되는 홍보 로드쇼 개최를 통해 확보하거나 보건의료 및 관광 전시회
에 참가하여 확보하기도 한다. 이때 의료관광 추진 업체는 비용절감 및 효과증대를 위하여 의료
기관과 공공기관, 또는 관련 단체의 지원을 통해 실시하는 것이 보다 효과적이다.

(4) 국내 및 해외 중개 에이전시 활용

여러 형태의 중개 에이전시는 관심 있는 해외 고객에게 관련 정보를 확산시키고 외국인환자
를 직접 유치하는 데에도 도움이 된다. 개별 컨설턴트들은 타깃시장으로부터 목적지에 환자를
연결하는 기능에 전문화되어 있다. 이들 전문 업체들은 환자들이 병원을 확인하여 예약하고
항공권을 구입하고 여행일정을 계획하는 의료관광 에이전시이기도 하다.

(5) 인쇄 홍보물 및 홍보기사

인쇄을 통한 홍보도 전통적인 방법이긴 하지만 정보를 확산시키는 주요한 원천으로 여전히
사용된다. 각종 홍보 리플릿과 브로슈어는 손쉽고 효과적으로 사용되는 것들이다. 이외에도

전문 잡지나 신문에 광고와 홍보성 기사를 게재함으로써 소비자들에게 의료관광욕구를 자극하고 정보를 제공하게 된다. 건강 관련 잡지, 여행 및 호텔잡지, 항공기내잡지 등에 건강에 대한 관심사를 다루어 독자들의 관심을 유도해낸다.

(6) 구전 홍보

구전(Word of mouth)은 정보를 확산시키는데 있어 가장 비용이 적게 들면서 가장 효과가 크다고 할 수 있다. 환자가 해외에서 성공적인 시술을 하고 돌아오게 되면 그 환자의 정보는 어떤 홍보 수단보다도 강력하게 친구들과 주변 사람들에게 전달된다. 구전은 해외에서 수행되는 시술에 대해 외국 의사에게 직접적으로 듣는 것과 마찬가지 효과이기 때문이다. 그러나 정보 전달 범위의 한계는 엄연히 존재하고 있다.

〈그림 4-11〉 의료관광 이미지 광고

3. 의료관광 시장의 공급조건

의료관광의 공급환경은 공공부문과 민간부문으로 나누어 살펴볼 수 있다. 먼저 공공부문은 의료관광을 발전시켜 국가경제 발전 측면에 집중하고, 민간부문은 해외환자를 유치함으로 인해 수익창출을 추구하고 있다. 따라서 공공과 민간은 쌍방의 적극적인 노력과 협력을 통해 목적달성을 해나가게 된다.

1) 공공부문의 역할

의료관광 산업에서 공공부문의 역할은 경제발전 측면, 의료치료 측면, 관광 측면에서 기여하고 있다. 경제발전에 대한 정부의 역할은 여러 가지 측면에서 논의되고 있다. 사회 번영과 안녕을 위해 리더의 역할이 강조되기도 하고, 복지, 교육, 환경 분야에서는 소수집단의 이익도 대변해야 한다. 그리고 건전하고 부정부패 없이 정책을 수립하고 이행해 나가야 한다는 점도 빼놓을 수 없다.

(1) 의료부문에서의 정부의 역할

애초부터 의료는 경제의 다른 부문과 차별되어 다루어져 왔다. 의료는 대체로 정치적·사회적 문제이며, 사람들에게 매우 민감한 분야이다. 따라서 많은 국가에서는 보건의료에 대한 국민의 권리를 국법에 명시하고 있다. 다만 의료부문에 대한 이슈가 정부의 의료부문에 대한 관여 때문에 경제적 문제로 바뀌고 있다. 특히 저개발국에 있어서는 의료분야에서 정부의 역할은 더욱 중요한 위치를 차지한다.

최근 중국의 공공의료정책에 있어서 큰 성장은 정부의 역할이 기여한 바가 크다. 오랫동안 공공기관이 기본적인 의료서비스를 제공하여 왔으나, 개방화 이후 민영병원이 설립되도록 지원함으로써 공공 보건의료에 대한 정부의 역할을 줄여 왔다. 이는 국가가 결정적으로 보건의료에 관여할 수 있음을 보여주는 사례이다. 의료분야를 거의 민간분야에 맡겨 버리는 미국에서조차도, 의료는 윤리적이고 인류복지 차원에서 볼 때 다른 산업분야와는 차별적으로 다루어야 한다는 주장이 계속 제기되고 있다.

(2) 관광분야에서의 정부의 역할

의료부문은 정치적 연관성이 높지만 관광은 그렇지 않다. 그렇지만 관광분야에 있어서도 공공부문의 역할은 어느 정도 필요하며, 무계획적으로 방치하기 보다는 장기적 계획을 통해 육성해 나가야 한다는 의견이 지배적이다. 따라서 관광분야도 정부가 광범위하게 계획해야 하는 산업 분야로 여겨지고 있다. 또한 정부는 한정되고 부족한 관광 자원을 개발하고 국가의 경제 성장을 위하여 관광활동을 권장하여야 한다. 또한 공공부문은 관광산업 육성을 위해 외래 방문객을 위한 서비스 증대 노력과 함께, 출입국 서비스 개선, 건전한 에이전시 육성에 대한 노력도 함께 필요하다.

(3) 의료관광에서의 정부의 역할

의료관광은 비교적 최근에 도입된 개념으로 국가마다 정부의 역할에 있어 다소 차이가 존재한다. 미국과 유럽, 인도의 경우 민간부문이 의료관광을 주도하고 국가는 최소한의 개입에 멈추고 있다. 반면에 쿠바와 싱가포르와 같은 경우에는 정부가 의료관광 산업 육성을 위해 적극적으로 나서고 있다. 대신에 태국, 필리핀, 아르헨티나 같은 경우에는 공공부문의 지출도 상당하지만, 민간부문에서도 뒤지지 않은 투자를 하고 있다.

최근까지도 관광 산업은 대부분의 국가에서 국가의 주요 산업으로 인식되지 않았으며 자본재 산업에 비하여 상대적으로 중요성이 낮게 인식되어 왔다. 그동안 의료관광에 대해서도 전통적 방식의 치유와 건강추구행위로 간주하여 각국 정부는 큰 관심을 기울이지 않았다. 그러나 최근 국제교류의 증대와 국경을 초월한 의료정보 확산의 결과 의료관광서비스를 통한 수익 창출이 이어지면서 이에 대한 중요성을 깨닫기 시작하였다. 이에 각국 정부는 다양한 형태로 재정적, 제도적 지원을 아끼지 않고 있다. 또한 의료관광이 수출지향 산업으로 인식되면서 해외환자를 유치하기 위하여 홍보활동을 벌이고 있다.

의료관광에 대한 정부의 적극적 추진전략은 각국의 정책에 반영되어 있다. 아랍에미리트는 두바이에 헬스케어시티(Healthcare City)를 발전시키기 위해 자유무역지대로 지정하였다. 이곳에서는 자본유입에 대한 장벽도 없으며, 무역장벽과 수입할당제에 대한 규제도 없을 뿐더러 합작투자를 할 필요도 없으며 정부서비스는 최대한 보장하겠다고 선언했다. 칠레정부는 의료치료 분야를 칠레의 전통산업인 구리, 와인, 연어 수출과 같은 산업으로 여기고 있다. 쿠바는 정부차원에서 의료관광 산업 발전을 위한 노력에 가장 오랜 역사를 가지고 있다. 실제로 해외환자에 대한 치료가 쿠바 정부 전략의 중요한 역할을 한다. 말레이시아에서는 정부가 건강관광 홍보를 위한 위원회를 창설하였으며, 태국은 1990년대 후반부터 정부 차원에서 의료관광을 적극 홍보하고 있다. 필리핀과 인도에서도 민간의료기관이 의료관광 사업을 시작하게 될 때 재정적인 지원을 하고 있다.

의료관광 산업이 발전되기 위해서는 지원 분야의 성장이 함께 필요하다. 가장 중요한 것은 운송, 통신, 전력, 상하수도 시설과 같은 기반시설의 확충이다. 사회하부구조를 갖추는 것은 의료산업을 활성화시키기 위해서 그 기초가 되는 결정적인 역할을 수행한다. 또한 의료장비 및 의료기기의 발달, 제약 분야, 의료시설 건설, 의료전문가 양성 교육기관 등 의료 관련 산업이 반드시 필요하다.

의료관광 산업을 육성하기 위해서 정부는 투자, 생산, 수익의 극대화를 위한 환경조성을 해 주어야 한다. 이러한 우호적 투자 환경은 산업의 잠재력을 극대화시키는데 있어 필수요소이며 민영화, 규제 철폐, 무역 자유화를 유도함으로써 의료관광을 활성화하는 국가차원의 혁신을 동반하게 된다. 세금 및 공과금도 정부당국이 고려해야 할 환경요소이다. 정부는 의료관광과 관련된 활동에 어떤 세금을 부과할 것이며, 얼마나 많은 세금을 납부토록 할 것인지 결정해야 한다. 조세정책은 민간 활동이 억제되지 않을 정도로 충분히 낮고, 공공세입에 기여를 할 수 있을 정도로 충분히 높아야 한다.

2) 민간부문의 역할

의료관광에 공공부문이 지나치게 적극적으로 관여하게 되면, 자칫 정부가 민간부문을 활성화하는데 소극적이라는 인상을 줄 수도 있다. 일반적으로 민간비즈니스가 훨씬 동태적이고 환경변화에 더욱 유연하게 대처할 수 있다. 또한 서비스산업에서도 민간부문이 공공부문보다 경쟁력이 뛰어나기 때문에 의료관광분야에서도 민간부문의 지배력이 클 수밖에 없다. 의료관광에 있어서도 민간부문이 기술변화와 각종 지원에 신속하게 반응한다.

의료관광에 관한 문제는 정부가 규제하는 공공의료부문과 관련이 있어 정치적 · 사회적으로 매우 민감한 이슈가 되어 있다. 그러나 현실적으로 의료관광의 경제활동은 민간과 공공부문에 의해 수행되고 있으며, 의료관광을 지향하는 국가들도 공공 및 민간 부문의 의료서비스 시스템을 동시에 보유하고 있다. 그러나 의료관광을 추진하는 것에는 다소간 문제점이 노출되어 있는 것은 사실이다.

태국은 의료 산업에서 민간부문의 비중이 높고 민간 주도형 의료치료 시스템을 구축하고 있어 국민들에게 의료에 대한 선택의 폭을 넓혀주고 있다. 국민들은 소득에 따라 진료기관을 선택할 수 있는데, 일반적으로 소득수준이 높아질수록 민간부문에 의한 치료를 선호하게 된다. 따라서 개인소득의 증가에 따라 공공의료부문에 대한 수요는 지속적으로 감소될 것으로 보인다. 또한 결과적으로 민간의료기관에 의한 해외환자를 유치하기 위한 경쟁은 더욱 치열해질 것으로 보인다.

(1) 의료관광 시장구조

의료관광을 수행하는 곳은 대부분 민간투자가 이루어진 대형병원들이다. 전문 치료와 수술을 위주로 운영되는 의료기관은 대형 기업에 의해 지배되고 운영되고 있다. 따라서 대부분의 국가에서는 몇몇 대형병원이 시장을 지배하는 과점적 의료산업의 시장형태를 띠고 있다. 이에 따라 의료관광 산업은 진입장벽이 상당히 높은 편이다.

의료관광 주체의 대형화는 규모의 경제가 발생하는 이점이 있다. 수익을 극대화하기 위해 병원을 대형화함으로써 산출물이 증가하고 이에 따라 단위당 생산비는 감소하게 된다. 이러한 규모의 경제로 인한 비용절감효과는 의료서비스공급자로 하여금 더 낮은 가격으로 서비스를 제공할 수 있게 하였다. 그러나 대형기업병원의 성장은 소규모 병원의 운영을 압박하기 때문에 의료관광 산업의 대형화와 집중화는 앞으로 더욱 심화될 것으로 보인다. 따라서 소규모 전문병원은 일부 의료서비스에서 전문화를 통해 틈새시장을 노려야 한다.

이와 같은 대형병원 가운데 태국의 범룽랏병원은 병원의 규모, 종업원의 수, 매출액, 투입된 자본에 대한 이익이 상당히 높다. 인도의 아폴로병원은 처음에는 공공병원을 선호하지 않은 고소득층의 현지인들을 대상으로 최신병원을 설립하는 것이 목적이었다. 이후 외국인환자의 유치로까지 사업의 범위를 확장시켜 나갔다.

침술이나 스파, 마사지와 같은 전통적인 기법을 동원한 치료법은 그 특성이 본질적으로 다르기 때문에 규모가 큰 문제가 되지 않는다. 그 대신 다수의 소규모 의료서비스 제공자들의 시장진입과 진출이 비교적 자유롭기 때문에 경쟁적인 시장을 형성하게 된다. 그러나 일부 대형병원과 시설을 갖춘 치유센터가 차츰 등장하고 있다

(2) 민간부문 의료관광 공급요소

의료관광에서 민간부문의 관여도 점진적으로 증가하고 있다. 가장 빠르게 성장하고 있는 요소로는 물적자본, 의료기술, 제약 분야를 들 수 있다.

① 물적자본

치료 및 수술 분야와 같은 의료서비스를 공급하기 위해서는 병원이나 클리닉과 같은 의료시설에 대한 투자가 먼저 이루어져야 한다. 의료관광을 추진하는 국가들은 물리적 시설과 의료기기에 상당한 투자를 한다. CT(컴퓨터단층촬영, Computed Tomography)[31], MRI(자기공명영상장치, Magnetic Resonance Imaging)[32], PET(양전자단층촬영, Positron Emission Tomography)[33], ECG 머신(심전도기, electrocardiogram machine), 인공호흡기, 감마나이프기구 등의 각종 의료기기 외에도 침대와 환자를 위한 가구가 포함된다. 그리고 의료소프트웨어도 포함 되는데, 이는 병원이 보유한 의료서비스 활동의 지적 산출물들로 연구개발 인력이 포함된다.

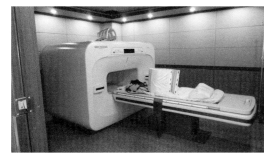
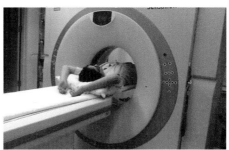

〈그림 4-12〉 첨단의료장비(MRI와 CT)

② 의료기술

의료관광의 공급요소에는 임상진단학(diagnosis), 생화학(biochemistry), 미생물학(microbiology), 혈청학(serology), 조직병리학(histopathology)과 같은 의료기술의 보유도 포함된다. 임상진단학은 조영, 심장학, 신경학, 호흡기질환을 포함하는 최신 의료기술에 의존한다. 이동통신과 정보기술의 등장으로 진단, 치료, 의료교육 등의 원거리 통신진료가 가능하게 되었다.

31　뼈의 미세골절, 뼈처럼 석화된 병변, 뇌출혈 등을 촬영하는데 탁월, X선을 이용해 짧은 시간에 인체의 단면을 촬영하며 대체로 비용은 싼 편임. 다만 극소량이나 방사능에 노출이 되며, 조영제가 약물과민반응 환자에게는 위험.

32　근육, 뇌 신경계, 종양 등 연부조직을 촬영하는데 효과가 있음. 급성 뇌경색 의심환자를 파악하는데 탁월. 자기장을 이용하므로 방사능에 노출될 위험이 없음. 그러나 촬영시간이 길고 폐쇄공포증 환자에게는 좋지 않으며 다소 비용이 비싼 편임

33　악성종양, 간질환자, 알츠하이머, 염증성 질환 등에 대한 진단에 유용. 인체의 대사 상태를 촬영. 암의 전이여부를 진단하는데 용이. 모든 암을 진단하는 데는 한계가 있음.

③ 제약(製藥)

첨단 의료기기와 의료기술을 사용하여 치료를 성공시키기 위해서는 제약(manufactured medicine) 부분이 반드시 필요하다. 의료관광을 발전시키려는 의료기관은 외국인환자를 위해 충분한 수준의 약품을 구비하고 있어야 한다. 이러한 약품의 품질은 반드시 국제적 기준에 부합한 것이어야만 한다.

3) 공공부문과 민간부문의 협력

의료관광은 속성상 관련 산업과 복잡한 관계를 맺고 있어서 하나의 관련 산업이 제대로 작동하지 않으면 다른 관련 산업의 기능도 완전하게 발휘될 수 없다. 민간과 공공의 상호협력이 이루어지지 않을 경우, 의료 산업과 관광 산업은 서로 상충될 수 있으며 서로의 노력이 제대로 효과를 발휘할 수 없다. 공공부문의 노력만으로는 공공의료수요 전체를 충족시킬 수 있는 충분한 의료자원을 보유하지 못하게 되며, 또한 정부의 제도적 · 사회구조적 지원이 부족한 상태에서는 민간부문이 내국인 환자나 외국인환자 모두에게 만족할만한 의료서비스를 제공할 수 없다. 따라서 민간부분과 공공부문은 상호의존의 필요성에 대해 잘 인식해야만 한다.

먼저 정부당국은 민간부문의 투자규모와 해외자본을 유치할 수 있는 역량을 분석하여 민간부문의 성장가능성에 주목해야 한다. 민간부문이 의료관광 발전에 주도적인 역할을 수행할 수 있어야 글로벌 시장에서 경쟁력을 확보할 수 있다. 따라서 정부는 민간부문의 성장을 환영하고 민간부문의 성장이 가져오는 파급효과가 간접적으로 공공의료 부문으로 확대되도록 유도해야 한다. 그러므로 공공부문은 의료관광을 위해 국가 보건서비스를 등한시해서는 안 된다. 민간부문이 의료관광 발전의 선두에 서도록 함으로써 공공부문 또한 수익을 창출해 내도록 하되 결코 공공의료를 무시하고 있다는 비난을 받아서는 안 된다.

다음으로 민간부분의 기업 활동을 지원하는 정부의 역할에 주목해야 한다. 정부당국은 규제를 철폐하거나 민간의 경제 활동을 저해하는 장벽을 제거해 줌으로써 사업 활동에 도움을 줄 수 있다. 정부의 규제 완화를 통한 자유화 정책은 민간부문의 활동을 촉진하게 된다. 그렇지만 민간부분은 거시경제에 대한 정부의 책임을 인식해야 하며 고용과 세금의 납부를 통해 국가경제에 기여해야 한다. 또한 국가의 법치와 법적 제도 아래에서 활동을 해야 하며 공공부문이 설정해 놓은 규제를 따라야 한다.

인도는 공공부문과 민간부문의 협력을 통해서 가장 성공적인 의료관광 목적지 모델을 만들어 가고 있다. 인도는 의료서비스를 민간부문으로까지 확대해 나가는 모델, 공공시설의 민간경영 모델, 공공수요에 맞추기 위한 민간투자 촉진 모델, 공공부문을 민간부문으로 설비 전환하는 모델, 농촌 지역에 기초적인 진료제공에 초점을 두는 공적 모델과 같은 다양한 모델에 대해서 연구하고 적용해 나가고 있다.

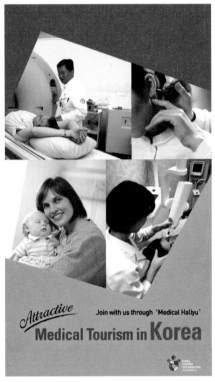

〈그림 4-13〉 한국 의료관광 홍보물

4. 해외홍보 및 비즈니스 네트워크 구축

한국무역협회(2010)의 조사에 따르면 외국인환자 유치 의료기관으로 등록된 의료기관 중에 실제로 외국인환자 유치를 위한 전담 부서를 갖춘 병원은 18.3%에 지나지 않으며, 환자치료를 위한 전문코디네이터나 통역을 갖추고 있는 병원도 32.8%에 불과하였다. 조사대상의

55.6%는 아직 해외마케팅 네트워크를 구축할 계획도 수립하지 못한 것으로 나타나 대부분의 병원들이 수동적인 의료관광 마케팅에 머물고 있음을 보여준다.

의료관광 활성화를 위해서는 전문적인 의료수준과 수용여건을 갖추는 것 외에도, 해외 비즈니스 네트워크 구축이 병행되어야 한다. 특히 해외 네트워크가 강한 전문 에이전시를 대폭 확충하여 외국인환자 유치에 활용하여야 한다. 이들을 통해 특정 분야 환자의 유치를 전담하도록 하는 시스템을 구축하여야 한다. 그리고 여행사는 해외 네트워크에 장점이 있지만 전문 의료분야에 대한 전문성이 낮으므로 미용이나 의료체험, 건강검진 등의 상품판촉에 주력할 필요가 있다. 해외 비즈니스 네트워크 구축을 위해 중장기적으로 의료인력 연수, 프랜차이즈 진출, 의료장비 및 의약품 수출, 휴양과 노인 요양 등을 연계하는 성장전략이 필요하다. 이 외에도 대외 브랜드 이미지 구축, 공동 홍보사절단 형태의 해외마케팅을 위한 홍보 노력도 함께 전개되어야 한다.

1) 비즈니스 네트워크 구축

해외 비즈니스 네트워크를 구축하기 위해서는 의료관광 관계자와 직접 접촉하여 홍보하거나, 또는 이들을 국내로 초청하여 비즈니스 협력관계를 지속시켜 나가야 한다. 다음 그림은 의료관광을 추진함에 있어 상품 및 지역별로 마케팅 대상을 제시한 것이다.

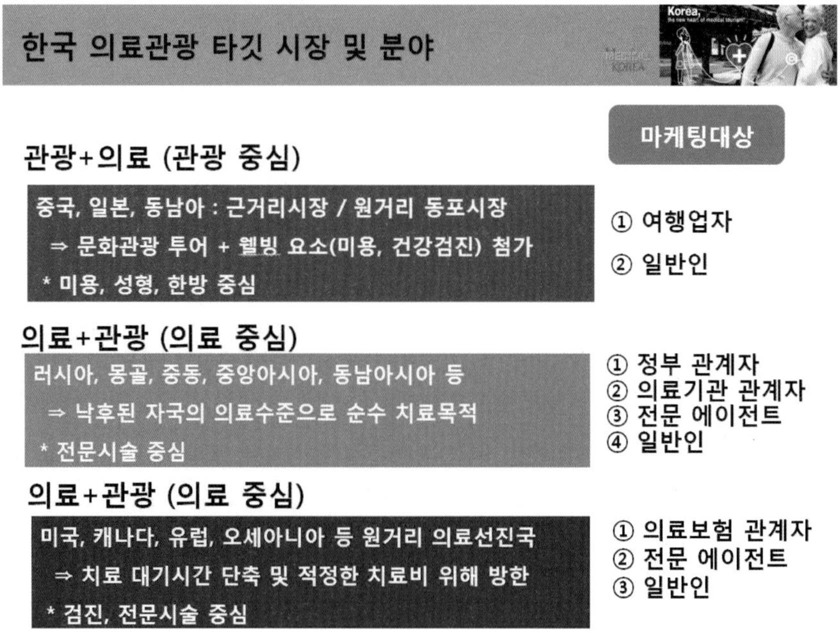

한국 의료관광 타깃 시장 및 분야

관광+의료 (관광 중심)

중국, 일본, 동남아 : 근거리시장 / 원거리 동포시장
⇒ 문화관광 투어 + 웰빙 요소(미용, 건강검진) 첨가
* 미용, 성형, 한방 중심

마케팅대상
① 여행업자
② 일반인

의료+관광 (의료 중심)

러시아, 몽골, 중동, 중앙아시아, 동남아시아 등
⇒ 낙후된 자국의 의료수준으로 순수 치료목적
* 전문시술 중심

① 정부 관계자
② 의료기관 관계자
③ 전문 에이전트
④ 일반인

의료+관광 (의료 중심)

미국, 캐나다, 유럽, 오세아니아 등 원거리 의료선진국
⇒ 치료 대기시간 단축 및 적정한 치료비 위해 방한
* 검진, 전문시술 중심

① 의료보험 관계자
② 전문 에이전트
③ 일반인

〈그림 4-14〉 비즈니스네트워크 구축 마케팅 대상

(1) 의료관광 전문 컨퍼런스 개최 및 참가

의료관광 전문 국제 컨퍼런스는 의료관광을 추진하는 의료기관, 의료관광 유치업체, 코디네이터 등 의료관광에 관심이 있는 셀러(seller)와 바이어(buyer)들이 참가하는 행사이며 일반적으로 세미나와 전시회가 함께 열린다. 이러한 행사는 의료관광 비즈니스 협약의 중요한 자리임과 동시에 의료관광에 대한 토론의 장이기도 하고, 또한 의료관광 분야 종사를 희망하는 사람들의 취업설명회 장소가 되기도 한다. 따라서 의료기관 및 유치업체에서는 국제 비즈니스 네트워크 구축을 위하여 이를 적극 활용할 필요가 있다.

이와 같은 행사가 국내에서는 서울, 부산, 대구 등에서 해마다 규모와 타깃을 달리하여 개최되고 있다. 국내에서 개최되고 있는 행사 가운데 비교적 규모가 크고 오래된 행사로는 2008년부터 개최된 국제의료관광컨퍼런스(IMTC; International Medical Tourism Conference)와 2010년부터 열리기 시작한 글로벌헬스케어컨퍼런스(Global Healthcare Conference)가 있다. 또한 동남아 지역과 유럽 및 미국 등 세계 주요 의료관광 목적지 국가에서도 의료관광 관계자들이 모이는 전시회 및 컨퍼런스가 매년 개최되고 있다. 국내 의료기관 및 유치업체에서는 이러한 행사에 적극적으로 참가하여 비즈니스 네트워크 구축사업을 추진하고 있다.

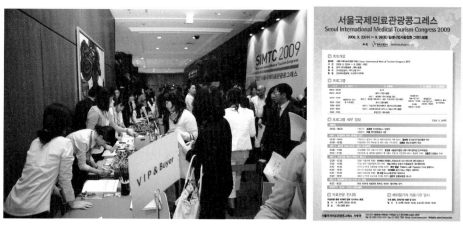

〈그림 4-15〉 국제의료관광컨퍼런스(IMTC)

(2) 해외 의료관광 설명회 개최

해외 현지에서 열리는 의료관광 설명회는 현지 의료관광 에이전시, 의료관계자 등 외국인 환자를 한국으로 송객하는 잠재적인 비즈니스 파트너나 현지 소비자를 직접 만날 수 있는 기회로 한국 의료관광은 물론 한국에 대한 브랜드 이미지를 높이는데도 주요한 방법이다. 의료기관 및 유치업체와 공동으로 참가하는 것이 일반적이며, 참가기관별 프레젠테이션, 비즈니스 상담, VIP 고객 상담, 기자회견 등 다양한 방법을 통해 잠재적 시장 창출은 물론 현장에서 비즈니스 기회를 만들어내기도 한다.

(3) 해외 여행박람회 참가

세계 각지에서 개최되고 있는 여행 전문 박람회는 한국 의료관광을 알리는 좋은 기회가 된다. 국내 의료기관 및 유치업체에서는 이와 같은 행사에 참가하여 한국 의료관광을 적극적으로 알리고 있다. 전시회 부스에서는 무료로 의료상담을 실시하기고 한다. 러시아와 카자흐스탄(KITF여행박람회) 지역에서는 부스에서 무료진료 행사를 열기도 했으며, 일본(JATA여행박람회), 중국(CIBTM여행박람회), 동남아시아 지역에서는 한방 및 피부미용과 같은 의료관광 상품 체험코너를 운영하기도 한다.

(4) 한국 의료관광 체험 초청 행사(팸투어)

한국 의료관광을 제대로 알리기 위해서는 해외 유치업체 및 의료기관 종사자 등 의료관광 관련 전문인을 국내로 초청하여 직접 현장을 보여주는 것이 가장 효과적이다. 이와 같은 활동을 팸투어(FAM tour; Familiarization tour)라고 하는데, 해외 보험사, 유치업체, 의료기관 등 해외 의료관광 사업 대상자와 VIP 고객들을 국내로 초청한 후 직접 한국 의료서비스를 체험해 보도록 지원한다. 팸투어는 의료기관을 직접 방문하여 해당 의료기관의 인프라와 서비스수준을 파악할 수 있도록 함으로써 정확한 정보를 제공할 수 있어 효과적이지만, 제대로 대응하지 못하면 오히려 역효과가 날 수도 있다. 따라서 팸투어 실시 이전에 방문자들의 질의내용에 대한 답변, 특화 상품 정보, 의료기관 홍보 브로슈어 등 기본적인 자료를 준비해 두어야 한다. 팸투어가 성공적으로 이루어질 경우 바로 실질적인 비즈니스 관계가 구축되거나 환자로 방문하는 경우가 많다.

〈그림 4-16〉 한국 의료관광 홍보행사(UAE 및 러시아)

2) 해외 홍보 활동

의료관광 홍보 활동에 있어서는 커뮤니케이션 수단과 구체적인 홍보 내용을 살펴볼 필요가 있다.

(1) 홍보 커뮤니케이션

기존의 대중매체를 주요 홍보수단으로 사용하여 왔지만 점차로 구전효과의 효율성이 높아짐에 따라 고객관계 관리와 온라인을 활용한 홍보에 주력하게 된다.

① 구전 홍보

구전 홍보는 사람들이 자신의 상업적 이익과 무관하게 지인과의 대화를 통해 제품 및 서비스에 대한 정보를 전달하는 행위를 말한다. 광고는 상표의 인지단계에서 영향을 미치지만 구전은 구매단계에서 활발히 진행된다. 소비자들은 상업적 정보보다는 지인을 더욱 신뢰하기 때문에 상품을 구입할 때 영향력이 막강하게 나타난다. 따라서 준거집단으로부터 습득한 정보는 의사결정과정에서 위험요소를 감소시키는 중요한 수단이 된다. 소비자들의 구전 홍보는 상품의 사회적 가시성이 높을 때, 구매 전 객관적 평가기준에 의한 품질검증이 어려울 때, 고객의 상품친숙도가 낮을 때, 그리고 상품구매와 관련하여 소비자의 위험지각도가 높을 때 특히 효과가 크게 나타난다. 의료서비스와 같이 고객의 광고의존도가 낮고 인적정보의 의존도가 높으며 제한된 특정 사회계층이 시장을 구성하고 있는 경우, 구전홍보의 중요성은 더욱 부각된다.

② 온라인 홍보

최근에는 소비자들이 온라인 네트워크를 형성하여 특정한 제품이나 서비스를 전파하는데 있어서 중요한 역할을 한다. 특히 소비자들이 정보를 공유할 수 있는 인터넷을 활용한 새로운 정보 유통 도구가 만들어짐에 따라 그 중요성이 높아졌으며 생산자와 소비자 모두에게 결코 무시할 수 없는 상황이 되었다. 기업은 자사 상품의 홍보를 개별고객이 아닌 고객들의 네트워크에 중점을 두게 되었다. 따라서 온라인구전은 새로운 형태의 구전 홍보의 수단이라고 할 수 있다.

온라인 구전의 신속성과 파급성은 엄청난 규모가 되었다. 온라인 구전의 유형은 매우 다양하여 인터넷에 올려 진 상품명, 게시판의 고객 의견, 온라인 포털의 토론, 블로그, 인터넷 까페, 이메일, 메신저를 활용한 실시간 메시지 교환 등을 모두 포함한다. 소비자들은 인터넷 게시판을 통해 직접 경험한 상품에 대한 정보를 타인에게 제공한다. 그리고 이러한 네트즌들의 의견은 해당 기업의 홈페이지, 브랜드 동호회, 그리고 포털사이트의 지식검색서비스 등을 통해 제공되기도 한다. 상품에 대한 소비자들의 직접적인 경험이 다수의 예상 소비자에게 제공된다는 점에서 긍정적 또는 부정적인 구전효과가 생겨난다. 실제로는 긍정적인 정보보다 부정적인 정보의 확산속도가 더 빠르고 범위도 더 넓다.

③ 대중매체 홍보

대중매체는 일반적으로 소비자의 인식을 창출시키는 데는 효과적이지만, 구전 홍보에 비하여 소비자들의 구매의사결정에 미치는 효과는 다소 떨어진다. 그러나 이 방법은 단기간에 넓은 범위에서 소비자의 지식과 태도를 형성하고 변화하도록 하는데 효과가 매우 크기 때문에 여전히 중요하게 고려되는 홍보수단이다. 그러나 매체를 통한 일방적인 홍보수단 방식이 가지는 한계점은 여전히 존재하므로 이에 대한 효과측정이 병행되어야 한다.

상품 판매 증대나 소비자의 이미지 제고를 위해 홍보마케팅 수단으로 대중매체를 통한 광고에만 의존한다면 대량광고의 홍수 속에서 홍보의 효율성에 한계가 있기 마련이다. 또한 광고홍보는 상업성으로 인한 신뢰감의 결여, 일방적인 메시지의 흐름, 불특정 다수를 대상으로 하여 표적 고객에 대한 전달 효과 미흡 등의 문제점이 발생한다. 따라서 고객에 대한 만족을 높이기 위해 노력하고, 고객 관계 관리를 통한 구전효과와 재방문을 유도하는 전략을 병행해야 한다.

(2) 해외 홍보 활동 내용

의료관광 이미지를 높이기 위해서는 언론을 이용한 방법이 매우 효과적이다. 따라서 이를 달성하기 위한 다양한 홍보소재의 개발이 이루어져야 한다.

① 언론 초청 취재 지원

한국 의료관광을 알리기 위한 일환으로 신문, 잡지, 방송, 온라인 매체의 언론인을 초대하여 한국 의료서비스를 취재하고 보도하도록 지원하는 것이 매우 중요하다. 해외 언론을 통한 한국 의료관광 소개는 일반인들에게 신뢰감을 심어주는 한편 한국 브랜드에 대한 호기심과 친밀감을 높이는데도 크게 기여한다.

② 에이전시 공동 상품광고

한국 의료관광을 알리기 위한 광고는 어느 지역에서든 제약사항이 많다. 대부분의 지역에서는 전문적인 시술 방법이나 직접적인 진료 사진이 포함되는 것은 허용하지 않은 편이다. 러시아의 경우에도 의료관광 이미지 광고 정도만 가능하다.

〈그림 4-17〉 러시아 블라디보스토크 시내 한국의료관광 홍보 입간판 광고

③ 해외 환자 초청 의료봉사(나눔 의료)

나눔 의료는 한국 의료관광 홍보와 인류공헌 활동의 결합으로 국내외 의료기관과 에이전트가 서로 협력하여 비용과 의료기술 문제로 현지치료가 어려운 환자를 국내로 초청하여 한국의

의료혜택을 받을 수 있도록 지원하는 프로그램이다. 이것은 각국 의료 관련법의 제재 없이 한국 의료서비스의 우수성을 자연스럽게 알리는 좋은 기회가 된다. 또한 각 지역의 언론에서는 인간 사랑의 감동 사례로 소개되며 인본주의를 바탕으로 한 국가 브랜드 강화에도 크게 도움이 되고 있으며, 해당 국가와의 장기적 파트너십을 강화하는 측면에서 큰 도움이 된다.

특히 한국에서 외국인환자 유치의 주요 타깃으로 삼고 있고 의료기술이 대체로 낙후된 지역인 러시아, 몽골, 베트남, 중앙아시아, 동남아시아 지역에 보다 더 집중하여 실시하는 것이 필요하다. 또한 홍보 효과를 높이기 위해서는 현지 TV매체와의 공동 프로그램 제작 · 방영에 대한 사전 협의가 반드시 필요하다.

④ 스타 활용 의료관광 홍보(스타마케팅)

스타마케팅은 특정 인물을 통한 시장의 관심과 흥미를 유발하는 마케팅 활동을 말하며, 정보통신 산업의 발달로 대중스타들의 인지도가 높아지면서 나타난 마케팅 전략이다. 스타마케팅은 대부분의 소비자가 자신이 좋아하는 스타가 사용하는 제품이나 환경에 대하여 우호적이며 높은 품질로 인식하는 경향이 있다는 것에서 시작한다. 한국의 미용과 성형 분야에 대한 관심도가 높은 지역인 일본, 중국, 동남아시아 지역의 인기 연예인을 한국홍보대사로 임명하는 한편 이들을 초청하여 메디컬 스킨케어, 메디컬 에스테딕 등 한국 의료서비스에 대한 체험기회를 제공하고 해당 내용을 기사화하거나 특집 프로그램으로 제작하여 방영하게 함으로써 긍정적 이미지를 높여 나갈 필요가 있다.

⑤ 홍보물 제작

한국 의료관광을 효율적으로 홍보하고 브랜드 가치를 높이기 위한 다양한 홍보물과 영상물을 제작하여 활용할 필요가 있다. 이러한 홍보물은 영어를 포함하여 타깃으로 삼고 있는 지역에서 사용하는 언어로도 제작되어야 한다. 그리고 컴퓨터가 많이 보급되어 있는 상황을 감안하여 많은 정보를 담게 될 경우, 두꺼운 책자 형태보다는 CD로 제작된 것을 선호한다. 따라서 얇은 홍보 리플릿(leaflet)이나 간단한 상품 브로슈어(brochure)는 인쇄물로 제작되기도 하지만, 세부적인 정보는 휴대용 저장장치로 담아 보급하는 것도 고려해 볼 만하다. 최근에는 의료기관과 유치업체가 공동으로 의료관광 상품을 개발하여 패키지 형태로도 상품을 개발하고 홍보물을 제작하기도 한다.

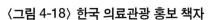

〈그림 4-18〉 한국 의료관광 홍보 책자

03절 해외시장 홍보 · 마케팅

●●●● 의료관광 유치기관은 의료수준이 높고 상대적으로 리스크가 적은 미용 · 성형, 한방, 건강검진부터 시작하여 척추, 암, 심혈관계질환 등 한국의 앞선 중증진료 분야에 이르기까지 핵심 국가별 수요를 고려한 해외홍보 마케팅 전략을 세울 필요가 있다.

1. 해외 시장별 마케팅 방향

해외 주요 타깃 시장에 대해 상품별 그리고 진료 분야별로 마케팅 방향을 제시한다. 아래 표는 한국이 추진하고 있는 의료관광 타깃 지역별로 중점 추진하는 의료관광 상품을 제시한 것이다.

〈표 4-1〉 한국 의료관광 지역별 타깃 분야

지역	타깃 분야
일본	피부, 한방, 전문시술
중국	성형, 피부, 전문시술
극동 러시아 / 몽골	검진-정밀검사, 전문시술
중동	검진, 전문시술(당뇨, 비만, 심장 등)
미주	검진, 전문시술, 한방
잠재시장	베트남, 인도네시아, 필리핀, 카자흐스탄, 우즈베키스탄 등

1) 상품별 해외 마케팅 방향

한국은 기후, 관광자원, 물가 등을 고려해 볼 때 장기간 머물면서 치료와 요양을 겸하려는 방문객들에게 그다지 선호도가 높은 편이 아니다. 따라서 태국, 말레이시아 같은 지역에서 주력하는 요양과 연계된 치료, 노인질환, 재활치료 같이 장기간 머무는 휴양 목적의 의료서비스 분야보다는 선택수술, 성형수술, 중증치료와 같은 치료 분야가 적절할 것으로 보인다. 국내 병원들은 치료와 수술에 강점을 가지고 있기 때문에 이 분야에 대한 수요가 많을 것으로 예상된다. 또한 일반관광객은 관광일정이나 타목적으로 방문할 때 부가적으로 의료기관을 방문하여 피부 관리나 검진을 받을 수도 있다.

(1) 중증치료 및 난치병 지향

동남아 지역에서 의료관광을 추진하는 병원들은 초기에는 성형수술, 피부관리, 선택수술부터 시작하여 중증치료로까지 단계적으로 발전하여 왔다. 하지만 국내 의료기관들은 미용 및 성형수술과 같은 초기단계의 의료서비스로부터 중증치료까지 전 단계에 걸쳐 동시에 서비스를 제공하고 있다. 이는 국내 의료수준이 전반적으로 높아 후발주자이지만 압축 성장이 가능하다는 것을 보여준다.

따라서 장기적으로 국내 대형병원들이 나아갈 방향을 설정하는 것이 중요하다. 먼저 동남아시아에서 가장 먼저 의료관광을 정착시킨 싱가포르는 경쟁국인 태국과 인도에 비교하여 인건비가 높기 때문에 장기적으로 중증치료 중심으로 갈 수 밖에 없었다. 국내 중대형병원들은 동남아 지역 경쟁병원보다 병원규모나 의료수준이 높기 때문에, 암수술과 같은 난치병치료에서 강점을 갖추고 있다.

(2) 병의원의 의료 분야 특화 발전

전문병원 및 클리닉은 척추질환, 선택수술, 성형수술, 피부관리 분야에서 큰 장점을 가지고 있다. 이들 의료기관들은 틈새시장에서 대형병원에 준하는 의료서비스를 편리하고 보다 저렴하게 제공할 수 있는 장점을 갖고 있다. 이러한 예는 동유럽의 전문병원들이 서유럽의 환자를 유치하는 예를 보면 알 수 있다. 따라서 국내 전문 분야별 병의원들도 해당 분야에서 적극적으로 외국인환자를 유치하는 것이 필요하고 이를 전략적으로 지원하는 것이 요구된다.

(3) 인접 국가의 환자 유치

의료관광을 적극적으로 추진하는 태국과 싱가포르의 병원들은 인접한 의료 낙후 국가의 부유층 및 자국 거주 외국인을 먼저 타깃으로 삼았으며, 이를 바탕으로 점차 범위를 확대해 나갔다. 초기 단계인 한국의 병원들도 중증치료의 경우 비교적 인접한 극동러시아, 몽골, 중국 지역의 환자유치에 성공하고 있다. 이들 지역을 중심으로 초기부터 현지정부, 의료기관, 전문에이전시 등을 대상으로 네트워크 구축을 더욱 활발히 전개해야 될 것으로 보인다.

(4) 해외 교포 유치

의료관광 초기단계에서는 언어소통 및 문화적 친밀감이 높은 해외 교포를 중심으로 고국방문 기회와 함께 의료관광 상품을 홍보할 필요가 있다. 이들은 방문 이후에도 추가 검진이나 추가 수술을 할 가능성이 높으며, 거주지로의 복귀 이후에도 주변에 홍보요원으로 활동할 가능성이 매우높다.

미국에 거주하고 있는 라틴계 사람들의 방문으로 중남미 지역의 의료관광이 활성화되기 시작하였고, 인도 출신 해외 거주자들의 방문으로 인해 인도 의료관광도 발전할 수 있었다. 또한 터키도 마찬가지이다. 따라서 건강검진과 선택수술의 중요한 고객이 되는 교포들을 적극적으로 홍보하고 유치하는 것이 필요하다. 재외동포재단은 2013년 기준으로 한국의 재외동포 수를 701만 명으로 추산했다. 이는 남한 인구수 5022만 명 대비 14.0%다. 지역별로 살펴보면 중국 거주 동포가 257만 명(36.7%)으로 가장 큰 비중을 차지하고 있고 이어 미국(209만 명, 29.8%), 일본(89만 명, 12.7%) 순이다. 이는 세계에서도 국가별로 8위에 해당하는 많은 숫자이다.

미국의사협회(American Medical Association)의 등록의사 약 65만 명 가운데 한국계 의사가 1만5천 명 정도 되는 것으로 추산되고 있다. 이들 한국계 의사는 재미한인의사협회를 조직하여 활동하고 있는데 매년 총회를 통해 친목을 위한 회의와 학술회의를 개최하고 있다. 이들처럼 선진국에서 교육 · 수련을 받은 한인인력을 국내로 유치하거나 이들과의 네트워크를 통해 국내 의료관광을 육성하는 것도 하나의 과제이다. 왜냐하면 의료관광 육성에 있어 선진국 면허 및 수련 경력, 영어 등 외국어 활용, 서구적인 문화감각으로 대표되는 의료진을 통한 국제화는 필수적 요소이기 때문이다. 인도, 태국, 싱가포르의 경우 선진국에서 교육 · 수련을 받은 인력이 모국으로 돌아가 의료관광으로 잘 알려진 병원에서 중추적 역할을 하고 있다. 이러한 이중 문화를 접한 의료 인력의 존재는 선진국의 보험사 등 의료관광 에이전시들이 제휴병원으로 지정하는데 중요한 고려사항이 된다.

2) 진료 분야별 마케팅 방향

중증질환, 경증질환, 그리고 피부 관리 및 건강검진 분야로 나누어 설명한다.

(1) 중증진료

중증진료환자를 유치하기 위하여 대형병원들은 타깃 시장의 주요 도시를 방문하여 의료기관, 의료종사자, 언론기관, 정부관계자, 현지진출 기업관계자들을 대상으로 한국의 의료수준과 외국인환자 진료현황을 적극적으로 홍보할 필요가 있다. 또한 이들을 해당 의료기관으로 초청하여 실제 진료 현장을 방문하도록 하여 신뢰도를 높이며, 양 지역 간의 의료협력을 논의해 나가야 한다. 이러한 협력방안 중에는 의료진들의 연수 및 실습 등 인적교류가 포함되면 외국인환자 유치가 더 빨리 진행될 수가 있다.

중증진료상품 개발을 위한 수용여건 개선을 위하여 외국인환자 전용 입원실 확보가 가장 급선무이다. 대체로 국내 병원들의 입원실 환경은 내국인환자 위주로 되어 있어 호텔시설급의 동남아지역 의료관광 추진병원보다 훨씬 뒤떨어진다. 이러한 점을 감안하여 현재 사용 중인 VIP병실을 사용하여 외국인환자를 입원시키는 것이 필요하며, 장기적으로 외국인환자 전용 입원실 및 부대시설의 확보가 필요하다. VIP병실의 경우 의료보험 적용이 되지 않아 평소에도 사용빈도가 낮기 때문에 국내환자에 미치는 영향도 적다. 또한 중증환자를 치료하는 병원들은 국제공항에서의 입국수속 대행과 구급차 이송체계도 확보되어 있어야 한다. 그리고 이러한 외국인환자는 일반적으로 동반자와 함께 입국한다. 이들 동반자는 행태에 있어서 일반 관광객과 큰 차이가 없다. 이들이 일상생활을 영위할 수 있는 숙박 및 음식, 쇼핑, 교통, 관광과 관련된 정보가 함께 제공되어야 한다.

(2) 경증진료

성형수술과 같이 경증 및 선택진료를 실시하는 전문병원 및 의원들은 일반인에 대한 인지도를 높이기 위하여 언론 홍보 활동을 주로 활용한다. 특히 방송연예·문화산업과 협력하여 한류이미지를 업고 해외 홍보에 나서면 효과가 더욱 크다. 현지 언론매체를 초청하여 취재를 할 때, 해당 지역 또는 국내의 연예인을 모델로 하는 것도 하나의 홍보효과를 높이는 방법이다. 그리고 성형외과 병의원의 집적 지역, 관련 분야 국내 의료수준, 연계관광을 소개하는 TV 광고도 매우 효과적이다. 이제는 인터넷을 통한 홍보는 빠질 수 없는 분야이다. 실제 설문조사 결과를 보면 성형외과를 방문하는 외국인은 인터넷을 통해 병원을 알게 되는 경우가 가장 많은 것으로 나타났다. 성형 분야는 미용이나 패션 성격이 강하므로 인터넷을 통한 정보유통이 매우 활발하다. 따라서 한국 방문 외국인이 자주 이용하는 웹사이트에 배너 광고를 통해 접속을 늘리는 방법이 효과적이다.

성형수술은 사후관리와 관찰이 중요하다. 현재 대형성형의원들은 개별적으로 세미나와 연수 과정을 열어 외국 의사들을 초청하여 국내 성형수술방법을 전달하고 이들과 네트워크를 구축해 나가고 있다. 이를 통해 외국인환자의 유치를 유도하고, 사후관리 등을 할 수 있도록 하고 있다. 그러나 해외 성형전문의들이 국내 성형의원 방문에 대해 환영만 하고 있을 상황은 아니다. 실제로 이들은 환자 송출보다는 자국에서 성형환자들을 더 받기 위해 한국 성형의원과의 교류관계를 홍보의 수단으로 활용하고 있는 실정이다. 한편 성형수술을 위해 방문하는 외국인은 실제 환자가 아니기 때문에 의료비자발급이 대체로 쉽지 않다. 따라서 해당 의료기관에서는 선입금을 통해 진료확인서를 발급해 주고 있다.

(3) 피부치료 및 건강관리

일본관광객들은 주로 도심관광 중에 피부치료 및 건강관리를 위한 상품을 선호하는 것으로 조사결과 나타났다. 피부치료 상품은 현재 일본인 관광객들이 가장 선호하는 한국 의료관광상품이며 피부과나 한의원을 주로 이용하고 있다. 스스로 정보를 구해 찾아오는 개별 관광객도 일부 있지만, 대부분 여행사를 통해 판매가 이루어지며 가이드의 안내를 통해 방문하고 있다. 따라서 몇몇 피부과 및 한의원은 일본인 관광객들을 대상으로 하는 현지 포털사이트에 광고를 하기도 한다. 또한 일본인들이 선호하는 할인쿠폰을 삽입하여 건강 관련 잡지에 광고를 게재하는 것도 한 방법이다.

피부치료 상품은 외국인 관광객들이 의료가 아닌 다른 목적으로 입국하더라도 쉽게 찾을 수 있기 때문에 국내 의료서비스를 이용하는 관문의 성격이 높다. 외국인들은 이를 통해 국내 의료진과의 의사소통, 병원시설 및 시스템, 진료성과에 대한 판단을 할 수 있다. 피부치료는 경미한 의료서비스이지만 만족을 하게 되면 성형수술이나 선택적 치료 등 다른 진료 분야에 대한 관심으로까지 이어질 수 있다. 따라서 피부과는 성형외과와 마케팅 정보를 공유하고 방문고객에 대해서도 공동으로 마케팅을 실시하면 보다 효율적일 것으로 보인다. 특히, 이 분야는 재방문율이 다른 어떤 의료관광 상품보다 높은 것이 특징이다.

2. 주요 타깃 시장

현재 국내 의료관광의 주요 일차 타깃 시장은 인접 지역인 중국과 일본, 극동 러시아와 몽골 지역이라고 할 수 있다. 중국과 일본은 경증환자 중심이고, 러시아와 몽골은 중증환자 중심으로 형성되어 있다. 특히 러시아와 몽골은 의료관광 타깃 지역으로 처음부터 크게 기대하지 않았던 곳이었지만, 가장 성공적인 송출 지역으로 급부상하게 된 경우이다. 한국 의료관광의 지역별 마케팅전략을 정리하면 다음과 같다.

〈표 4-2〉 시장별 의료관광 마케팅전략

구분	일본 지역	중국 지역	극동러시아/몽골/중앙아시아/중동/동남아 지역	미주/대양주/유럽 지역
주요 검진과목	미용, 한방	미용 · 성형, 전문시술	전문시술	건강검진, 전문시술
고객 구분	단기 체류 관광객 중소형 병원 및 의원 이용 개별 및 전문 에이전트 활용		장기체류 치료목적 환자 및 보호자 중대형 종합병원 이용 전문 에이전트 활용	
마케팅 차별화	여행사 시장 구조 보편화된 마케팅 상품 광고 강화	비정형 시장 구조 간접마케팅 활성화 에이전시 발굴	의료 인프라 부족 의료기술 홍보 강화 공동 마케팅 필요	자국 고비용 구조 합리적 가격 제시 전문 에이전시 발굴

1) 중국 시장

중국 지역 의료방문객은 국내 성형수술 상품에 가장 관심이 많고 대부분 병의원과 에이전시 또는 개별적으로 접촉한 후 수술을 받고 있다. 이들에 대한 마케팅은 개인 병의원의 현지 네트워크나 전문 에이전시를 통해 실시하는 것이 바람직하다.

(1) 의료관광 시장 현황

중국은 최근 고도성장에 따른 생활수준의 향상, 고령화, 건강 및 웰빙에 대한 관심 증대등으로 의료서비스에 대한 수요가 급증하고 있다. 그러나 중국내 의료인프라는 대도시 중심으로 발전하고 있어 낙후지역을 고려한다면 평균적인 의료 인프라는 여전히 낮은 수준이다. 특히 첨단 의료기술과 설비가 부족하고 사립병원의 평가가 좋지 않아 비용을 크게 고려하지 않는 부유층들은 해외의 수준 높은 의료서비스를 선호하고 있다. 중국 여행잡지인 Traveller의 2013년 4월호에 따르면 연간 약 6만 명의 중국인이 의료관광을 나서고 있는 것으로 예상했다. 이 잡지에 따르면 중국인들은 일본에 대하여 조기 암 예방 및 검사, 한국은 노화예방 및 미용 · 성형을 가장 선호하는 진료과목으로 꼽았다. 그리고 싱가포르는 가격 이외에 모든 분야가 경쟁우위에 있으며 대만의 경우는 성형기술수준이 이미 한국과 차이가 없는 것으로 중국인들이 인식하고 있다고 보도되었다.

중국인들이 선호하는 의료관광 목적지로는 대만, 싱가포르, 일본, 한국 등이 꼽히고 있으며 최근 언어 소통이 자유로우면서도 선진 의료기술을 갖춘 대만에 대한 선호도가 높아지고 있다. 이 밖에도 발리, 푸켓 등 동남아 지역 휴양지를 중심으로 스파, 스트레스 해소 프로그램 등 휴양관광도 선호한다. 앞으로 한국은 지리적으로 가까우며 문화적 유사성도 높아 중국 의료관광 목적지로 점차 부각될 것으로 분석되고 있다.

(2) 의료관광 규제현황

의료관광 규제와 관련하여 중국 의료법에는 해외 의료기관에 대한 제한 문구가 없으나, 의료광고관리법(2007년 시행)에서 의료 관련 광고를 엄격히 제한함으로써 의료관광 홍보에 제약이 되고 있다. 과대 허위 광고일 경우가 아니면 의료광고를 시행하는 경우도 있지만, 성형 등의 진료 목적을 직접적으로 광고하기에는 위험요소가 있다. 이로 인해 인쇄 매체에 특집기사를 통한 접근이 보다 용이하며 병원의 브랜드화를 통해 인지도를 확보하는 것이 중요하다. 의료관광 홍보 및 광고와 관련해서는 기사, 방송 등 보도는 가능하나 의료기관 외의 기관이나 기업이 의료라는 단어를 쓰면 안 된다.

중국인 의료관광객이 국내에 입국할 경우 대부분 의료관광비자보다는 개별 관광비자로 방한하는 실정이다. 그러나 2012년 중국인 관광객 비자 간소화 조치로 인하여 의료관광비자 발급도 수월해졌다. 또한 유치 의료기관이 보증하거나 의료비자로 방문한 적이 있는 경우에는 3년간 유효한 복수비자 발급도 가능해졌다.

(3) 마케팅 전략 및 방안

한국을 방문하는 중국 관광객 수가 지속적으로 크게 증가하고 있기 때문에 방한 의료관광객 역시 당분간 계속 증가할 것으로 전망된다. 그러나 조사결과를 보면 아직까지 대중들 사이에서는 한국 의료에 대한 인지도가 낮고 불법 브로커로 인한 일부 중국인과 한국 병원과의 잇따른 분쟁으로 이미지 손상이 우려되고 있다. 미용·성형 분야에서 중국 관광객과의 분쟁이 빈번하게 발생하는 상황에 대하여 긍정적 이미지를 심어줄 수 있도록 다방면의 노력이 절실하다.

또한 가격이 정확하게 제시되는 것을 선호하는 중국인들 사이에서 진료 전후로 다른 진료가격에 대한 불만표출이 많으며 방한 의료관광객 조사에서도 의료진의 충분한 정보제공에 대한 개선요구가 높게 나타나고 있다. 상품구성면에서도 대부분이 미용·성형 분야에 치중해 있는 점이나 의료지식을 갖춘 통역자의 미비 등으로 인한 불명확한 의사소통이 문제시되고 있다. 이에 따라 중국 현지에서의 한국 의료관광 설명회를 개최하고, 현지에서 인지도가 높은 미용성형 외에도 건강검진, 치과, 안과 등 다양한 진료과목을 소개하여 현지 기반을 강화할 필요가 있다. 또한 비공식적 마케팅이 주를 이루는 현실을 감안하여 다양한 루트를 통해 한국 의료기관 및 에이전시와 중국 현지 업계와의 비즈니스 네트워크를 공고히 해나갈 필요가 있다.

2) 러시아 시장

불모지와 다름없던 러시아는 2009년 의료법 개정 이후 적극적인 홍보마케팅의 결과 짧은 기간에 주요 시장으로 급성장한 지역이다. 특히 중증질환환자 위주로 방문을 하고 있어 국내 대형병원이 선호하고 있는 지역이다.

(1) 의료관광 시장현황

러시아는 의료보험 적용범위가 넓어 대부분의 국민이 무료 또는 적은 비용으로 의료서비스 이용이 가능하다. 그러나 의료수요에 비해 의료서비스 공급능력이 매우 부족한 실정이고 전체 병원의 25%를 차지하는 사립병원은 대부분 모스크바에만 집중되어 있어 의료서비스 여건이 그다지 좋지 않은 실정이다. 또한 대부분의 공립병원은 응급치료 위주의 서비스만을 제공하고 있어 자국의 낮은 의료수준과 긴 대기시간, 수술 전후 및 요양 프로그램의 부족으로 러시아인의 해외로의 의료관광 수요는 매우 높다.

러시아는 2000년 이후 에너지부문의 호황과 경제성장으로 인해 부유층이 증가하여 러시아 국민의 69%는 수준 높은 의료서비스를 받을 수 있을 정도의 재정능력이 있다고 분석되고 있다. 현재 약 7만 명 규모의 러시아인이 의료서비스를 받기 위해 해외로 이동하는 것으로 알려져 있으며 이 과정에서 약 10억 달러 정도가 소비되는 것으로 추정되고 있다. 러시아의 전통적 의료관광 목적지는 독일, 스위스, 오스트리아, 이스라엘, 터키 등으로 이들 국가들은 지리적 강점 외에 러시아 의료관광객 유치를 위한 제반여건을 내세우며 유치에 적극 나서고 있다. 이스라엘의 경우 의료기술 및 가격 경쟁력을 기본으로 러시아어 서비스가 가능하다. 터키의 경우에도 가격과 지리적 이점을 기반으로 항공사와 병원협회의 협력을 도모하고 있다. 또한 의료인 교환 및 교류 활성화 프로그램이나 의료관광 전문유치업체 및 환자를 대상으로 하는 다각적인 교류 프로그램을 운영하고 있다.

(2) 의료관광 규제 현황

러시아에서는 의료관광과 관련된 별도의 법적 규제는 없으나, 보건 당국의 보수적인 자국의료 보호 입장으로 인해 마케팅 활동을 할 때 조심스럽게 접근해야 한다. 따라서 극동러시아 지역 의료관광 마케팅은 노골적인 의료 체험은 삼가하고 유치업체 및 의료기관 공동 홍보설명회나 테마별 판촉이 유효할 수 있다.

(3) 마케팅 전략 및 방안

그동안 러시아 지역 방한 의료관광 시장은 일부 병원 및 여행사, 개인 채널 등을 통하여 조금씩 이루어져 왔으나, 국내 의료법이 개정된 2009년 이후에는 극동 러시아 지역을 중심으로 적극적으로 이루어지고 있다. 이제는 그 지역을 중앙러시아와 카자흐스탄 및 우즈베키스탄까지 확대시켜 나가고 있다.

러시아 지역에서 실시한 의료관광과 관련된 설문조사[34]에 의하면 의료관광객 모집 및 송객은 의료관광을 전문으로 취급하는 에이전시가 주를 이루고 있다. 이들 지역 환자들은 의료서비스 분야에서는 병원직원과 기타서비스에 대한 만족도가 높았으나, 진료가 지연될 때의 이유 설명과 같은 의료진의 적절한 정보제공 및 요청사항에 대한 적극적 응대 등에 대한 만족도는 낮게 나타났다. 문화적 차이를 고려한 환자간호와 관광과의 연계도 개선이 필요한 과제로

---

34   러시아 블라디보스토크 의료관광설명회 참가자 대상 설문조사, 2010년, 한국관광공사

나타났다. 의료관광 프로그램을 선택할 때 가격요소가 가장 중요하다고 응답한 경우가 77%에 이른다고 밝혀졌다. 이 조사에 의하면 장래에 의료관광을 가보고 싶은 나라로는 한국(47%)이 싱가포르(37%)와 중국(9%)보다 높게 나타날 정도로 최근 극동지역에서의 의료관광 목적지로 한국의 이미지를 굳혀가고 있다. 그러나 에이전시들은 의료관광을 진행할 때 의료사고가 발생할지에 대한 불안함을 느끼고 있으며, 러시아법상 치료소개는 원칙적으로 불법이므로 이에 대한 문제 해결이 필요하며, 유치업자를 통해 거래를 할 때 많은 비용이 발생하거나 업무 실수의 가능성, 그리고 업무 처리 속도 등에 대하여 해결이 필요하다는 의견을 밝히고 있다.

한편 연해주 지역 통계국 자료에 의하면 최근 1년간 이 지역 주민 사망자의 55.5%가 심장마비 혹은 급성뇌졸중과 같은 혈관계 질병으로 밝혀졌다. 그 다음으로는 종양분야가 14.6%, 외과부상과 식중독이 11.1%로 나타났다. 이러한 연구 조사를 통해 방한 의료관광 활성화를 위한 시사점을 찾을 수 있을 것으로 보인다.

〈 표 4-3 〉 러시아 다빈도(多頻度) 질환 현황

순위	남성 질환	비중(%)	순위	여성 질환	비중(%)
1	심장혈관질환	26.1	1	심장혈관 질환	31.2
2	비의도적 손상	20.6	2	신경 · 정신 질환	16.5
3	신경 · 정신 질환	11.6	3	비의도적 손상	9.3
4	의도적 손상	11.5	4	악성 종양	9.3
5	악성 종양	6.9	5	소화기 질환	5.1
6	전염병과 기생충	6.5	6	감각기관 질환	4.9
7	소화기 질환	4.3	7	근골격 질환	4.9
8	감각기관 질환	2.4	8	의도적 손상	3.7
9	호흡기 질환	2.4	9	전염병과 기생충	2.2
10	근골격 질환	1.8	10	호흡기 질환	2.2

출처: 주요국가 의료제도 이해와 해외치료 현황, KOTRA, 2010.

(4) 의료관광 마케팅 성공 사례

극동러시아 지역은 최근 들어 경제력과 삶의 질이 향상됨에 따라 건강에 대한 관심도가 급증하고 있다. 이 지역에는 100개 내외의 병원이 있지만 대부분 시설이 열악하고 의료서비스의 질이 낮아 환자들이 해외로 치료를 위해 떠나는 경우가 많다. 그러나 이 지역은 한국과 지리적으로 매우 가깝고 러시아 내 한국 의료수준에 대한 기대가 높아 한국을 매력적인 의료서비스 목적지로 인식하고 있다. 이에 따라 극동러시아 지역을 중심으로 한국을 찾는 환자는 2009년 1,758명에 불과하였지만 2010년에는 5,098명, 2011년 9,651명으로 점차 증가하였다. 이후 한국이 중요한 의료 목적지로 널리 인식되기에 이르면서 2012년에는 16,438명이 한국의 병원을 찾았고, 2013년에는 그 수가 24,026명에 이르게 되었다. 이는 지난 4년간 연평균 성장률이 92.3%에 이르렀음을 나타낸다.

그러나 처음부터 극동러시아 지역이 주요 타깃 지역은 아니었다. 극동러시아 지역의 의료관광 송출 잠재력을 처음 알아본 것은 러시아 현지에서 활동하고 있는 한국 여행사들이었다. 이들은 극동러시아 지역의 늘어나는 해외 의료관광 실태를 보며 한국 역시 매력 있는 의료관광 목적지가 될 것으로 여기고 정부기관에 지원을 요청하게 되었다. 실제로 이 지역의 환자들 가운데 상당수가 싱가포르의 민간병원을 찾고 있었는데 극동러시아에서 싱가포르를 연결하는 직항 항공기가 없어 거의 전부가 인천국제공항에서 비행기를 갈아타고 있다는 사실도 알았다. 이에 극동 지역의 의료관광수요를 한국으로 유도하기 위하여 2008년부터 일반인 및 관련 인사를 대상으로 시장조사를 지속적으로 실시하며 현지특성과 잘 융합된 한국 고유의 의료관광 상품을 개발하고 한국의료관광을 알리는데 주력하였다.

3) 몽골 시장

몽골 또한 극동러시아 지역과 비슷한 상황이다. 거의 불모지와 다름없는 곳에서 이제는 중증환자 중심의 주요 의료관광 타깃 국가로 떠올랐다.

(1) 의료관광 시장현황

몽골은 자국 내 의료수준과 인프라가 낙후되어 있어 외국에서 치료받기를 희망하는 경우가 많아 의료관광 송출 국가로 잠재력이 높다. 또한 몽골에서 한국은 세 번째로 큰 교역대상국이다. 1990년 수교 이후 교류협력의 규모와 종류가 지속적으로 확대되고 있으며, 몽골사람들은 한국에 대해서 매우 긍정적인 이미지를 갖고 있다. 2010년부터 몽골에는 수도인 울란바토르에 한국의 병원이 개설되어 의료서비스를 제공하고 있다. 몽골 국민들은 정기적으로 외곽지역에서 무료 의료봉사를 수행하는 한국 병원들의 활동에 긍정적으로 평가하고 있고, 한국 의료진의 수준 및 한국 병원들이 보유하고 있는 장비와 의료기기, 의약품 등에 대한 신뢰도가 매우 높은 것으로 알려져 있다.

한국 의료수준에 대해서는 몽골 의료진을 대상으로 한 설문조사에서도 전체적으로 높은 신뢰도를 보였다.[35] 몽골 의료인들이 한국 의료 분야 중 가장 우수하다고 평가한 분야는 성형 · 미용 분야로서 응답자의 66.7%가 다른 나라에 비해서 진료와 치료 수준이 높다고 응답하였으며, 다음으로 암질환 분야의 우수성을 응답한 경우가 56.1%로 나타났다. 이는 일반 국민을 대상으로 한 조사에서도 비슷하게 나타난다. 또한 한국을 비롯한 일곱개 국가의 의료 수준을 10점 만점 척도로 조사한 결과 한국 의료수준은 8.55점으로 미국(8.93점), 일본(8.64점)에 이어 세 번째에 해당되지만 싱가포르(7.87점), 중국(7.18점), 러시아(6.75점) 보다는 상대적으로 높게 나타났다.

(2) 의료관광 상품 및 마케팅 현황

몽골인환자를 유치하기 위해서는 몽골 내 국가기관과의 협력관계를 강화하고 몽골 내 유력인사에게 한국 의료를 홍보하여야 한다. 또한 몽골 내 언론사와 협약을 통해 몽골환자 유치를 위한 보도 활동을 할 수 있도록 하는 것이 좋으며, 몽골 현지병원과의 관계성을 구축하는 것이 무엇보다 중요하다.

몽골인들이 한국에서 진료를 받는데 있어 가장 큰 장애물로 생각되는 사항은 의료비자 발급과 의료비 부담이다. 따라서 실질적으로 어느 정도 이상의 경제력을 갖춘 중증환자들이 주로 한국을 방문하고 있다. 또한 한국에 오래 거주하고 있는 몽골인이 의료관광 코디네이터로 일하는 경우도 많다.

---

35 해외의료시장 개척의 투자효과 분석과 중장기 발전전략, 한국보건사회연구원, 2010.

〈그림 4-19〉 몽골지역 한국의료관광 홍보설명회 포스터

4) 일본 시장

　일본인 의료관광 방문객은 대부분 피부관리 상품을 이용하는 것으로 나타났다. 그러나 일본 내에서의 의료서비스의 만족도가 높고 해외치료를 꺼리는 경향으로 인해 전문 시술 환자의 유치는 비교적 제한적이다. 따라서 일본관광객 유치계획을 수립할 때 피부 및 건강관리를 포함한 상품을 출시하고 일본에서의 홍보 및 마케팅 행사를 개최할 필요가 있다.

(1) 의료관광 시장 현황

　일본은 지리적으로 가까우며, 오랫동안 연간 300만 명 이상의 관광객이 찾아오는 지역이다. 그리고 일본은 1961년부터 전 국민 건강보험 제도를 운영하고 있으며 2000년부터는 노인요양보험을 도입하였다. 그리고 원칙적으로 치료목적으로 해외를 방문하여 의료서비스를 받는 경우 자국의 의료보험 혜택을 받지 못하도록 되어 있으나, 해외체류 중에 상해를 입고 치료를 받았을 경우에는 귀국 후에 해외요양비로 환급받을 수 있도록 하고 있다. 그러나 의료비 청구기한이 정해져 있고 일본 내에서 보험 적용이 되지 않은 항목은 그 적용대상에서도 제외된다.

　일본은 의료수준이 대체로 높지만 의료서비스 전문 인력이 부족하고 지역 간 편차가 크며 의료비용이 높게 형성되어 있다. 소아과, 응급의학과, 산부인과 등은 전문의를 선택할 때 기피 현상으로 인한 전문의 부족으로 적기에 의료서비스를 받기 어려운 점이 있다. 그러나 일본인은 자국 의료에 대한 신뢰가 매우 높고 수술이나 새로운 환경에 대해 불안해하는 문화적 특성으로 인해 해외 의료관광 수요는 그다지 높지 않다. 하지만 아태지역 국가들 중에 GDP 대비 헬스케어 예산비중이 가장 높은 나라로 조사된 바 있으며 경영환경 악화로 인한 병원수의 감소, 특정 진료과목에 대한 전문의의 부족 및 의료소송의 증가 등으로 자국 내 의료서비스 기능이 약해지고 있어 해외로의 의료관광 수요가 조금씩 생겨나고 있다.

이에 따라 한국 방문 의료관광객이 증가세에 있으며 최근 한류열풍에 힘입어 여성층을 중심으로 한방과 미용에 대한 인지도가 높아지고 있다. 일반적으로 언론매체에서는 의료관광에 대한 기사화를 꺼리는 경향이 있지만, 한방 관련 기사화는 점차 용이해지고 있는 실정이다. 인터넷 운영업체에서 한국 내 전문 의원과 연결하여 일본 내에서 홍보용 홈페이지를 구축하는 경우도 있다. 선호하는 진료과목은 수술에 대한 부담 없이 치료를 받을 수 있는 피부미용이나 한방진료 등이다.

(2) 의료관광 규제현황

일본 후생노동성은 2007년 의료법 개정과 관련하여 광고 활동을 할 때 일정 성질을 가진 항목을 포괄적으로 규제하는 방식으로 전환함으로써 의료광고 규제를 대폭 완화하였다. 일명 의료광고 가이드라인은 광고 가능한 사항과 불가능한 사항을 동시에 규정하고 있다. 광고규제의 대상으로 내국인을 대상으로 하는 외국인 사업자도 포함되어 있으므로 일본인 의료관광 유치 및 해외진출을 도모하는 사업자는 이에 대한 면밀한 사전 검토가 필요하다. 광고를 할 때 사용 가능한 문구가 한정되어 있어 병원이름, 전화번호, 홈페이지, 주소, 약도 외의 문구는 넣기 힘들기 때문에 확실한 반응이 예상되는 경우에만 지면홍보를 시행하는 것이 좋다.

또한 안마, 침, 마사지, 지압 등은 일본에서는 자격을 가진 자만이 시술할 수 있는 분야이므로 체험이벤트 등은 자제해야 하며, 홍보를 위한 체험 프로그램은 건강상담, 스킨케어, 진맥, 음성테스트 등과 같은 직접적인 시술이 아닌 가벼운 체험 프로그램 위주로 구성하는 것이 바람직하다 하겠다.

(3) 마케팅 전략 및 방안

일본은 문화적으로 해외 의료관광 상품에 대한 인지도가 매우 낮으므로 상품 개발은 피부과, 한방 상품 등에 한정되고 있다. 의료관광객도 잡지, 방송 등을 통해 접한 개별관광객이 대부분으로 시장 확대 및 인지도 제고를 위한 다양한 접근이 필요하다. 이들은 입·퇴원 절차의 편의성과 병원 홈페이지 접근성, 의사로부터 원하는 정보제공 등 편리하고 구체적인 정보제공을 원하고 있다. 그러므로 적극적인 마케팅을 위해서는 상품의 가격과 진료내용을

구체적으로 명시하는 것이 필요하며, 현지 유치업체와의 지속적인 협력관계 구축이 요구된
다. 또한 의료관광과 주변 관광자원과의 연계성을 강화하여 스파, 온천 등의 상품개발을 하
는 것이 필요하다.

관련 기관은 일본 내 한국 의료관광 인지도 확대를 위하여 현지 박람회에 참가하여 한국 의
료관광 홍보안내부스를 운영할 필요가 있고, 전문 에이전시 및 유관기관 관련자를 대상으로
의료관광 설명회 개최가 필요하다. 또한 유력 언론매체의 국내 취재지원을 통해 한국 의료관
광에 대한 홍보기사를 게재토록 해야 한다. 현재 패키지 투어 또는 선택관광 형식으로 미용, 한
방 등을 목적으로 서울 및 주요 대도시의 의료시설을 방문하는 여행상품이 출시되고 있다. 그
러나 의료관광이라는 용어를 직접 사용하기보다는 '한류미인', '의료체험' 등의 완곡한 표현을
사용하는 경우가 많다.

〈그림 4-20〉 일본지역 의료관광 상품 홍보 브로슈어

3. 성장 잠재 시장

국내 인접 지역을 제외하고, 성장 잠재력이 가장 큰 곳은 세계에서 의료관광 송출 규모가 가장 큰 미국이라고 할 수 있다. 그리고 국가 간 협약을 통해 송출이 이루어지고 있는 중동 지역도 잠재력이 큰 시장이다. 또한 아시아 지역에서는 해외환자 송출규모가 큰 베트남, 필리핀, 인도네시아 등에서는 지금까지 인접해 있는 싱가포르와 태국을 의료관광 목적지로 선택하였지만 여건조성과 홍보노력에 따라 국내로의 이동이 언제라도 가능하다고 여겨진다.

1) 미국 시장

장기적으로 미국 보험사와 연계한 중증환자 유치가 목표이지만, 단기적으로는 미국에 거주하는 재외동포를 대상으로 하는 검진 상품을 통한 모객이 활발히 진행될 것으로 보인다. 그러나 지금도 많은 미국인들은 저렴하고 우수한 의료수준을 따라 해외진료를 받고 있으며 동남아 및 인도까지 이동하고 있다.

(1) 의료관광 시장 현황

미국은 세계 의료관광 시장에서 가장 규모가 큰 국가로 송출 시장 및 목적지에서 모두 주요 국가로 여겨지며, 전 세계 중증환자들이 전문적으로 치료를 받기 위해 방문할 만큼 높은 의료기술 수준을 보유하고 있다. 그러나 미국은 공공의료서비스의 체계 부족과 의료보험의 민영화, 그리고 비싼 의료비로 인해 사회적인 문제가 발생하고 있다. 실제 미국 전체의 의료보험 통계를 보면 Medicare[36]가 13.7%, Medicaid[37]는 13.0%, 개인의료보험이 9.1%, 군인의료보험은 3.8%, 회사지원 의료보험이 59.5%, 그리고 무보험자가 15.9%인 것으로 조사되었다.

그러나 민간 의료보험제도 아래에 국민의료비 부담이 높아 의료보험 미가입자 비율이 15%에 이르며, GDP 대비 국민의료비 비율도 15.3%로 세계 최고 수준이다. 이 같은 비싼 의료비용과 긴 대기시간으로 인하여 해외로 나가는 의료관광객 수가 지속적으로 증가하고 있다. 한 연구보고서[38]에 의하면 미국에서 해외로 나가는 의료관광객 수는 매년 35%의 성장률을 기록하

---

36   미국에서 65세 이상 노인이나 신체장애자에 대한 의료보험 제도

37   미국에서 저 소득자에 대한 의료 보장 제도

38   Medical Tourism; Update and implications, 2009, Deloitte

며 2012년에는 160만 명에 이른 것으로 예상했다. 반면에 미국 내 치료목적으로 방문하는 외국인환자는 점차 감소하여 2017년에는 56만 명 수준이 될 것으로 전망했다. 대표적인 선택수술인 관상동맥우회수술 비용을 비슷한 수준의 의료진을 갖춘 해외 병원들과 비교해볼 경우 미국에서 6만 달러인 반면, 인도에서는 7천~1만 달러, 태국에서는 1만5천 달러, 멕시코에서는 2만 5천 달러에 불과한 것으로 조사되었다.

〈표 4-4〉 각국 병원별 관상동맥우회수술 의료비 비교

병원 이름	지역	인증	사망률	의료비용(US$)
Apollo	인도	JCI	1% 미만	7,000
Bumrungrad	태국	JCI	0%	15,000
Workhardt	인도	JCI	1% 미만	10,000
Angels	멕시코		0%	25,000
California	미국	JCAHO	2.91%	60,000

Source: A. Milstein & M. Smith, American's new Refugees: Seeking Affordable Surgery Offshore, New England Journal of Medicine, 2006.

2012년 버락 오바마 미국 대통령의 보건의료개혁 법안이 대법원에서 합헌 판결을 얻어 미국 의료관광 시장의 변화가 예상되고 있다. 5천만 명에 이르는 의료보험 미가입자 중 3,200만 명이 건강보험에 가입하게 되었기 때문이다. 또한 대법원은 빈곤층을 위해 메디케이드(Medicaid)를 확대하는 조항도 지지하였다. 이 같은 미국 보건의료 개혁은 보험 미가입, 비응급수술 환자를 많이 유치하던 지역에는 부정적인 영향을 미칠 것으로 보이나 의료보험과 관계없는 분야인 미용 · 성형, 치과 분야, 선택진료의 경우 건보개혁과는 상관없이 계속적으로 수요가 발생할 것으로 분석되고 있다. 현재 한국을 방문하는 미국 의료관광객 역시 건강검진, 피부, 성형 등 비 보험 분야가 대부분이어서 미국 건보개혁으로 인한 한국 의료관광 시장의 영향은 매우 적을 것으로 예상된다.

(2) 의료관광 규제현황

미국은 연방정부 특성상 주별로 의료관광에 대한 규제사항에 차이가 있을 수 있다. 뉴욕의 경우 의료광고를 할 때 과대광고 및 허위사항 기재 등 건강과 관련된 필수적 사항은 규제하고 있으나 의료관광 및 환자유치 등에 관한 특별한 금지사항은 없다. 대다수의 미국 병원과 의료회사에서도 TV, 잡지 등의 광고를 통해서 환자유치를 위한 마케팅 활동을 전개하고 있는 실정이다.

(3) 마케팅 전략 및 방안

미국에서 실시한 설문조사[39]에 따르면 은퇴한 미국인이 글로벌 헬스케어 상품 중 가장 선호하는 것으로는 치과, 대체의학, 미용, 스파 순서인 것으로 나타났다. 그리고 한국을 방문한 미국인 의료관광객을 대상으로 실시한 설문조사[40]를 보면 국내 의료서비스 중 '정보 및 교육', '병원 직원 및 시설'과 관련된 서비스는 상대적 강점으로 작용한 반면에, 원하는 정보제공 및 개인의 사생활을 보호할 수 있는 분야에서는 개선을 요구하고 있다. 그리고 관광서비스 분야에서도 숙박시설과 현지 가이드 및 에이전시의 전문성에 대한 개선이 필요한 것으로 분석되었다.

미국 내 방한 의료관광 시장은 현재 교포시장을 중심으로 이루어지고 있는데 이를 점차 주류층에도 널리 확산될 수 있도록 여러 가지의 방안 및 노력이 필요하다. 국내 의료기관과 미국 대형 보험회사와의 송출 계약과 전문 의료관광 에이전시의 상품개발 지원도 아울러 필요하다. 이때 JCI와 같은 공식력 있는 국제 인증이 효력을 발휘하게 된다.

〈그림 4-21〉 미주지역 교포 대상 건강검진 상품 리플릿

---

39 How does Retirement Tourism fit into Global Healthcare, 2010, Center for Medical Tourism Research

40 방한 의료관광객 만족도조사, 2011, 한국관광공사

2) 중동 시장

중동 지역 GCC[41] 국가 대부분은 국민들의 의료서비스를 전부 국가에서 책임을 지고 있다. 심지어 국내에서 치료가 어려울 경우 해외에서의 의료비와 항공권 및 체재비도 지원하는 제도를 운영하고 있다. 따라서 해당 지역 정부 간의 환자 송출 협약을 통해 이들 지역에서의 환자 유치에 힘을 쏟을 필요가 있다.

(1) 의료관광 시장현황

사우디아라비아는 석유수출이 국가 산업의 기반이며 정부가 주요 경제활동을 통제하고 있는 국가이다. 이 나라에서는 모든 국민과 공공 부문에서 근무하는 외국인 거주자들에게 무료 의료서비스를 제공하고 있다. 2010년 말 기준으로 415개의 종합병원을 운영하고 있으며, 향후 5년간 121개 병원을 신축할 계획을 가지고 있다.[42] 사우디 보건부가 의료 산업에 지속적인 투자를 하고 있지만, 공공 투자만으로는 인구 증가, 고령화, 장기질환 발병률 상승 등으로 인한 의료 수요를 충족하지 못할 것으로 전망하고 있다. 사회경제 발전과 환경의 변화로 비만, 고혈압, 당뇨병 등 비감염성 만성질환의 발병도 높아지고 있으며, 사우디 국민의 70% 이상이 비만으로 분류되기도 한다.[43] 따라서 생활양식이 변화되지 않는다면 사우디 국민은 비만과 당뇨로 인한 경제적 부담과 사망률이 계속 증가할 것으로 예상된다. 사우디아라비아는 부유층이나 일부 환자들 중 병상부족과 고품질의 의료서비스를 받기 위해 일 년에 약 20만 명 정도가 해외로 나가는 것으로 조사되었다. 사우디아라비아 뿐 만 아니라 중동 산유국가 대부분은 증가하는 의료수요를 수용하고자 정부에서 지속적으로 투자를 하고 있으나 우수한 의료인력 및 의료 인프라 부족으로 아직 외국으로 나가는 수요를 막지 못하고 있다. 사우디 병원에서 실시한 설문조사[44]에 의하면 환자들은 병원 시설 유지 상태와 위생 상태에 높은 만족도를 보였으나, 40%에 이르는 환자들은 대기시간과 병명에 대한 정보에 만족하지 못한다고 응답했다. 또 진료시간이 충분하지 못하고 증상을 자세히 설명하지 못한 실정이라고 불만을 제기하였다.

또 다른 산유국인 아랍에미리트연합(UAE)은 일 년에 약 13만 명 정도가 해외로 의료서비스

---

41 Gulf Corporation Council(걸프협력회의): 사우디아라비아, 쿠웨이트, 카타르, 오만, 아랍에미리트(UAE), 바레인 등 아라비아 반도의 6개 산유국들이 역내 정치, 경제, 사회 부문의 통합을 위해 1981년 5월 구성한 지역 협의체

42 2012 주요 서비스 분야별 해외진출 가이드, 2012, 한국무역투자공사(KOTRA)

43 사우디아라비아 당뇨 및 내분비질병협회(SDEA), 2010년 통계

44 카심의과대학 피부과 외래 클리닉 방문자 대상 설문조사, 2010년

를 받기 위해 출국하는 것으로 조사되었다. UAE의 경우 의료관광 목적지로 2012년에 약 8만6천명이 태국을 찾았으며, 미국과 독일, 영국 등으로 의료치료를 목적으로 출국하고 있다.

카타르는 풍부한 천연가스와 원유 매장량을 바탕으로 세계 최고의 경제부국 중 하나로 꼽힌다. 카타르 정부는 국내 환자의 해외 진료비를 모두 부담해 주고 있다. 따라서 카타르 정부의 해외 진료국가로 지정이 되면 카타르 국민은 정부지원으로 해외치료를 받을 수 있다. 이에 따라 2010년에 한국 정부와 카타르 정부는 양국 간 의료서비스 협약을 체결하였다. 이에 따라 이 지역에서 환자 유치가 추진되고 있으며, 의료인력 양성 및 훈련을 상호 교류하고 있다. 한편, 중동 지역 내에서도 터키, 요르단, 레바논 등은 인접한 중동 지역 환자의 유치를 위해 민간 또는 정부 차원에서 힘쓰고 있다.

(2) 의료관광 규제현황

UAE, 카타르, 바레인, 쿠웨이트 등에서는 자국 내에서 치료가 어려운 환자를 보건청에서 전액 부담하여 외국으로 송출시키고 있으며, 이를 전담하는 전문 유치업체도 활동하고 있다. 정부가 주도하여 해외로 송출하는 의료서비스는 악성종양이 1위를 차지하였고, 소아심장수술, 척추수술, 정형외과수술, 재활수술 등이 뒤따르고 있다. UAE의 아부다비의 경우 해외로 환자를 송출할 때에는 9명의 의학전문가로 구성된 의료위원회에서 송출에 적합한 환경, 기간, 비용 등에 관한 심의를 거쳐 결정한다.

사우디아라비아 보건부는 의료 부문을 민영화의 핵심 대상으로 간주하고 투자청과 공동으로 대응하고 있다. 사우디는 WTO 협약에 따라 병원 서비스와 기타 보건 관련 서비스에 제약을 두지 않고 있어 외국인투자가 자유화 되어 있다. 그러나 실제적인 투자는 그다지 이루어지고 있지 않은 실정이다.

(3) 마케팅 전략 및 방안

이 지역에서 의료관광 목적지로 한국에 대한 인지도는 그다지 높지 않다. 이는 한국 의료서비스에 대한 정보가 부족하기 때문이므로, 한국 의료관광에 대한 홍보와 지속적인 교류가 필요한 시점이다. 또한 이 지역 보건 관련 정부 부처와 협약을 통해 추진하는 것이 보다 효과적이다. 2011년에 아부다비보건청과 한국 정부 및 국내 의료기관이 환자송출 계약을 체결한 것도 이러한 활동의 일환이다.

또한 국내 관련 기관에서는 현지 여행업계 및 잠재고객들에게 한국 의료관광을 알리고 현지 정부 관계자 및 에이전시를 통해 비즈니스 네트워크 구축을 지원할 필요가 있다. 이 지역은 특성상 비만, 당뇨, 척추 등의 환자가 많으므로, 중동 지역에서 관심이 높은 진료 과목을 중점으로 하게 된다. 또한 국내를 찾는 중동 지역 환자와 가족들을 위해 병원에서는 무슬림 식단을 개발하고 이슬람 기도실과 같은 것을 설치하고 이를 홍보할 필요가 있다. 특히 국내에서 아직은 생소한 이슬람 문화에 대한 수용여건을 갖추고 이를 받아들일 수 있는 환경을 조성하는 것이 무엇보다 필요하다.

〈그림 4-22〉 한국 의료관광 홍보 활동(쿠웨이트 및 아랍에미리트)

3) 베트남 시장

베트남의 의료수준은 그다지 높지 않아 그동안 고소득자들은 해외에서 의료서비스를 받아왔다. 주로 싱가포르를 많이 이용하였지만, 한국과의 교류 활성화와 함께 중증환자와 미용 · 성형 위주로 환자를 유치할 수 있는 가능성이 매우 높은 지역이다.

(1) 의료관광 시장현황[45]

베트남은 1억 명에 가까운 인구와 최근 가파른 소득증대로 의료관광 시장으로서 잠재력이 높은 곳으로 평가받고 있다. 또한 의료 분야는 베트남 정부의 국가 개발정책 우선 분야에 포함되어 있어서 보조금 등 정부로부터 지속적인 지원을 받고 있다. 베트남 의료서비스는 크게 의료행정과 진료행정으로 나뉘며 의료기관은 중앙, 주립, 지구, 지역공동체의 4단계로 구분된다.

---

45 베트남 의료관광 현황 조사, 2013, 한국관광공사

지구와 공동체 의료기관은 의료서비스 수준이 낮아 환자들이 중앙과 주립기관으로 몰리는 경향이 있다. 이에 따라 베트남 정부는 지역 보건서비스 품질 향상 및 국민의 검진 및 치료를 위해 병상을 확보하기 위하여 노력하고 있으며, 2014년부터는 전 국민 의료보험 의무가입을 실시하고 있다. 대다수의 병원들은 낙후된 시설과 병상부족 등의 문제가 있지만, 재원 부족으로 의료기기나 서비스 개선이 지체되고 있는 실정이다. 대도시에는 현대적인 의료기기를 갖춘 사립병원과 클리닉이 몇 군데 있으나 태국이나 싱가포르의 사립병원 수준에는 미치지 못하고 있다. 특히 병상수의 부족으로 대부분의 병원들은 포화상태이며 대형병원으로 갈수록 더욱 심하다. 수술의 경우에는 업무 과부하가 발생하고 있으며, 각 병원의 전문치료 분야도 마찬가지이다. 현재 베트남에서는 부유층의 의료서비스 수요에 맞추어 외국계 투자법인 병원의 숫자가 증가하고 있는 실정이다.

베트남은 현재 의료 전문 인력부족, 복잡한 절차와 느린 서비스, 의료진의 서비스인식 부족 등 열악한 자국 내 사정으로 해외 의료관광 수요가 꾸준히 존재한다. 해외로 향한 베트남 국적의 환자는 4만 명 선으로 예측되며 미화 20억 달러의 소비규모를 가진 것으로 파악되고 있다. 이들이 선호하는 목적지는 미국, 싱가포르, 유럽, 태국, 말레이시아, 중국, 한국 등이다. 그중 싱가포르, 태국, 말레이시아와 같은 동남아시아 지역이 대체로 가깝고 경쟁력 있는 가격과 함께 전문 의료서비스로 베트남 내에서 주목받고 있다. 싱가포르에서 베트남 고객 대상 컨설팅 서비스를 제공하는 Viet-Sing 건강관리센터에 따르면 베트남 환자의 대부분은 암과 같은 위독한 질병치료와 간, 심장, 안과 등의 복잡한 수술을 목적으로 싱가포르를 찾는다고 하며, 현재 대부분의 싱가포르 민간병원은 베트남 환자를 위한 상담 및 통역 서비스를 제공하고 있다.

(2) 의료관광 규제현황

베트남에서 외국인이 의료행위를 하려면 베트남에서 발급하거나 인정하는 의료전문 자격증이나 인증서, 검역증명서 등이 필요하다. 치료 및 처방은 베트남어로 작성되어야 하며 통역사를 고용할 경우 보건부에서 인정한 자격을 갖춘 사람이어야 한다. 2016년부터는 베트남의 건강검진 및 치료기관 종사자들은 정부에서 발행한 의료실습 인증서를 보유해야 한다.

(3) 마케팅 전략 및 방안

베트남에서 한국을 찾는 방문객은 2010년 9만 명에서 2012년 10만 6천명으로 꾸준히 증가하고 있다. 베트남 국적 환자도 2010년 921명에서 2011년 1,336명, 2012년에는 2,197명으로 증가 추세에 있다. 이는 전체 한국의 외국인환자에서 그 비중이 1.7%에 이른다. 그러나 3년간 연평균 증가율이 64.4%에 이르고, 한국과 베트남과의 교류 확대로 인해 매우 중요한 시장이 될 것으로 예상된다. 따라서 베트남 국적 환자의 유치 및 양질의 의료서비스 제공을 위한 관심이 필요하다. 그리고 지속적으로 의료봉사 활동 등을 통해 한국 의료관광 이미지를 높이고 현지에서 의료관광 설명회를 개최하여 한국 의료기술의 우수성을 알려 나가는 노력이 필요하다.

베트남의 보건의료시장의 현황 및 의료체계를 비추어 볼 때 최우선 타깃은 성형 · 미용 분야로서 20대~40대 고소득층 여성을 대상으로 진행한다. 이를 통해 점차 일반 중증진료로 나가는 것이 하나의 방법이 될 것으로 보인다. 초기 단계 유입고객의 철저한 사후관리가 중요하다. 특히 문화적 정서를 배려한 통역 및 안내서비스는 만족도 요인에 절대적인 역할을 하는 것으로 나타났으며 이를 위해 베트남 지역 전문가와의 파트너십을 통한 마케팅 실행이 필요하다. 그러나 기존 베트남의 의료관광 목적지인 태국, 싱가포르, 말레이시아, 중국 등과 비교할 때 한국은 접근성, 사회 문화적 정서, 비자발급절차, 항공료 등 여행비용, 의료관광 수용태세 부분에서 극복해야할 사항이 엄연히 존재하고 있다.

〈그림 4-23〉 베트남 하노이지역 한국의료관광 홍보 행사

4) 필리핀 시장

필리핀은 비교적 가깝고 한국과 우호적이며 교류도 활발한 편이어서 중증환자 및 미용 · 성형 환자 위주로 유치가능성이 매우 높은 지역이다.

(1) 의료관광 시장현황

필리핀은 인구가 1억 명이 넘어 세계에서 12번째로 인구가 많은 국가이며 30대 이하가 전

인구의 절반을 차지하고 있다. 필리핀은 약 7,000여 개의 섬으로 이루어진 국토 특성상 각 섬과 지역마다 유행하는 질병이 다르다. 또한 소득 계층 간 건강수준 및 의료서비스 접근성의 불평등이 심하여 감염성 질환에 의한 질환 및 사망이 높게 나타나고 있다.

필리핀의 의료서비스는 공공분야와 민간분야로 나누어져 있으며, 상위병원으로 갈수록 민간소유 비율이 높아진다. 의료수준은 도시와 농촌간의 격차가 커서 대도시에서는 근대적인 설비를 갖춘 사립병원에서 최첨단 의료서비스를 받는 것이 가능하나, 지방병원은 노후화가 진행되고 있어 의료설비도 부족하고 위생상태 조차 나빠 좋은 의료서비스를 받을 수준에는 미치지 못하고 있다.

(2) 의료관광 규제현황

필리핀은 일찍부터 서구문화의 영향으로 크고 작은 문제가 발생하면 즉각 법적 소송을 제기하는 문화가 만연해 있다. 따라서 시술 후 불만족하거나 후유증이 발생할 경우 해당 의료기관 뿐 만 아니라 유치업체 등을 대상으로도 소송이 일어날 가능성이 높으므로 사전에 정확한 정보공유가 필요하다.

(3) 마케팅 전략 및 방안

오랫동안 필리핀은 의료관광 목적지로 싱가포르와 미국을 선호하여 왔다. 그러나 최근 한류의 영향으로 미용의료관광을 위해 한국을 찾는 필리핀인이 늘고 있다. 방한 의료관광객은 2010년 957명에서 2012년 1,767명(전체비중 1.3%)으로 크게 늘었다. 따라서 필리핀 고소득층을 대상으로 하는 고품격 의료 상품 개발 및 판매 확대를 위한 노력이 절실하다. 또한 언론을 활용하여 뷰티에 관심이 있는 필리핀 여성층에게 한국 의료관광을 알리는 것도 병행되어야 한다.

〈그림 4-24〉 필리핀 마닐라지역 한국관광 홍보 행사

5) 인도네시아 시장

인도네시아의 의료 현황은 좋지 않은 편이어서 고소득자를 중심으로 싱가포르, 말레이시아 등에서 치료를 받아 왔다. 외국인환자 송출 규모가 매우 크다는 점에서 앞으로 유치 가능성을 타진해 볼 필요가 있다.

(1) 의료관광 시장현황

인도네시아 인구는 2011년 기준 2억4천만 명으로 세계에서 네 번째로 인구가 많은 나라이다. 지난 수년간 6%가 넘는 높은 경제성장률을 기록하고 있고, 전체인구 중 5% 정도인 1,200만 명은 월1만 달러 이상의 고정소득이 있는 상류층이라고 할 수 있다.

인도네시아 병원은 종합병원과 암 등의 특정 분야 치료를 하는 전문병원으로 나뉘는데 2011년 기준 인도네시아 전체 병원은 2,000여개로 종합병원이 76%, 전문병원이 24% 정도이다. 최근 소득 수준의 향상에 따라 암, 뇌혈관 질환, 성인병 등이 늘고 있어 대도시를 중심으로 전문병원이 빠르게 늘어나는 추세이나 의료 인력은 전체적으로 부족한 실정이다. 인도네시아 보험체계는 사회적 의료보험과 민간 의료보험이 공존하는데 민간 의료보험 가입자는 3백만 명 수준으로 미약한 수준이며 사회적 의료보험은 저소득층을 위한 보험이 절반이상을 차지하고 있다. 인도네시아 정부는 2014년부터 모든 국민과 6개월 이상 거주하는 외국인을 대상으로 의료보험 제도를 확대하여 2019년까지 모든 국민이 의료보험 혜택을 받도록 할 계획이다. 한편, 정부는 의료서비스 수준을 개선하기 위하여 외국과의 의료협력 활동과 양질의 의료인력을 확충하려고 노력하고 있다.

(2) 의료관광 규제현황[46]

2010년 개정된 의료광고 및 병원설립에 관한 보건부장관령은 의약품과 의료서비스 광고의 허용 범위와 광고에 포함시켜서는 안되는 내용을 규정하고 있다. 의료서비스 광고는 할인혜택 또는 기타 금전적 이득의 제공과 같은 내용을 포함해서는 안 되며, 환자의 치료 경험을 포함하는 것도 금지된다. 인도네시아는 외국인 투자병원의 지분한도를 67%로 상향 조정하였으며, 외국 병원의 설립은 전국적으로 허용이 된다. 현지 병원 인허가 규정에 따르면 현지 병원 운영을 위해서는 병원 설립 허가를 보건부 장관으로부터 받은 후 병원 운영허가를 받아야 한다. 클리

---

46 Indonesia, Ministry of Health, No. 36 of 2010 on Health Advertisement and Hospital Licence

닉은 외래환자 및 입원환자를 치료할 수 있으나, 입원환자 치료기간은 5일을 넘을 수 없다. 그리고 외국인 의사가 직접 진료활동을 하는 것은 금지되고 있으며, 현지 의사를 대상으로 의료기술 이전과 지식을 전수하는 컨설팅 역할만 허용된다.

(3) 마케팅 전략 및 방안

인도네시아는 자국의 열악한 의료 인프라로 인해 해외에서 의료서비스를 받는 것에 익숙하여 의료관광에 대한 수요와 잠재력이 매우 큰 지역이다. 또한 한류콘텐츠에 대한 인기와 한국에 대한 우호적인 정서로 한국방문에 대하여 긍정적이며 특히 미용·성형 의료관광 분야를 기대해 볼만 하다. 따라서 의료기관 및 유치업체들은 의료관광 홍보 설명회를 개최하고 언론을 활용하여 한국 의료기술을 지속적으로 홍보해 나갈 필요가 있다. 인도네시아에 잘 알려진 연예인 스타를 활용하여 방송에 출연하도록 하는 것도 한 방법이 된다. 또한 중증환자 유치를 위하여 경제적 이유로 치료가 어려운 환자를 한국으로 초청하여 치료를 해주면서 언론을 통해 홍보하는 것도 한국 의료기술을 알리는데 크게 효과가 있다.

〈그림 4-25〉 인도네시아 자카르타지역 한국관광 홍보 행사

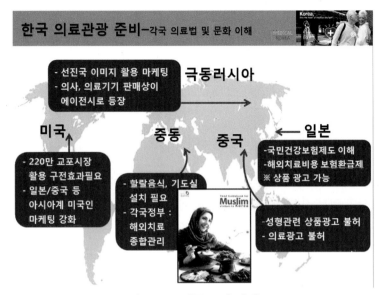

〈그림 4-26〉 각국 문화 이해

제**5**장

의료관광 상품 사례

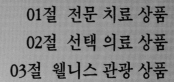

0 | 절   전문 치료 상품

●●●● 한국은 최근 의료관광의 목적지로 급속히 부각되고 있다. 세계적인 의료기술을 보유한 우수한 의료진과 최첨단 장비로 치료를 함으로써 각국의 의료인들이 선진기술을 배우기 위하여 찾아 오는 곳으로 변해가고 있다. 더 나아가 외국인환자에게 안전하고 질 높은 서비스를 제공하기 위하여 의료기관을 중심으로 수용여건을 갖추어 나가고 있으며, 정부기관에서는 엄격한 관리와 평가 프로그램을 운영하고 있다.

여기에서는 현재 여건이 잘 마련되어 있으면서 외국인환자를 유치하기에 용이한 상품을 중심으로 설명한다. 한편 전문치료를 받기 위해 국내로 입국하는 환자는 거동이 매우 불편한 상태는 아니어서 스스로 걸을 수 있는 경우가 대부분이다.

1. 암질환 치료

한국의 의료진은 뛰어난 인재들로 구성되어 있으며, 우수한 의료교육 시스템을 갖추고 있고 전문적인 의료지식을 바탕으로 탁월한 손기술을 발휘하고 있다. 또한 첨단 진단 장비와 로봇 수술 장비, 방사선 치료기 등 첨단 의료장비를 능숙하게 다룸으로써 환자에게 최상의 의료서비스를 제공하고 있다.

1) 위암치료

위암(stomach cancer)은 세계에서 암 발병률 2위를 기록하고 있는 대표적인 암이며, 국내에서는 암 발병률 1위를 차지하고 있다. 위암은 대체로 40~60대에 발병하고 여자보다 남자의 발생비율이 2배 정도 높다. 암의 진행정도에 따라 1기부터 4기로 나뉘는데 1기에 발견하여 치료할 경우 5년 생존율이 95%라고 한다. 그러므로 조기 발견이 무엇보다 중요하다. 위암을 치료하는 가장 좋은 방법은 위절제술(gastrectomy)이다. 최근에는 수술 후 환자의 삶의 질을 고려하여 절제하는 부위를 최소로 줄이고 남은 위의 기능을 최대한 살리는 방향으로 수술이 진행되고 있다. 암 발병 초기의 경우 내시경(endoscope)을 통해 제거하여 출혈이 적으면서 회복이 빠른 수술법이 개발되어 있다.

한국은 의료기관 간의 끊임없는 경쟁과 연구를 통해 높은 수준의 위암 치료기술을 계속 발전시키고 있으며, 많은 임상사례를 통해 그 효과를 입증하고 있다. 따라서 위암치료기술을 배우기 위해 전 세계에서 한국을 방문하는 의사의 수가 증가하고 있으며, 2012년에는 한국의 항암치료법이 글로벌 가이드라인으로 등재되기도 하였다. 위암이 많이 발생하는 한국은 치료 실적도 우수하여 한국의 위암 생존율은 64.2%로 의료선진국인 일본(56.6%)과 미국(52.1%)을 훨씬 앞서고 있다.[47]

서울아산병원(medical.amc.seoul.kr)의 위 복강경(laparoscope) 수술은 세계 최다 수술 건수를 가지고 있다. 이 수술방법은 일반적인 개복수술(abdominal operation)보다 출혈과 통증이 적어 수술 후 출혈이 심해 문제가 되는 당뇨 환자나 감염을 일으키는 환자에게는 아주 효과적이다. 특히 수술 후에도 흉터가 거의 없고 회복기간도 무척 빠르다. 이 병원은 고난도 수술 경험이 많을 뿐 아니라 중환자 관리에도 뛰어나 환자들의 만족도가 매우 높다. 아산병원은 국내에서 가장 많은 암 수술 건수를 기록하고 있으며, 매년 3백 명이 넘는 외국인 의사들이 수술법을 배우기 위해 연수를 받고 있다.

인하대병원(http://inha.com)은 암 치료 전문 병원이다. 최근 정부평가기관에서 실시한 암 수술 사망률에 의한 평가에서 위암, 간암, 대장암 분야 모두 1등급을 받았으며, 합병증 발생률도 매우 낮은 것으로 조사되었다. 인하대병원은 국제공항이 위치한 인천에 위치하고 있어 외국인환자의 접근성이 좋아 호평을 받고 있다. 인천국제공항 터미널 안에도 의료센터가 갖추어져 있다.

---

47   국제암연구소, 2010년 기준

〈그림 5-1〉 인하대병원 건강증진센터

일상생활 속에서 위암을 예방하기 위한 몇 가지 방법이 제시되고 있다. 첫째, 짠 음식과 탄음식을 피해 위암을 일으키는 발암물질을 멀리하는 것이다. 짜지 않게 먹고 부패한 음식이나불에 타서 숯같이 된 고기는 먹지 않는 것이 좋다. 둘째, 녹황색 채소와 비타민C가 풍부한 과일을 충분히 먹는 것이 좋다. 식이요법을 통한 위암예방을 위하여 신선한 과일과 채소를 많이 섭취하는 것이 중요하다. 마지막으로 정기적인 위 검사를 통하여 조기에 진단하는 것이 매우 중요하다.

2) 갑상선암치료

갑산선암(thyroid cancer)은 대부분 10년 생존율이 95%에 이를 정도여서 착한 암이라는 별명이 붙어있는 완치율이 높은 암이지만 최근 들어 가장 많이 발견되는 암이기도 하다. 세계적으로 최근 30년간 58%의 증가율을 보이고 있으며, 여성암 1위를 차지할 정도로 여성에게 5~6배 정도 더 많이 발생한다. 갑상선은 우리 몸의 에너지 대사를 조절하는 기관으로 갑상선 호르몬을 생산하고 분비한다. 이 호르몬은 열을 발생시켜 체온을 유지시키거나 유아의 뇌와 뼈 발달, 심장 박동, 스트레스 대처 등에 관여하는 필수적인 호르몬이다. 목젖 부근에 딱딱한 혹이만져지거나 목소리가 갑자기 변하면 진찰을 받아 보아야 한다. 발병원인은 명확하지 않지만방사선 노출, 유전적 요인, 식이 요인, 과거 질환 병력 등이 그 원인으로 추정되고 있다.

한국의 갑상선암 5년 생존율은 99.7%로 유럽에 비해서는 14% 이상, 미국에 비해서도 2%

이상 높다. 한국의 주요 암센터에서는 각 분야의 암전문가들이 모여 진료에서 연구까지 암치료에 집중할 수 있는 시스템을 만들어 막강한 시너지효과를 내고 있다. 갑상선 절제수술을 받고 나면 갑상선 호르몬이 체내에서 만들어지지 않으므로 평생 갑상선 호르몬제를 복용해야 한다. 그러므로 지속적인 관리와 스트레스가 많지 않은 환경에서 생활하는 것이 중요하다.

강남세브란스병원(gs.iseverance.com)은 갑상선암, 대장암, 위암, 전립선암 등 약 5천여 건의 수술실적을 가지고 있다. 2010년에는 JCI로부터 인증을 받았으며, 미국의 보험회사와도 환자송출 협약을 맺었다. 동 병원은 원격 화상진료를 통해 외국인환자의 상태를 검사하는 시스템을 구축해 놓았다. 암 환자는 지속적인 건강유지를 위해서 암 수술 후 정기적인 관찰추적이 반드시 필요하다. 현재 러시아 환자들은 한국과 러시아를 오갈 필요 없이 러시아 블라디보스토크의 한국관광공사 사무실에 갖추어진 원격 진료시스템을 통해 현지 병원에서 실시한 검사결과를 한국의 주치의에게 보내 상담을 받을 수 있다.

〈그림 5-2〉 강남세브란스병원 JCI 국제인증 표식

3) 전립선암치료

전립선(prostate)은 남자의 방광 아래에 있는 호두 크기의 호르몬 기관으로 정액의 일부를 만들어낸다. 전립선암은 전립선이 커지는 50대 이후에 발생한다. 미국에서는 남성 암 중 1위의 발병률을 보이고 세계적으로도 남성 가운데 폐암 다음으로 발생빈도가 높다. 최근 세계적인 갑부이자 투자의 귀재인 워렌 버핏을 비롯하여, 남아공의 넬슨 만델라, 프랑스의 프랑수아 미테랑 대통령, 영화배우 로버트 드니로 등 세계적으로 유명한 정치인이나 CEO가 잘 걸린다고 하여 황제의 암이라는 별명이 붙었다. 이는 점점 노령화 사회가 되면서 많은 남성들이 걸리는 암이 되었다. 전 세계적으로 4천만 명의 전립선암환자가 있으며 지난 10년 간 약 7배 정도 증가한 것으로 나타났다.

전립선암의 주요 원인은 연령, 인종, 가족력 등으로 주로 50대 이후의 서양남자에게 많이 나타난다. 유전적 원인 외에도 호르몬, 식이습관, 제초제와 같은 화학약품 등도 발병 요인으로 작용한다고 알려져 있다. 전립선암은 간단한 피검사로 손쉽게 진단할 수 있으며, 초기에 발견하면 거의 완치되므로 50대가 넘으면 전립선암 정기검진이 필요하다. 이 암은 초기에는 아무런 증상이 없으나 종양이 커져서 요도를 압박하게 되면 배뇨 곤란, 혈뇨 등의 증상을 나타낸다. 뼈로 전이된 경우에는 심한 통증을 동반하기도 한다. 전립선암의 치료 방법에는 수술요법, 방사선 치료요법 등이 있다. 수술요법은 치료 후 요실금이나 발기 부전 등의 부작용이 있을 수 있어 방사선 요법을 찾는 환자가 많은데, 이 방법 역시 방사선에 의한 부작용을 감수해야 한다.

최근 개발된 양성자치료(proton therapy)는 방사선요법 중에서도 부작용이 적은 치료법이다. 방사선은 정상세포와 암세포에 동시에 쏘여 정상세포를 죽이기도 하지만, 양성자치료는 암세포만 효과적으로 죽일 수 있다. 이를 위한 양성자치료기는 전 세계적으로도 40개 의료기관 정도만 보유하고 있으며 한국에서는 국립암센터(ncc.re.kr)에서 운영하고 있다. 이 치료기는 치료효과가 높은 만큼 치료비도 비싸다. 그러나 한국의 양성자치료비는 미국의 3분의 1 수준으로 비교적 저렴한 편이다. 또한 미국에서는 대기시간도 길고 치료를 위한 시간도 많이 소요된다. 국립암센터에는 현재 주로 미국과 유럽 환자들이 많이 찾고 있는데, 이들은 평균 두 달 동안 머무르며 40회 정도의 통원치료를 받기 때문에 혼자 또는 동반자와 같이 생활을 할 수 있다. 비수술로 마취가 필요 없고 통증이 없어 환자의 일상생활까지 가능하기 때문에 일반 의료관광객보다 1인당 지출액이 높은 편이다. 그러나 항공료와 치료기간 동안의 숙박비와 생활비를 합쳐도 치료비가 저렴하고 수술효과 또한 높기 때문에 만족도가 매우 높다.

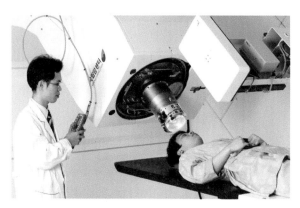

〈그림 5-3〉 국립암센터 양성자치료기

4) 직장암치료

직장암(rectal cancer)은 육류 또는 굽거나 튀긴 음식의 과다한 섭취, 섬유질 부족, 운동 부족 등이 그 원인으로 알려져 있다. 또한 유전적인 요인과 흡연도 상관관계가 있는 것으로 나타났다. 최근 세계적으로 식단이 서구화되면서 예전에는 50대 이상의 서양인들에게 빈발했던 직장 암이 이제는 동서양을 막론하고 빈발하는 암이 되었으며 갈수록 환자가 늘고 있다. 대장(large intestine)은 결장(colon)과 직장으로 구분된다. 대장의 가장 아랫부분인 항문의 바로 앞에 결장과 항문을 잇는 15cm 길이의 곳에서 생기는 암이 직장암이다. 직장암과 결장암을 통칭하여 대장암이라고 한다.

직장암 수술은 개복수술과 복강경수술로 나뉘는데, 복강경수술의 경우 인공항문을 달지 않아도 된다. 복강경은 외과수술 영역에서 보편적인 수술법으로 자리잡아 왔지만 직장암 치료의 경우 복강경으로 접근하기가 쉽지 않아 오랫동안 개복수술이 더 안전하다고 여겨져 왔다. 그러나 최근 많은 연구논문에서 개복수술보다 복강경수술이 통증이 적고, 장운동 회복시간이 더 빠르며, 배뇨 및 배변 기능에서 더 낫다는 결과를 보여주고 있다.

한국은 특히 직장암 복강경수술 기술이 세계적으로 뛰어난 것으로 알려져 있다. 순천향대부천병원(www.schmc.ac.kr/bucheon)은 인천공항에서 가까워 환자들의 이동거리가 짧고 코디네이터 시스템이 잘 갖추어져 있다. 또한 러시아 암환자 유치와 의사 연수 프로그램이 잘 운영되고 있다. 최근에 이 병원은 적극적인 해외환자 유치를 위해 자국 결제(DCC; Dynamic Currency Conversion) 서비스를 도입했다고 밝혔다. DCC는 순천향대부천병원이 카드회사를 통해 도입한 글로벌 결제서비스다. 이 서비스를 통해 외국인 환자의 만족도와 신뢰도를 높이고 자금관리의 효율성을 높일 계획이다. 한편 순천향대부천병원은 외국 에이전시의 발굴과 의사 연수를 통한 현지 마케팅 활동도 꾸준히 진행해오고 있다. 현재는 해외환자들을 위해 진료 · 식사 · 숙박 · 관광 · 전화 등을 한꺼번에 제공해주는 'One-Stop 고객편의통합서비스'를 실시하고 있다.

〈그림 5-4〉 첨단의료 장비 및 기기

직장암은 동물성 단백질을 과도하게 섭취하는 것이 원인중 하나라고 한다. 육식을 즐기면 그만큼 위험성도 높아진다. 그러므로 직장암 위험이 높은 사람은 식단을 채식 위주로 바꾸는 것이 좋다. 만약 고기를 섭취해야 한다면 굽거나 튀기는 대신 삶아서 채소와 함께 먹는 것이 낫다. 여러 나라의 채식 위주의 식단과 함께 밥과 김치, 나물로 이루어진 한식도 세계인에게는 훌륭한 건강 식단의 하나로 인식되고 있다.

5) 다빈치수술

원광대학교병원(http://www.wkuh.org/)의 다빈치로봇수술(davinci surgery)은 풍부한 임상경험과 뛰어난 기술로써 전립선암, 신장암, 갑상선암, 대장 및 직장암, 부인과 암, 심장질환 등 다양한 분야에서 로봇으로 수술을 시행하고 있다. 로봇수술은 인간의 한계를 뛰어 넘는 정밀한 조작으로 각종 암을 정확이 절제하며, 기존 수술보다 절개부위가 작아 흉터가 작은 장점이 있고, 수술합병증이 적어 회복이 빠른 최소 침습적인 첨단수술 방법이다.

〈그림 5-5〉 원광대학교 병원 전경 및 수술장면

2. 전문시술

전문시술 상품은 응급환자가 아닌 주로 만성질환 환자에 대한 시술 상품을 말한다. 척추 및 관절치료, 불임환자치료, 생체이식, 고도비만치료 등과 같이 의료 기술수준과 서비스수준을 중심으로 홍보하면, 해외환자의 유치가 가능한 상품들이다.

1) 척추 · 관절 치료

국내 척추 및 관절 질환 치료기술은 대체로 잘 발달되어 있고, 임상기록도 풍부할 뿐 아니라 일찍부터 해외에 잘 알려져 있는 분야이기도 하다.

(1) 척추 · 관절 질환의 증가

직립 보행을 시작한 이후 인간은 손을 자유롭게 사용하는 대신 척추질환을 얻었다고 할 정도로 척추질환은 인류의 숙명이다. 하지만 수렵 · 채집 활동 등 생산 활동을 하던 예전에는 척추를 둘러싼 근육이 단련되어 노년이 되기 전에는 척추질환을 앓는 경우가 드물었다. 그러다가 자동차와 기계가 발명된 이후 먼 거리도 앉은 자세로 여행하게 되고 컴퓨터가 발명된 이후에는 대부분의 시간을 책상 앞에 앉아 있게 됨으로써 허리는 물론 목까지도 무리가 오고 있다.

우리 몸의 중심을 잡아주는 척추는 51개의 뼈로 이루어져 있고, 그 뼈들은 다시 관절로 연결되어 있다. 그 중 어느 한 곳이라도 문제가 생길 때 사람들은 통증을 느끼게 된다. 가장 일반적인 척추 질환인 디스크(추간판탈출증, spinal disc herniation)는 척추 뼈 사이의 완충지대인 추간판이 빠져나와 신경을 압박하는 상태를 말한다. 그 다음으로 많은 척추측만증(scoliosis)은 나쁜 자세로 인해 등뼈가 굽는 현상을 말한다. 이 외에 단순 근육통, 퇴행성관절염, 척추협착증과 척추분리증 등 다양한 이유로 척추 통증이 발생한다.

(2) 수술 없이 치료하는 척추 · 관절 치료법

척추수술은 피부와 근육을 절개하고 뼈를 깎아내는 대수술이라 회복기간이 길고 후유증이 있을 확률이 높다. 수술이 성공했다고 해도 완전히 문제가 해결되는 것이 아니라 전문의와의 꾸준한 상담과 관리가 요구된다. 척추질환을 밝혀낼 때도 정형외과, 내과, 신경과, 통증의학과, 재활의학과, 영상의학과 등 많은 부분의 진단이 필요한 복합질환이다.

예로부터 좌식생활 문화권으로 척추질환 환자가 많았던 국내에서는 세계적으로 앞선 척추질환 치료방법을 개발하여 수술 대신 회복이 빠르고 후유증이 없는 시술법을 적극 권장하고 있다. 수술 없이 진행되는 '미세침습척추치료술(MISS; Minimally Invasive Spine Surgery)'은 정상조직을 최대한 보존하고 최소 절개로 환부만 치료하여 회복이 빠르고 후유증이 적은 방법이다. 또 다른 시술법인 '신경성형술'은 척추부위에 약물을 투여해 통증을 제거하는 방법으로 입원하지 않고도 시술이 가능하다.

(3) 외국인환자 유치

척추관절 질환을 앓고 있는 외국인환자들이 최근 국내를 주목하기 시작하였다. 높은 서비스 수준과 가격경쟁력을 갖추고, IT와 결합한 원스톱 서비스로 외국인환자를 대상으로 홍보 활동을 통해 유치가 이루어지고 있다. 새로운 이론과 첨단설비를 갖춘 최첨단 의료수준, 세심한 손끝에서 나오는 정밀한 기술력이 새롭게 각광을 받고 있다.

(4) 척추질환 전문병원

1980년대 초부터 척추치료 한 분야에만 집중해 온 우리들병원(www.wooridul.co.kr)은 10곳의 전국 네트워크 병원을 운영하고 있다. 또한 인도 자카르타, UAE 두바이, 터키 이스탄불 등 해외 네트워크 병원과 싱가포르에 위치한 해외 네트워크 병원 본부를 거점으로 전 세계 환자들을 대상으로 활발한 활동을 펼치고 있다. 특히 우리들병원은 국제환자센터를 설치하여 외국인환자에 대한 각종 편의서비스를 제공하고 있다. 외국인환자의 상담 및 안내 지원, 비자발급 지원, 방문 계획 지원 및 관련 정보 제공, 통역 및 비서 서비스, 병원 및 보험 업무 지원, 여행정보 및 동반자 편의 제공 등을 실시하고 있다. 이 병원은 정상조직을 보존하는 내시경 디스크 치료 분야에 있어 세계적으로 독자적인 업적을 쌓았다는 평가를 받고 있다.

〈그림 5-6〉 우리들병원 척추 관절 질환 치료 모습

(5) 척추질환 예방습관

건강한 척추를 만들기 위해서는 평소 좋은 생활습관을 길러야 한다. 장시간 공부를 하거나 컴퓨터 앞에서 작업을 할 때는 매시간 10분 이상 쉬는시간을 가지고 스트레칭을 해줘야 한다. 잘 때는 종아리 아래쪽에 베개를 넣고 똑바로 누워서 자거나 양 무릎 사이에 베개를 넣고 옆으로 누워서 자는 것이 좋다. 척추에 가장 좋은 자세는 걷는 자세이다. 걸을 때는 흙길이나 잔디밭을 걷는 게 좋고 운동화나 쿠션이 있는 신발을 신어야 한다.

2) 불임치료 및 출산

임신 및 출산과 같이 생식(reproductive)과 관련된 사항은 의료관광에서도 가장 민감한 사항이다. 생식과 관련된 의료서비스를 받기 위해 국가 간 이동을 하는 요인으로는 자국에서의 법과 제도적 규제, 윤리적 비난, 높은 비용과 오랜 대기시간, 사생활보호 동기, 외국 의료기관의 전문성 등이 있다. 그러나 동시에 안전과 의료서비스 품질의 문제, 의료사고가 발생할 때의 해결방안이 불확실하다는 것 등은 이를 주저하게 만드는 요인이 된다.

(1) 논쟁 사항

생식 관련 치료와 출산을 위한 국가 간 이동과 관련해서는 여러 논쟁점이 있다.

① 먼저 임상적 리스크를 극복해야 하는 문제이다. 이를 위해 세계적으로 공통의 틀을 만들어 이런 서비스를 제공하는 의료기관에 대하여 국제적인 인증을 받도록 하는 것이 하나의 대안이 될 수 있다.

② 다음으로 윤리적이거나 법적인 문제의 제기이다. 대리출산이나 난자기증은 여성의 신체를 상업화하여 착취의 대상으로 삼는 것이라 윤리적인 문제가 대두될 수 있다. 성별 선택은 성 차별과 불평등에 따라 발생하는 현상인데 결국 이러한 사회적 경향을 더욱 강화시키는 수단이 된다는 비난이 생겨난다.

③ 그리고 정치·사회적 이슈이다. 대부분의 국가에서는 이와 같은 의료행위를 규제하고 있다. 특히 출산의 경우 불법체류나 불법 시민권 획득 등이 우려된다.

(2) 불임치료

세계보건기구(WHO)에 따르면 전 세계에서 불임으로 고통 받는 부부는 800만 쌍에 달한다고 한다. 불임이란 피임을 하지 않는 부부가 정상적인 부부관계에도 불구하고 1년 이상 아이를 갖지 못하는 상태를 말한다. 1978년에 영국에서 세계 최초로 '시험관 내 수정'이라고 하는 체외수정(in vitro fertilization: IVF)으로 임신에 성공했다. 이것은 시험관 내에서 인공수정 된 배아를 자궁에 착상시키는 방법이다. 그 7년 뒤인 1985년에 한국에서도 이에 성공한 이후 한국은 불임치료 분야의 최상위권 국가가 되었다. 원인을 확실히 밝히기 어려운 불임치료는 성공률이 40%만 넘어도 대단한 것으로 여겨지는데, 한국의 불임치료 기술이 이에 속한다. 보건당국이 관련 분야 전문가를 대상으로 조사한 결과, 암 수술, 장기이식, 치매, 알레르기질환 등 전체 34개 한국의 보건 의료기술 가운데 불임 치료 분야가 가장 높은 평가를 받았다. 또한 한국에서의 불임 치료는 대체로 저렴한 비용이 든다. 시험관 아기의 경우 비용이 미국의 3분의 1 수준이며, 싱가포르와 태국과 비교해도 더 저렴한 것으로 조사되었다.

실제로 외국인환자 가운데 산부인과 진료를 위해 한국을 찾는 경우는 2011년 7,568명에서 2012년에 1만 831명으로 증가하였다. 따라서 진료 분야 중 산부인과 비율도 4.0%에서 5.3%로 증가하였다. 보건복지부의 분석에 따르면 2012년 기준 산부인과를 찾는 외국인환자 전체 사례 중 약 30%는 불임 관련 진료로 밝혀졌다. 산부인과환자의 주요 국적은 미국(21.6%), 러시아(18.7%), 몽골(12.4%) 등의 순으로 조사되었다. 그리고 불임치료는 병원에 입원하지 않고 통원치료가 가능하기 때문에 병원에 가지 않은 날에는 일반 관광객과 같은 생활패턴을 보인다.

미즈메디병원(www.mizmedi.com)은 만성불임환자를 대상으로 하는 산부인과 전문 병원으로 외국인환자 유치에도 힘쓰고 있다. 동 병원에서는 자연 임신이 안 될 경우 수정란을 이식하여 임신에 성공하도록 한다. 각종 검사를 통해 면역체계에 문제가 있는지 밝혀내고, 호르몬제를 투여하기도 한다. 최근에는 시험관을 통해 수정한 배아가 분열되는 과정에서 생겨나는 파편을 제거하는 기술인 '배아(胚芽) 파편 제거술'을 통해 임신 성공률을 50%대로 높이는 성과를 올리고 있다.

제일병원(www.cheilmc.co.kr)은 한국에서 불임 분야 전문병원으로는 가장 규모가 크다. 각종 불임질환별 클리닉으로 세분화되어 있고 남성불임에 관해서도 최고의 업적과 기술을 자랑한다.

〈그림 5-7〉 미즈메디병원 신생아실

(3) 출산

출산관광은 보다 안전하고 의료서비스를 잘 갖추고 있는 지역에서 편안하게 분만을 하고 싶어 하는 욕구 외에도, 태어나는 아기에게 새로운 시민권을 부여해주기 위해 발생하기도 한다. 따라서 출산은 순수한 목적 외에도 그렇지 않은 경우가 함께 발생하게 되어 정치·사회적 문제와 외교문제로까지 비화되기도 한다. 최근의 자료에 의하면 2000년부터 2006년까지 외국인이 미국에서 분만한 사례는 53%가 늘어났다고 한다. 2006년에 태어난 4,273,225명의 아이 중 부모가 미국 거주자가 아닌 경우는 전체의 0.2% 정도인 7,670명이었다고 조사 결과가 밝혀졌다.

경기도 가평에 위치한 청심국제병원(http://www.csmc.or.kr/)은 특히 일본인 간호사를 고용하여 일본인을 대상으로 분만 패키지 프로그램을 운영하고 있다. 출산예정일 40일 전부터 수련원에서 기거하면서 하는 산전관리, 일본식 분만 문화 유지, 출산 이후 2주간 한방요법을 이용한 산후조리와 찜질방을 이용한 산후관리로 구성되어 있다. 또한 이 병원은 산부인과 외에도 메디컬 리조트의 개념을 적용시켜 해외 네트워크를 통하여 외국인환자를 유치하고 있으며, 양·한방 협진을 통해 진료를 실시하고 있다.

〈그림 5-8〉 청심국제병원 산부인과 이미지

3) 생체이식

(1) 생체이식수술의 의의

질병으로 인해 기능이 떨어진 장기를 대신해 타인에게서 받은 장기를 옮겨 넣는 일련의 과정을 장기이식(organ transplantation)이라고 한다. 장기이식은 뇌사자이식과 생체이식으로 나뉜다. 뇌사자이식은 법리상으로 아직 완벽하게 해결되지 않았고 분쟁의 소지가 많기 때문에 의료관광 분야에서는 다룰 수 있는 것이 아니므로, 이곳에서는 건강한 사람의 신장과 간을 이식하는 생체이식에 대해서만 다룬다. 신장은 사람마다 두 개가 있기 때문에 의학적으로 한쪽을 떼어내도 생활에는 지장이 없고, 간은 전체의 30%만 남아있어도 세 달 내에 원래 크기로 재생되기 때문에 일부를 떼어낼 수 있다.

장기이식은 '현대 의학의 꽃', 또는 '수술의 결정판' 등으로 불리고 있다. 장기이식이 성공하려면 소화기내과, 순환기내과, 외과, 방사선과, 진단검사의학과, 병리학과, 영양학과 등 모든 분야가 골고루 발전해야 하기 때문이다. 그래서 장기이식이 뛰어난 나라가 의료수준이 높은 것으로 평가 받는다. 한국은 장기이식, 그 중에서도 생체이식에서 세계 최고 수준의 실력을 쌓아 왔다.

(2) 한국 생체이식수술 발달

2008년 세계보건기구(WHO)의 장기이식 자료에 따르면 인구 100만 명당 생체 간 이식 건수가 한국이 13.64건으로 세계 96개국 중에서 가장 많은 것으로 밝혀졌다. 이는 2위인 싱가포르 7.33건의 2배에 달하는 수치이다. 또한 2010년 기준으로 한국의 간 제공자는 824명으로 전 세계 3,116명 중 26%를 차지하였다. 간 생체이식의 60% 정도는 부모에게 자식이 간을 제공하는 경우로, 이는 한국 특유의 효 사상과 부모공경 문화가 낳은 결과로 보여진다. 이런 문화 덕분에 한국의 생체 간 이식수술은 1988년부터 시작되었지만 비약적으로 발전하였고, 2008년 국립장기이식센터 연보에 따르면 신장 생체이식 5년 생존율이 93.8%, 간 생체이식 5년 생존율이 77.9%로 미국의 각각 80.2%와 68.6% 보다 월등히 높았다. 현재 한국에서는 20여 곳의 병원에서 간 생체이식 수술을 시행하고 있고, 60여 곳의 병원에서 신장 생체이식 수술을 하고 있다.

간 이식수술은 미국, 호주, 브라질에서 먼저 시작하여 일본에서 꽃을 피웠지만, 지금은 한국이 세계 최고의 실력을 자랑하고 있다. 생체장기이식은 장기를 기증한 사람과 받는 사람 모두를 건강하게 살려야 하는 의술로 한국 의사는 타고난 손재주, 학구열, 집중력을 바탕으로 단기간에 실력을 높이 쌓았다. 외국에선 일반적으로 12시간 정도 걸리는 수술을 한국에서는 6~7시간 만에 끝내기도 한다.

(3) 생체이식수술 외국인환자 유치

서울아산병원(amc.seoul.kr)은 2011년 세계에서 가장 많은 생체이식수술을 한 병원으로 밝혀졌다. 이해에 202건의 생체 신장이식 수술을 시행하였으며 아시아 지역에서는 유일하게 4년 연속 200건 이상의 신장 이식수술을 달성하기도 하였다. 고난이도의 수술을 성공적으로 수행하며, 집중적인 환자관리 시스템 또한 갖추고 있다. 현재 일본어, 중국어, 러시아어, 아랍어가 가능한 코디네이터가 상주하고 있다. 2005년 세계적인 수준의 미국 존스홉킨스대학병원 이식팀 의료진들이 이 병원에서 3주 동안 생체 간 이식수술 연수를 마치면서 한국의 생체 간 이식수술은 세계 최고 수준이라는 소감을 밝히기도 했다.

사우디아라비아, 아랍에미리트, 카타르 등 중동 산유국들은 국내 치료가 힘든 국민들에 대하여 해외에서의 치료까지 지원해 주는 시스템을 운영하고 있다. 특히 혈액 투석과 수혈로 신장기능이 저하되어 신장 이식수술을 받아야 하는 환자에 대하여 해외에서의 모든 수술비를 지원해 주고 있다. 이제는 서울아산병원의 생체이식수술의 명성이 높아 이들 중동 지역에서의 환자 방문도 점차 늘어나고 있다.

(4) 생체이식수술 한계점

장기이식은 수요에 비하여 공급이 부족할 수밖에 없어서 장기를 불법으로 밀매하는 암시장이 형성될 소지가 매우 크다. 특히 저개발국가와 인구밀집 지역에서 이와 같은 행위가 성행하여 국제적인 비난으로까지 이어진다. 이처럼 인간 장기의 상업화와 관련된 윤리적이고 법적인 문제는 굉장히 민감하다. 또한 해외에서의 장기이식 수술 후의 임상적 리스크에 대한 문제도 여전히 존재한다. 장기이식 후에 부작용으로 문제가 생길 경우, 사후관리를 받기가 어려운 문제가 있다.

그리고 장기이식에 따른 건강의 불평등이란 사회적 이슈가 부각되고 있다. 장기이식의 이면에는 선진국과 후진국의 불평등, 부유한 자와 가난한 자 간의 차별이 잠재되어 있다고 여겨지는 시각이다. 선진국의 부유한 환자가 저개발국가의 가난한 사람의 장기기증자로부터 장기를 구매하는 과정에서 가난한 장기기증자의 안전은 무시되고 이들은 질병의 위험에 더욱 노출된다. 또한 극히 제한된 장기가 외국의 부유한 환자에게 이식되면서, 자국 국민의 장기이식 기회는 그만큼 줄어들게 된다.

4) 고도비만치료

비만은 각종 성인병을 유발하는 질병으로 세계보건기구에서 규정하고 있다. 그리고 현재의 비만 인구 증가 추세가 지속되면 2015년에 전 세계적으로 7억 명이, 2025년에는 전 세계 인구의 3분의 1이 비만환자가 될 것으로 예측하고 있다. 미국은 15세 이상을 기준으로 전체 인구에서 비만인구 비중이 32.3%에 달해 당국이 비만과의 전쟁을 선포하였고, 미국 생명보험회사들은 보험료를 책정할 때 비만을 암, 고혈압, 간 질환 같은 위험 질병으로 간주하고 있다. 비만 인구 비율이 비교적 낮은 일본에서도 40세 이상 건강보험 가입자의 건강검진 항목에 허리둘레 측정을 추가하는 등 비만관리에 나섰다. 각국 정부가 비만 관리에 집중하는 것은 비만이 단순한 과체중만을 의미하는 것이 아니기 때문이다. 비만은 모든 성인병의 원인으로 비만인은 정상인보다 당뇨병과 고지혈증, 고혈압, 관상동맥질환에 잘 걸리며 각종 암과 관절 질환의 발병률이 높다. 비만인구가 증가하면서 관련 질병으로 인한 건강위험이나 생활불편을 해소하기 위한 비만 치료 수요는 급격하게 증가하고 있다.

비만에서 벗어나기 위한 방법으로는 식이요법, 운동요법, 행동수정요법, 그리고 수술요법이 있다. 수술요법은 고도비만이나 비만으로 인한 합병증이 심할 경우에 실시한다. 구체적 방법으로는 위를 축소시켜 음식물의 섭취를 억제하는 방법인 '위절제술', 소장을 잘라내어 영양분을 흡수할 수 있는 면적을 감소시키는 방법인 '소장절제술', 비정상적인 비율로 축적된 피부 및 지방층을 부분적으로 제거하는 '지방흡입술' 등이 있다. 한국은 이와 관련된 수술 분야에서 세계적 수준을 인정받고 있다. 한국의 고도비만 수술비용은 1천만 원 선으로 미국, 뉴질랜드와 같은 국가에 비해 3분의 1정도에 해당되어 충분한 가격 경쟁력을 갖추고 있다. 고도비만치료는 치료 후 급격한 외모의 변화를 가져오기 때문에 의료관광의 인지도를 높이는데도 크게 기여한다.

미국과 캐나다의 비만환자들이 비만수술의 목적지로 자주 선택하는 곳은 멕시코, 코스타리카, 인도 등이다. 그러나 해외에서의 비만수술은 수술 후에 연속성이 보장되지 않은 사후관리의 문제와 합병증에 대한 위험성이 함께 존재하고 있다. 그리고 고도비만환자의 장시간의 항공여행에 따른 부작용도 무시할 수 없다. 이외에도 인터넷을 통한 상업적 광고에 현혹되어 충분한 정보의 취득과 사전준비를 하지 못한 상태에서 해외의 의료기관을 방문할 수 있다.

이러한 어려운 여건에서도 지난 2011년 의료봉사의 일환으로 순천향대병원(www.schmc.ac.kr)에서 고도비만치료를 받은 뉴질랜드의 재스민 샤샤(Jasmin Sciascia, 여, 26)의 사례는 뉴질랜드를 비롯한 외신에서도 성공사례로 다루어지면서 한국의 높은 의료기술과 감성의료를 알리는 계기가 되었다. 그녀는 비만으로 인하여 당뇨, 고혈압, 고지혈증 등과 같은 합병증을 앓았고 잠을 잘 때는 인공호흡기를 착용하였을 정도였으며 뉴질랜드 의료진으로부터 5년을 더 살기 힘들다는 진단을 받은 상태이었다. 그러나 그해 한국에서 위절제술 등 고도비만 치료를 통해 4개월 만에 220kg이었던 몸무게를 65kg으로 감량하였고 동시에 위험수준이던 고혈압과 고지혈증 치료를 받았다. 그녀는 꾸준한 관리를 통해 현재 80kg까지 감량에 성공하였으며, 지금은 인공수정으로 임신까지 성공했다. 이 이야기는 뉴질랜드를 비롯한 세계 각지에서 80회 이상 소개되었다. 그 다음해에 1년 동안에 국내에서 고도비만수술을 받은 외국인환자의 수술건수는 는 43건이었으며, 앞으로 계속 증가할 것으로 예상된다.

〈그림 5-9〉 초고도비만 환자였던 뉴질랜드 여성 재스민 샤샤의 수술 전(왼쪽) 모습과
입양한 아들(9)과 함께 수술 후 사진(오른쪽)

5) 줄기세포치료

줄기세포(stem cell) 치료는 질병을 고치기 위하여 손상된 조직에 새로운 세포를 주입하여 치료하는 방법이다. 줄기세포는 신체에 주입되었을 때 우리 몸의 손상된 기관을 재생시키는 특징을 가지고 있으며, 배아줄기세포(embryonic stem cell)와 성체줄기세포(adult stem cell)로 나눌 수 있다. 배아줄기세포는 인간생명체가 될 배아로 만들어지기 때문에 윤리적으로 문제가 될 수 있으나, 성체줄기세포는 골수, 혈액 등에서 얻을 수 있기 때문에 이런 문제가 덜하다.

줄기세포치료는 암, 심장질환, 신경계질환 등 다양한 질환의 치료에 응용될 수 있다. 그러나 줄기세포치료는 질환별 표준화된 지침이 아직 없고 대규모 임상적 자료도 덜 축적되었기 때문에 과학적인 근거가 부족한 상황이다. 따라서 줄기세포치료가 왜곡되고 과장되어 상업적인 동기로 이용될 소지가 있다. 더욱이 이런 서비스를 제공하는 병원들의 웹사이트를 통해 불명확한 정보가 제공될 여지가 많다. 이런 이유들로 인해 미국, 영국, 이스라엘 등 많은 나라에서는 줄기세포 연구와 치료에 대한 규제가 만들어지고 가이드라인이 제시되었다.

그러나 규제의 도입은 이에 대한 규제가 덜하거나 없는 지역으로 환자 이동을 야기하는 결과를 낳게 되었다. 도미니카공화국, 말레이시아 등의 일부 국가에서는 엄격한 규제가 만들어지지 않거나 제대로 시행되지 않아서 의료관광객이 찾고 있다. 러시아와 인도에서도 아직 국제적으로 검증되지 않는 여러 치료 방법들이 환자들에게 제공되고 있다. 국내에서도 이에 대한 기준을 마련하고 있으며 수요에 대비하고 있다.

6) 치과치료

치과치료를 받기 위해 다른 나라로 이동하는 추세가 최근 증가하고 있다. 치과치료는 임플란트(implant), 화이트닝, 양악수술 등이 있다. 치과치료를 위해 다른 지역으로 이동하는 요인으로는 자국에서의 높은 치료비, 오랜 대기시간, 목적지 국가의 경쟁력 있는 의료의 질, 저렴한 여행비용, 인터넷을 통한 정보 등이 거론되지만 비용차이가 주된 이유가 된다. 그러나 치과치료관광의 많은 장점에도 불구하고 귀국 후 후속치료의 문제점은 함께 존재한다.

치과 치료 관광의 형태를 보면, 영국 등 서부 및 북부 유럽의 환자들은 주로 헝가리, 불가리아, 크로아티아, 루마니아, 헝가리 등으로 이동하고 있다. 호주에서는 태국을 목적지로 선택하고 있다. 미국과의 접경지역인 멕시코의 멕시카리(Mexicali) 지역은 치과치료의 중심지역이다. 이 지역의 치과병원들은 미국 접경지역의 치과환자들에게 왕복교통편까지 제공하고 있다.

　헝가리의 소프론(Sopron)은 오스트리아 접경 지역에 위치하고 있는 관광명소인데, 치과 치료를 위해 방문하는 외국인환자로 연간 붐비고 있다. 이곳으로 독일 등 서유럽인 치과 환자들이 몰리는 이유는 간단하다. 헝가리가 독일, 오스트리아 등과 가까운데다 기술은 뛰어나고 값은 싸기 때문이다. 주로 독일인이나 오스트리아인들이 7~10일 동안 헝가리에 머무르면서 40~60% 싸게 치료를 받는다. 예를 들어 4개의 임플란트 시술을 헝가리에서 할 경우 독일에서보다 약 4천유로(약 560만원)의 비용을 아낄 수 있다. 싸고 치료를 잘한다는 소문이 나면서 영국이나 아일랜드 등에서도 헝가리로 치과 여행을 올 정도다. 서유럽 치과환자들이 즐겨 찾는 이 지역에는 약 1천개의 치과병원이 있다. 주민 80명에 치과의사가 1명이 있을 정도로 유명한 치과 도시다. 뿐만 아니라 이 근처에 온천이 있어 치료를 받고 쉴 수도 있기 때문에 독일과 오스트리아 여행사에서는 '헝가리 치과여행' 패키지 상품도 내놓고 있다.

〈그림 5-10〉 치과 치료 상품 중심 도시, 헝가리 소프론

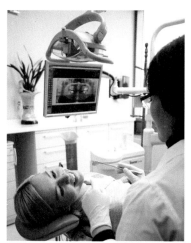

〈그림 5-11〉 외국인환자의 치과 치료 모습

02_절 선택 의료 상품

●●● 　선택의료 상품은 질환으로 인해 치료를 요하는 환자가 아니면서, 일반 관광객으로서 본인의 추가적인 선택이나 예방목적으로 의료서비스를 받기 위해 이용하는 상품을 말한다. 태국과 같은 경우에는 외국인 의료관광객 가운데 이러한 상품을 이용하는 비율이 상당히 높은 것으로 알려져 있다.

1. 미용 · 성형 상품

국내의 미용 · 성형 분야는 의료기술의 우수성, 미용 · 성형외과 의원들의 집적, 성공적인 한류 이미지 확산, 외국인 방문의 활성화, 미용 · 성형외과의 해외 홍보 활동 등으로 인해 한국 의료관광의 핵심 상품이 되었다. 이 가운데 성형수술은 우수한 기술력으로 인접한 중국 및 동남아의 중국계 고객들로부터 좋은 평판을 받고 있으며 미용 상품은 일본 관광객들에게 인기가 높다. 그리고 앞으로도 이들 지역에서의 미용 · 성형에 대한 선호도가 계속 증가하고 있으므로 발전 가능성이 매우 높다.

1) 성형수술

성형수술(cosmetic surgery)은 얼굴이나 몸을 수정하는 것으로, 가슴성형, 눈과 코 성형, 지방흡입, 양악(兩顎)성형 등 다양한 신체부위에 대해서 이루어진다. 성형수술 목적지 선택의 주요 동기는 비용의 차이와 의료수준의 차이에서 나온다. 성형수술은 전통적으로 피부를 절개해

봉합하는 침습(侵襲)적인(invasive) 방법을 사용해왔다. 그러나 기술의 발달로 최근에는 몸의 조직을 최소한으로 침입하거나 침입하지 않고 치료를 한다. 최소침습시술의 대표적인 예는 자기지방이식이고 비침습적(non-invasive) 시술의 대표적인 예는 레이저치료방식이다. 이들 방법은 침습적인 수술에 따르는 리스크를 줄일 수 있어서 더욱 선호되고 있다.

성형수술에 대하여 찬성하는 입장에서는 이를 통해서 개인이 신체적 불만에서 야기된 자신감 결여와 공허함 등의 심리적 상태를 극복하게 된다고 주장한다. 즉 이는 자신감을 회복하는 주요한 수단이라고 보는 것이다. 그러나 이와 반대의 시각에서는 성형수술이 여성의 외모를 통한 상업화를 부추긴다고 여긴다. 또한 성형 수술에 따르는 부작용이나 성형중독의 문제도 고려해볼 수 있다.

성형수술이 많이 이루어지는 나라는 미국, 브라질, 중국 등이다.[48] 이는 해당 국가에서 내외국인을 상대로 이루어진 성형수술 건수를 기준으로 한 것이다. 미국에서는 2010년에 9백만 건의 성형수술이 이루어진 것으로 조사되었다. 브라질은 부족한 의료장비의 한계를 극복하는 과정에서 혁신적인 수술기법을 개발하여 라틴아메리카 지역에서 큰 명성을 얻고 있다. 중국에서는 2009년에 3백만 건의 성형수술이 이루어진 것으로 보이며, 연평균 20%의 성장률을 보이고 있다.

그리고 의료관광객에게 주로 알려진 성형수술의 목적지는 아르헨티나, 브라질, 멕시코, 코스타리카, 태국, 필리핀, 말레이시아, 레바논 등이다. 코스타리카는 미국인의 성형수술 목적지로 잘 알려져 있다. 코스타리카는 저렴한 비용과 편리함, 그리고 질 높은 서비스를 내세워 성형수술 목적지로 시장을 개척해 왔다. 중동 지역에서는 레바논이 주요 목적지이다. 성형수술 고객의 40% 정도는 중동 지역이 아닌 유럽에서 방문한 것으로 알려져 있다.

최근에 인도와 한국이 성형수술의 목적지로 부각되고 있다. 특히 한국은 2000년대 초반부터 한류의 열풍으로 인해 성형수술의 매력적인 목적지로 급부상하고 있다. 국제미용성형외과협회(ISAPS, 2011)[49] 통계를 보면 한국은 인구 일만명당 성형수술 건수가 79건으로 세계 1위를 기록했다. 같은 기준으로 미국은 65건, 이탈리아 64건, 일본 45건 순으로 뒤를 이었다. 또한 2010년도 기준으로 1,250명의 성형외과 전문의가 있어서 이 부분에서는 전 세계 8위로 보고되었다. 한국의 성형외과 전문의들은 많은 수술경험과 뛰어난 기술로 아시아의 성형수술 허브를

---

48   Plastic Surgery Research info. (2011).

49   International Society of Aesthetic Plastic Surgery. (2011). ISAPS Global Statistics.

지향하고 있다.

한국보건의료연구원은 2012년 1월부터 2013년 7월까지 트위터(twitter)에서 성형수술이 언급된 46만여 개의 트윗을 분석한 결과 일반인들이 가장 많은 관심을 갖는 성형수술은 상안검(上眼瞼) 성형술로 나타났다고 밝혔다. 쌍꺼풀 수술을 포함해 상안검 성형술에 대한 관심은 성형수술이 언급된 전체 트윗의 50.9%를 차지했으며, 코 성형(13.9%), 양악수술(10.9%) 순으로 뒤를 이었다. 시술별 부작용에 대한 관심은 역시 쌍꺼풀 수술을 포함한 상안검 성형술이 65.4%로 가장 많았다. 미용 성형에 대한 관심을 계절별로 살펴봤을 때에는 대체로 겨울에 성형수술에 가장 관심이 많았으나, 털을 없애는 제모나 가슴성형 등 몸매를 가꾸는 수술은 여름철인 6~8월에 가장 많은 관심을 보이는 것으로 나타났다. 그리고 전국 160개 병원 홈페이지 정보를 바탕으로 한국의 미용성형수술 종류를 분석해보니, 성형 부위는 눈·코·가슴 등 15개 신체 부위에 모두 134가지 시술이 이뤄지고 있는 것으로 조사됐다.

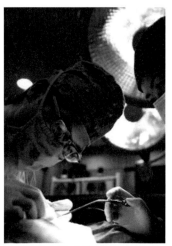

〈그림 5-12〉 성형수술 모습

서울 강남구(http://medicaltour.gangnam.go.kr/)에는 350여개소의 성형외과가 밀집되어 있으며, 이 가운데 45개의 성형외과의원이 강남구의료관광협회에 가입되어 활동하고 있다. 이들 전문 의원들은 외국인 의료 관광객이 입국해서 출국할 때까지 전 과정의 성형 의료서비스를 도와주는 의료전문가들을 확보하고 있다. 또한 의료서비스 상담과 안내를 전담하는 의료관광 코디네이터와 의사와 외국인 의료 관광객 사이에서 의료 통역을 담당하는 통역요원도 갖추고 있다. 특히 중국 환자를 중심으로 활발한 마케팅 활동을 펼치고 있다.

부산시(http://www.bsmeditour.go.kr/) 서면 일대는 미용 및 성형외과 중심으로 170여개의 의원이 밀집되어 있어 서면 메디컬 스트리트로 지정되었다. 이곳에 있는 30여개의 성형외과 의원를 중심으로하여 중국, 러시아, 일본 지역을 대상으로 활발한 유치 활동을 펼치고 있다.

2) 미용 상품

미용 상품은 치료 분야는 아니지만 외국인들이 관광 등 다른 목적으로 입국하였다가 쉽게 찾을 수 있는 상품이므로 국내 의료서비스를 경험하는데 있어서 관문이 되는 상품이라고 할 수 있다. 메디컬 스킨케어(skin care) 상품은 경미한 의료서비스이지만 고객이 만족을 하게 되면 성형수술 등 고부가가치의 타 진료 분야에 대해 관심으로 이어질 수 있다. 특히 입국관광객의 많은 부분을 차지하는 일본인들의 만족도가 높으므로 성장가능성이 큰 분야이다. 이들은 국내 피부과 의료 수준 및 설비를 매우 높게 평가하고 있으며, 상품 가격수준에 대해서도 대체로 만족하고 있다.

대체로 서울의 명동과 강남 일원, 부산의 서면 일대에 여러 피부과 의원을 중심으로 상품을 운영하고 있으며, 한방 병원이나 의원에서도 이와 유사한 상품을 판매하고 있다.

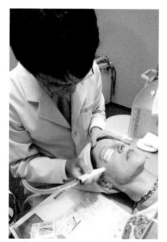

〈그림 5-13〉 메디컬스킨케어

3) 모발 이식

한국은 세계모발이식학회(ISHRS; International Society of Hair Restoration Surgery)에

미국 다음으로 많은 회원이 가입되어 있어 모발이식수술 및 탈모치료에 대한 관심과 기술력이 뛰어난 국가라고 할 수 있다. 대한모발이식학회가 실시한 설문 조사 결과에 따르면(2013년), 지난 5년간 국내 모발이식 환자 수가 약 254%로 증가했으며 이 환자 중에서도 20~30대의 증가율이 약 300%에 가까운 것으로 나타났다. 스트레스와 서구화된 식습관 등으로 젊은 층에서의 탈모가 늘어나고 있다는 점과 외모에 대한 관심의 증가가 반영된 결과라고 대한모발이식학회는 분석했다. 남성 환자의 증가와 더불어 여성 모발이식 환자 수도 5년 새 255% 증가했고, 여성 환자 층에서도 20~40대가 주를 이루었다.

　세계적으로 터키의 탈모 치료는 매우 높은 수준으로 알려져 있다. 터키의 풍부한 관광자원과 맞물려 터키로 탈모를 치료하러 오는 아랍지역의 의료관광객 수가 해마다 늘고 있다. 이들은 모발이식 투어 패키지를 이용하는 경우가 많으며, 대체로 다른 나라에 비해 비용도 그다지 높지 않은 것으로 알려져 있다.

　최근 중국, 일본, 동남아 등에서 한국을 방문하여 모발이식 수술을 받는 외국인 환자 수가 크게 증가하고 있다. 한국의 높은 모발 이식수술 수준으로 인해 환자 뿐 아니라 모낭(毛囊) 분리와 모발이식 수술에 대한 연수를 위해 의료진이 방문하기도 한다. 탈모는 많은 사람들에게 심각한 문제로 여겨지기 때문에 모발이식에 대한 관심은 갈수록 커지고 있다. 특히 경제 성장으로 외모에 대한 관심이 커진 중국이나 동남아에서는 모발이식 환자나 시술을 진행하는 병원들이 많이 생겼다. 현재 한국의 모발이식 수준은 아시아에서 충분히 경쟁력이 있기 때문에 성형처럼 앞으로 많은 외국인 환자들이 모발이식을 위해 한국을 찾을 것으로 예상된다. 빠르게 변화하는 의료관광 시장을 선점하기 위해서는 전문의들의 끊임없는 연구개발 및 치료서비스 개선이 이뤄져야 하며, 상품 홍보 및 마케팅 활동도 병행되어야 한다.

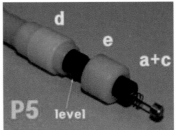

〈그림 5-14〉 모발이식 수술을 위한 모낭분리사의 작업 모습과 식모기(植毛機)

2. 검진 상품

국내에는 한두시간 정도의 짧은 시간에 같은 장소에서 대체로 저렴한 비용으로 중요한 질환에 대하여 검진할 수 있는 시스템이 매우 잘 갖추어져 있다. 일반 관광객과 의료 이외에 다른 목적으로 입국한 외국기업 임직원 및 여타 전문직에 종사하고 있는 사람들은 국내 병원의 건강검진 서비스수준과 시설 및 장비에 대해 매우 만족하고 있다. 앞으로 증가하고 있는 외국인 관광객과 비즈니스 방문객을 대상으로 상품 홍보 활동을 전개한다면 시장크기는 상당히 커질 것으로 전망이 된다. 이들은 대체로 고소득층이며 여론형성층이기 때문에 건강검진에 만족을 하면 동료 혹은 친지들에게 소개하는 효과가 클 것이다. 따라서 검진 상품은 향후 재검진 혹은 전문 진료 분야로 유치할 수 있어 파급효과가 크다.

국내 의료기관, 여행사, 항공사는 공동으로 해외 교포들을 대상으로 하는 건강검진 상품 판매를 활발히 추진하고 있다. 특히 미국에 거주하고 있는 교포들의 무보험 비율은 30% 정도에 이르는 것으로 알려져 있다. 교포들은 대체로 자영업자 비율이 높으므로 직장인 의료보험 지원을 받은 경우가 많지 않고, 개인 의료보험의 경우 지나치게 고액이라 가입하지 않고 있다고 한다. 따라서 건강검진과 치료를 위해 모국에 방문하는 경우가 많이 발생하고 있다. 향후에는 이들 교포들을 대상으로 의료보험을 개발하여 판매하는 방안도 고려해 볼 수 있다. 이 상품은 미국 현지 보험사와 협의하여 진찰 및 단순치료와 응급치료는 미국 현지의사에게 진료를 받고, 수술이 필요하거나 장기입원이 필요할 경우에는 국내로 이동하여 치료를 받는 프로그램이다.

국내 종합병원 및 검진 전문 병원에서 운영하는 건강검진 프로그램은 기본적으로 네 시간 정도 소요된다. 검진관광 상품을 보면 입국 첫날에 호텔에 머무르면서 검진 준비를 한다. 다음 날 오전 검진을 실시하고 이삼일 정도는 국내 관광 프로그램에 참여한다. 귀국 전날 또는 당일에 검진 결과를 알아보기 위해 다시 병원을 방문하며 상담을 받고 결과표를 가지고 귀국한다. 검진에서 이상이 발견될 경우 차후 방문할 계획을 세우거나, 거주지에서 치료를 받게 될 수도 있다. 다음은 외국인환자 기본검진을 위한 일반적인 항목이다.

〈표 5-1〉 기본 건강검진 항목

검사 구분	세부 검사 항목
기초검사	혈압, 비만도, 소변, 대변, 청력, 안과
혈액검사	신장 기능, 간 기능, B형 간염, C형 간염, 당뇨
호흡기	폐 기능, 흉부 촬영
심혈관	심전도
소화기	복부 초음파, 위 내시경
치과	치과 진찰
여성과	유방 촬영, 자궁경부 액상 세포진 검사

〈그림 5-15〉 미주지역에서 판매되고 있는 검진 상품

3. 한방의료 상품

한방(韓方)은 전통적인 토착의학과 중국에서 전래된 중의학이 통합되어 발전하였다. 이를 통해 독창적인 전통의학으로 치료요법, 우수한 인적자원, 높은 안전성 등으로 널리 인정을 받고 있다. 최근 한류열풍으로 해외에서 한방의료에 대한 관심도 높아지고 있다. 한방과 관련된 의료서비스 범위도 전통적인 한방 진료서비스 외에 한방의료기술, 한방차, 한약재, 침구(鍼灸), 약초재배, 한방테마파크, 한방보양식, 한방화장품 등으로 확대되어 있다.

한방은 치유와 건강관리가 연계된 고부가가치 산업으로 육성될 필요가 있다. 우선 일본시장을 주 타깃으로 삼아 한방 의료관광 시장 기반을 마련하고 이를 토대로 세계화를 이끌어나간다. 단기적으로는 동의보감 세계기록유산 등재를 활용한 한방의 우수성과 미용한방 등 한의학의 독자성, 체계성, 철학 등을 집중적으로 알려나가며, 장기적으로는 한방 리조트, 한방 메디텔, 한방약초 테라피가든, 한방 스파센터 등 '한방+치유+건강관리'를 연계해 지속적인 성장을 도모할 필요가 있다. 현재 한방을 이용한 의료관광은 일본인들에게 인기가 높은 편이다. 따라서 비만관리, 피부관리, 맞춤 한방차 등의 웰니스 관련 상품까지 하나의 패키지로 구성하여 구미주 및 동남아시아 관광객들에게까지 확대하려고 한다.

〈그림 5-16〉 한방 치료(침과 뜸)

1) 한방치료

한방은 치료를 위해 한약, 침술, 뜸 등을 이용하는데 이런 치료법들은 음양의 이론에 기초하고 있다. 침술은 몸 안의 막힌 기를 뚫어주는 방법인데 근육통증, 중독 등의 증상 치료를 위해 신체의 특정부위에 자극을 주어 건강을 회복토록 해준다. 한약은 각 질병에 따라 다양한 약초가 혼합되어 만들어진다.

척추 전문 한방병원인 자생한방병원(http://www.jaseng.co.kr/)은 척추질환에 대해 수술로만 치료할 수 있다는 편견을 깨고 오히려 수술 없이도 더욱 건강해질 수 있다는 믿음으로 환자를 치료하고 있다. 자생은 한방을 이용한 비수술 척추치료의 선봉에 서 있으며, 단순히 통증만 없애는 것이 아니라 몸의 자생력을 강화시켜 척추질환의 원인을 제거하는 근본적인 치료를 하고 있다. 움직일 수 없는 극심한 통증을 바로 없애주는 '동작 침법', 척추질환에 탁월한 효능을 보이는 '추나[50]수기치료', 한방 최초로 천연물 신약 표준화에 성공한 자생 디스크치료 한약까지 개발하였다.

〈그림 5-17〉 자생한방병원 홈페이지 이미지

2) 한방미용치료

(1) 미용 침을 이용한 한방미용

한의학과 관련된 드라마가 세계 여러 나라에서 방영되면서 한방에 대한 관심이 높아지고 있다. 특히 미용 침을 이용한 성형이 많이 알려져 있다. 미용 침은 비뚤어진 턱이나 사각턱 등의 얼굴윤곽 교정과 주름, 피부탄력 개선에 특히 효과적이다. 또한 두통과 악관절장애로 인한 통증완화에 효과가 있으며 뒷목이 뻐근하거나 눈이 침침한 현상도 좋아지는 등 얼굴부위질환이 함께 개선되는 효과도 볼 수 있다.

인체에는 수많은 기(氣)가 지나가는 길인 경락(經絡), 기가 모여 있는 경혈(經穴)이 있는데 총 14개의 경락 중 절반 이상인 8개가 얼굴에 있다고 한다. 이 때문에 얼굴의 균형이 깨지면 피

---

50 추나: 삐뚤어진 뼈를 밀고 당겨서 바르게 하는 한의학 치료

부 트러블은 물론이고 인체의 균형에도 영향을 주게 되는 것이다. 한방미용 침은 오장육부(五臟六腑)를 다스리는 얼굴경혈을 자극시켜 미용효과 뿐만 아니라 흐트러진 인체 균형을 잡아준다. 30~40대 환자를 기준으로 3~5회 정도를 시술하면 얼굴윤곽이 개선되기 시작하며 10회 정도를 더 시술하면 잔주름과 기미 등이 해소되는 효과도 볼 수 있다. 과로나 스트레스로 인해 혈관이 확장되어 있는 상태일 때 침을 맞으면 간혹 멍이 들 수 있으므로 침 맞기 전에는 충분한 휴식을 취하는 것이 좋다.

(2) 한방차를 이용한 한방미용

피부는 우리 몸의 내장 기능, 호르몬 균형, 피로, 스트레스 정도를 보여주는 지표로 피부미용에 좋은 차는 자연히 전신건강 증진에도 도움이 된다.

① **율무차**: 이뇨 작용이 뛰어나 몸의 불필요한 수분과 부종을 제거하기 때문에 잘 붓는 체질에 좋다. 비타민B, 칼슘, 단백질, 탄수화물 등이 골고루 들어 있어 영양가도 높기 때문에 피부미용이나 기미, 주근깨 등도 개선된다.

② **대추차**: 노화를 방지하는 비타민P의 함량이 많아 예로부터 건강차로 애용되었다. 피부를 곱게 해줄 뿐만 아니라 색소침착 억제, 피부각질 제거 등에도 효능이 있다. 당질과 칼륨, 칼슘, 비타민C 등이 풍부하기 때문에 냉증 예방에도 효과적이다.

③ **매실차**: 매실은 변비를 풀어주고 간의 기운을 돋아 기미와 피부노화를 방지하는데 효과가 있다. 스트레스나 수면부족으로 피부 트러블이 생겼거나 지나치게 건조한 피부라면 매실차를 끓여 냉장고에 두어 물처럼 자주 마시면 좋다.

(3) 한방미용치료 전문 병원

광동한방병원(www.ekwangdong.co.kr)에서는 일본관광객을 대상으로 미용 침치료를 시행하고 있다. 한 번의 시술로 주름 개선과 얼굴의 윤곽이 바로잡아지는 효과를 보여주고 있다. 또한 미용 침을 이용하여 몸 내부의 독소를 제거하고 피부를 재생시켜 주도록 하여 여드름 치료에도 활용하고 있다. 미용성형 침은 횟수를 거듭할수록 효과가 크게 나타난다.

피부미용 클리닉
그녀, 스스로의 힘으로 예뻐지다

티 나지 않게, 과하지 않게~
피부미용 클리닉에서는 강한 화학적 자극이나 인위적 주입술을 최소화하여
부자연스러움을 줄이고 자연주의적 재생치료를 추구합니다.

피부미용 전문 한의사와 양방 피부과의사가 함께 하는 한, 양방 협진 시스템으로
건강하고, 자연스럽게 아름다워진 얼굴을 경험하세요

〈그림 5-18〉 광동한방병원 한방 미용 침 시술

3) 한방탈모치료

대체로 인구 10명 가운데 1명이 탈모 때문에 고민하는 것으로 알려져 있다. 그러나 아직까지 안전성을 확보한 확실한 발모제는 없는 실정이다. 2010년 일본피부과학회에서는 자기모발 이식은 B등급, 인공모발 이식은 거부반응이 많다는 이유로 최하위 등급을 받았다. 스트레스와 과로가 주된 원인인 원형탈모의 경우 한의학에서는 신장의 정수(精髓)를 충분히 보충하고 기혈순환을 원활하게 해주는 것을 해결방법으로 본다. 몸 내부의 불균형을 바로잡고 건강한 몸을 만들어 탈모의 근본적인 원인을 해결하려는 것이다. 따라서 탈모증으로 병원을 내원했다 하더라도 전신건강부터 확인한다. 그 후 두피케어 시스템을 통해 두피를 관리해 주고 필요에 따라 침 치료를 병행하기도 한다. 침 치료를 통해 두피 혈액순환을 개선시키고 탈모증상을 개선해 주는데 3개월 정도 지속해야 효과를 볼 수 있으며 증상치료인 두피관리와 꾸준히 병행하는 것이 좋다.

남성 탈모 환자의 경우 한의학적으로 오장육부의 깨어진 균형을 조절하여 일차적으로 탈모의 진행을 멈추게 하고, 전체 모발 중 휴지기 모발을 생장기로 유도하여 건강한 모발 수를 늘리는 치료를 하게 된다. 여성 탈모는 유전이나 호르몬의 영향보다는 다이어트나 스트레스, 임신과 출산 등으로 인한 몸 내부의 불균형이 원인인 경우가 많기 때문에 미골 교정을 통해 자율신경계의 평형성을 유지시켜주는 치료를 통해 높은 효과를 내고 있다.

탈모전문 한방병원인 이문원한의원(www.leemoonwon.com)은 먼저 환자의 건강상태와

두피상태를 확인할 수 있는 문진표를 작성하고 스트레스 정도를 검사한다. 환자상태에 따라 탕약을 처방받고 약침과 재생치료(고농도의 약재추출액을 두피에 도포)도 받게 된다. 환자는 집에 돌아가서도 꾸준히 탕약을 복용하고 바르는 치료제를 함께 사용하면 탈모증세가 점차 개선이 된다. 해외에 거주하는 경우 담당의사와 인터넷 화상통화를 통해 두피 상태를 체크하면서 치료제 사용을 하며 지속적이고 꾸준히 치료를 진행할 수도 있다.

4) 한방비만치료

규림한의원(www.kyurim.com)에서는 한방을 이용한 체중조절 프로그램을 운영하고 있다. 진맥과 체질검사 등을 토대로 탕약을 처방하고 지방분해침과 고주파치료를 한다. 탕약은 신진대사를 활성화시켜 몸을 에너지 소비가 많은 상태로 만들어 주며, 체지방 분해와 노폐물 배출, 혈액정화 등에 도움을 준다. 한약은 비만도, 체지방량, 체지방율, 부종지수, 변의 상태, 소화상태 등 환자의 증상이나 상태에 따라 맞춤 처방되는 것이 특징이자 장점이다. 외국인환자는 자국에 돌아가서도 매일 체중을 재고 식사일지를 기록해 이메일을 통해 한의사에게 지도를 받게 된다. 한방 다이어트는 단순히 먹지 않은 것이 아니라 신진대사를 높이면서 체질개선을 하는 근본적인 치료 방법으로 치료가 끝난 후에도 건강한 생활을 유지할 수 있다.

〈그림 5-19〉 규림한의원 한방비만치료

5) 한방건강프로그램

경주꽃마을한방병원(http://www.conmaulkj.co.kr/)은 한방과 관광을 접목시킨 병원으로 전통 한옥으로 조성되었다. 외국인 한방진료를 위하여 한방치료와 유적지 답사, 그리고 웰빙음식을 묶어 헬스투어 프로그램을 운영하고 있다. 한방병원 내에는 꽃마을 자연치유센터가 있어 천연재료를 활용한 치료 상품이 있으며 대체의학을 중심으로 한의학과 서양 의학을 접목시킨 통합의학 시스템을 구축하여 신체적 질환 외에도 정신적 상처를 치유할 수 있는 상품 및 프로그램을 개발하고 있다. 2000년에 개원한 이 병원은 일본인을 대상으로 집중홍보를 해오고 있다.

コッマウル慶州漢方病院ウェルネスツアー

Health Tour

5千年という歴史を有する漢方医療そして千年の古都との出会い

専門的な漢方医療の体験

屋根のない博物館、慶州 旅行

コッマウル慶州漢方病院では自然に優しい
韓屋にで漢方医学及びと現代医学が融合した
「トータル健診」を通じて頭のてっぺんから
足のつま先まで細かく確認します。
目にみえない病気まで見付ける
こだわり細やかさであなた貴方の健康を相談に応じます。

過去やと現在が共存している慶州はユネスコ
世界遺産として登録された仏国寺と
石窟庵をメーンコースに国宝31号瞻星台、
雁鴨池、鮑石亭など華やかな文化財に満ち
溢れる観光地です。
歴史を抱く都市、慶州の魅力をご満喫下さい。

〈그림 5-20〉 경주꽃마을한방병원 헬스투어 프로그램

03절 웰니스 관광 상품

●●● ⠀⠀웰니스(wellness)[51]는 안녕 상태 또는 좋은 느낌을 의미하는 개념이다. 세계보건기구(UN-WTO)의 규정에 따르면 웰니스란 건강한 생활의 모든 영역을 포괄하는 광의적 개념으로서 웰니스의 3요소인 운동, 영양, 휴양을 통합하여 추구해 나가는 것을 의미한다. 사회경제의 발달과 함께 신체와 심리의 안정 상태를 추구하는 라이프스타일을 중요시하게 되었고 이런 시대적 흐름 속에서 이와 연관된 산업이 빠르게 성장하게 되었다.

1. 웰니스 관광 특징 및 개념

⠀⠀Stanford Research Institute(2010)는 전 세계적으로 웰니스 산업 클러스터의 시장규모를 2조 달러로 추정하였다. 이 연구소는 이러한 클러스터를 대략 9개의 시장으로 구분하여 살펴보았다. 그것은 ①스파, ②대체의학, ③건강한 먹거리와 영양 및 체중조절, ④예방 및 건강관리, ⑤직장 내의 웰니스 프로그램, ⑥피트니스와 심리치료, ⑦미용과 노화방지, ⑧웰니스 관광, ⑨의료관광 분야이다. 여기서는 웰니스 관광과 의료관광을 웰니스 산업의 하위개념으로 보았다.

51⠀⠀Halbert L. Dunn. (1961)의 "High level wellness"라는 책에서 처음 사용

1) 웰니스 산업 특징

다음과 같은 이유로 전세계적으로 웰니스 산업은 계속 성장할 것으로 예상이 된다.

① 인구의 고령화 추세로 건강한 노후의 삶의 질에 대한 관심이 높아지기 때문에 질병 발생 예방 차원의 웰니스 관리에 대한 욕구가 높아졌다.

② 만성질환 환자의 증가로 인해 일상생활 관리의 필요성이 높아지고 있다.

③ 전 세계적으로 발생하는 경제위기, 자연재해, 테러 등의 위험으로 인해 고조되는 불안감은 사람들이 긴장 관리, 휴식을 할 수 있는 공간을 찾게 만들었다.

④ 경제력을 갖춘 베이비붐 세대들은 자신을 위해 웰니스 상품을 구매할 여력을 갖추게 되었다.

⑤ 인터넷, 스마트폰과 같은 IT기술의 발달로 인해서 웰니스와 관련된 정보의 전달 및 공유가 원활하게 되었다. 이러한 이유들로 사람들은 웰니스 관련 서비스를 구매하고 이를 추구하여 타 지역으로 관광을 가려는 동기가 마련되었다.

웰니스 산업은 사람들의 삶의 질과 행복감을 높여주는 데 목적이 있다. 대체로 웰니스 산업의 특징은 다음과 같다. 우선 웰니스는 단일차원이 아니고 여러 가지 하위 차원을 포함하는 개념이다. 그리고 웰니스는 신체적 상태보다 폭넓은 개념으로서 마음과 정신의 영역까지 포함한다. 또한 이것은 특정한 정적 상태를 지칭하지 않고 인생을 통해 추구해야 하는 최적의 상태를 의미한다. 웰니스는 개인적인 현상이지만 환경의 영향을 받는다. 아울러 의료인에게만 의존해서 달성할 수 있는 상태가 아니고, 건강을 증진하려는 개인의 책임 있는 행동을 요구한다.

웰니스 산업의 주요 목표로 삶의 질 개념도 많이 이용되었다. 관광 분야에서도 그 효과를 평가하는 중요한 잣대로 삶의 질이 고려되었다. 관광이 미치는 효과는 관광객의 삶의 질과 목적지 국가의 삶의 질이란 두 가지 측면에서 평가되었다. 관광의 활성화가 목적지 국가의 물질적 안녕, 건강과 안전, 공동체 안녕, 정신적 안녕의 수준을 향상시켜서 궁극적으로 삶의 질을 높여준다.

2) 웰니스 연관 개념

웰니스와 연관된 개념으로 건강증진이나 건강교육, 예방의학, 보완대체의학 등이 주로 언급된다. 이러한 개념들 중 보완대체의학에 대한 관심이 매우 높다

(1) 보완대체의학 분류

보완대체의학(complementary & alternative medicine)은 현대의학을 제외한 모든 종류의 전통의학과 민간요법을 의미한다. 이 개념은 대체의학과 보완의학의 두 하위개념을 포함하고 있는데, 주류인 서양의학을 대신해서 쓰이는 방법은 대체의학이라고 보고 서양의학을 보조하는 방식으로 사용되는 방법은 보완의학으로 간주한다. 일부는 서양의학과 같은 규제와 근거중심의 방법론적 사고에 준하고 있지만, 상당수의 보완대체의학은 체계적인 구조를 갖추고 있지 못하다. 또한 이는 안전성과 효과성 측면에서 아직 불확실성이 크기 때문에 객관적인 자료와 지식이 축적될 필요가 있다.

보완대체의학은 나라마다 조금씩 다르게 분류되고 있다. 영국에서는 보완대체의학을 체계화된 대체요법, 보완요법, 대체의학 등 세 가지로 구분한다. 미국에서는 1998년 보완대체의학의 안전성과 효능을 연구하는 국립보완대체요법센터(National Center for Complementary & Alternative Medicine)가 국가보건기구 산하로 설립되었다. 이 기구에서는 보완대체의학을 더욱 세분화하여 다음과 같이 분류하고 있다.

① 종합의료시스템(whole medicine system)

이는 다른 문화권에서 오랜 시간 발전하면서 이론적 체계가 성립된 것을 의미하는데, 인도의 아유르베다 의학과 전통적인 한의학 등을 포함한다.

② 자연 상품(natural products)

이는 다양한 허브 의약품, 비타민 등을 포함하는데 주로 다이어트 보조식품으로 판매되고 있다.

③ 심신의학(mind & body medicine)

마음과 신체의 상호작용에 초점을 맞추고 있는데 건강을 향상시키기 위해서는 마음의 상태를 조절하는 것이 중요하다고 보고 있다. 이는 명상, 요가, 침술, 최면요법 등을 포함한다.

④ 수기요법(manipulative & body-based practices)

수기(手技)요법의 대표적인 것으로 카이로프랙틱(chiropractic)이 있다. 이 치료법은 인체의 골격구조상에서 야기되는 신경장애를 고치기 위해서 원인 부위를 맨손으로 교정하는 방법이다. 주로 척추를 중심으로 골격과 근육을 신경계와 연계하여 병을 진단하고 치료한다. 수기를 사용하는 마사지, 안마, 추나, 지압과 같거나 비슷한 것으로 이해하는 경우도 종종 있으나 철학 진단치료가 기존의 치료법과는 차별화된다.

⑤ 에너지요법

기공치료와 같은 파동 생명장 요법이 이에 해당된다. 우리들의 몸은 소립자 → 원자 → 분자 → 세포 → 조직 → 장기 · 기관 → 몸 전체로 되어 있는데, 각각의 단계에서 그 이하의 레벨을 종합한 고유의 파동을 가지고 있다. 예를 들면 심장에는 심장의 파동이, 간장에는 간장 고유의 파동이 있다는 개념이다. 이를 활용한 치료법을 말한다.

(2) 보완대체의학 이용실태

보완대체의학은 현대의학이 발달되지 않은 곳에서 특히 활발하게 이용되고 발전해왔으며, 전 세계적으로는 연간 30억 명 정도가 이를 이용하고 있다고 추정되고 있다. 현대의학이 발달된 서구사회에서는 보완대체의학이 그다지 발달되지 못했지만 점점 이에 대한 관심이 높아지고 이용도 많아지는 추세이다.

미국에서 실시한 2007년도 국민건강조사 결과에서도 미국인의 38% 정도가 보완대체의학을 이용하고 있는 것으로 나타났다. 이들은 주로 허리통증, 관절염과 스트레스 관리를 위해 이를 이용하고 있었다. 또한 프랑스 의사의 40% 정도가 보완대체의학을 이용하고 있으며 전체의 약품 중 25%가 동종의학 약품이다. 영국에서도 1999년 이루어진 보완대체의학 실태조사에서 이 분야 전문가가 5만 명 정도이고, 5백만 명이 이를 이용했던 것으로 추정되었다.

2. 웰니스 관광 실태 및 유형

심신의 안정을 추구하는 웰니스 관광이 의료관광의 새로운 테마로 떠오르고 있다. 웰니스 관광은 보양 · 의료 · 미용 등 건강증진 관광과 자연휴양자원을 이용한 관광, 전통음식의 시식 · 조리를 포함한 관광, 전통문화 · 농어촌 및 사찰체험을 통한 관광 등 다양한 유형의 관광 활동을 포함하는 활동으로도 정의되고 있다. 웰니스 관광은 노화방지, 비만관리 등의 육체적 건강관리와 스파, 명상을 통한 정신적 치유를 동시에 추구하기 때문에 장기 체류가 가능한 상품으로 각광받고 있다. 온천 등 힐링(healing) 테마산업이 발달한 일본의 경우 웰니스 산업이 2020년까지 12~16조엔 규모로 성장할 것으로 예측하고 있으며, 태국과 인도 등에서도 자국의 전통의학과 지역 관광자원, 식이요법, 각종 테라피(therapy) 등을 접목한 복합 의료관광 사업이 의료관광의 새로운 전략 상품으로 부상하고 있다.

국내에서도 자연경관과 스파, 온천 등을 결합한 웰니스 상품들이 다양하게 개발되고 있다. 리조트, 호텔 등에서는 일상 속에서 지친 육신과 심신을 개운하게 해주는 웰니스 스파를 내세우고 있으며, 테라피, 피트니스 프로그램 등과의 결합도 시도되고 있다. 산림에서 자연 면역력을 높여주는 산림 테라피나 걸으면서 자연을 느끼는 올레길 산책코스 등도 건강증진과 관광, 휴양과 명상을 결합한 좋은 웰니스 상품들이다.

한편, 2002년부터 전국의 유명사찰을 중심으로 체계적으로 운영되고 있는 템플스테이 (www.templestay.com)는 외국인관광객 유치에도 크게 기여하고 있는 웰니스관광 상품이다. 참여자들은 예불, 참선, 발우공양 및 다도 등 다양한 사찰문화 프로그램을 통해 수행자의 삶을 엿보고 마음의 안식과 심신의 건강을 도모할 수 있다.

〈그림 5-21〉 템플스테이 체험

1) 웰니스관광 실태

웰니스관광 시장의 규모는 웰니스 개념의 포괄성 때문에 간단하게 측정하기 어렵다. 웰니스관광 시장을 구성하는 스파관광의 경우 2007년도 시장규모 조사에서 1천7백만 명이 국제적으로 이용을 하였고, 자국 내에서는 1억2천만 명이 스파관광을 한 것으로 추정되었다. 스파는 북미에서 대표적인 웰니스관광 상품이다. 미국에서는 주로 서부지역과 동부지역, 남부지역 등에

스파가 고르게 발달되어 있다. 그리고 멕시코 외에 자메이카, 도미니카공화국 같은 캐리비안 해역 국가들에 경쟁력 있는 스파들이 분포되어 있다.

유럽의 경우, 스파와 해수요법이 발달되어 이와 연계된 호텔들이 일찍부터 운영되고 있다. 그리스와 프랑스는 해수요법 관광 상품의 대표적인 곳이다. 동유럽은 스파산업이 발달되어 있는데 특히 폴란드와 루마니아의 경우 스파관광은 주로 자국민을 대상으로 시장이 형성되어 있다. 폴란드는 동굴과 소금광산을 웰니스 관광에 활용하고 있는데, 소금을 이용하여 치료하기 때문에 소금요법(halo therapy)이라고 한다. 중동지역에서도 해수요법이 각광받고 있는데, UAE, 튀니지, 이집트 등이 호텔과 연계하여 해수요법 서비스를 제공하고 있다. 또한 이스라엘과 요르단은 사해를 이용하여 웰니스 관광객을 유치하고 있다. 사해를 이용한 치료는 피부질환, 관절염, 천식, 심혈관계질환에 효과가 있는 것으로 알려져 있다.

아시아의 경우 여러 나라들이 나름대로 특화된 웰니스 관광 상품을 가지고 있다. 중국은 중의학 치료법, 태국은 마사지, 일본은 온천, 인도는 요가나 아유르베다 등의 전통적인 상품을 발전시켜 왔다. 아프리카에서도 스파, 마사지, 전통적인 허브요법 등을 웰니스 관광 상품으로 발전시켜 왔다. 케냐의 마사이마라 국립공원에서는 마사지요법을 제공하고 있다. 남아공은 전통적인 스파 서비스와 와인요법으로 명성을 얻고 있다.

2) 웰니스 관광의 유형

웰니스 관광 상품의 대표적인 것들로는 스파관광, 해수관광, 아유르베다-요가관광, 산림치유관광 등이 있다. 이런 것들은 보완대체의학의 일부분이다.

(1) 스파관광

스파는 "건강을 증진하는 속성을 가진 것으로 고려된 광천수가 있는 곳" 혹은 "신체와 마음과 정신을 새롭게 하려는 목적으로 치유를 목적으로 하거나 전문적인 서비스를 통해 안녕을 증진해주는 시설"등으로 정의해 볼 수 있다. 물에는 질병으로부터 치료와 구원을 가져온다는 전통적인 의미가 투영되어 있다. 주로 물과 연계된 서비스가 스파에서 제공되는데, 스파를 위해서 광천수, 온천수, 스팀룸, 사우나 등이 주로 사용된다. 그러므로 스파관광은 "물을 이용하여 신체의 치유와 휴식을 도모하는 관광"이라고 정의할 수 있다.

국제스파협회(International Spa Association)에서는 스파를 다음과 같이 여러 유형으로 분류하고 있다.

① 클럽(club) 스파: 피트니스서비스 이외에 몇 가지 부수적인 서비스를 제공하는 시설

② 데이(day) 스파: 미용, 피트니스, 웰니스 프로그램 등을 숙박 없이 제공하는 시설

③ 스파 호텔: 호텔숙박시설을 갖추고 포괄적 프로그램을 제공하는 시설

④ 전인적(holistic) 스파: 대체의학과 다이어트 관련 프로그램을 제공하는 시설

⑤ 메디컬(medical) 스파: 스파 이외에 전통적이고 보완적인 치료방법, 예방치료 등을 제공하는 시설

⑥ 목욕(bath): 광천수, 해수 등을 이용한 스파 시설

⑦ 리조트 스파: 다양한 웰니스 프로그램을 제공하는 리조트 시설

⑧ 스포츠 스파: 스파 서비스와 특별한 스포츠 프로그램을 제공하는 시설

⑨ 구조화된(structured) 스파: 체중감소 등 특별한 목적달성을 위해 엄격한 규칙에 따라 운영되는 시설

유럽에서는 물을 이용해서 치유를 하는 오랜 전통이 뿌리내리고 있다. 따라서 스파가 자연스럽게 건강증진의 수단뿐 만 아니라 생활의 일부로 자리 잡고 있었다. 미국에서도 경제적 풍요와 건강에 대한 관심 증대로 인하여 스파 산업이 성장하였다. 이후 최근에는 스파의 종류나 숫자가 폭발적으로 증가하였다. 개별적 서비스를 제공하는 숙박스파와 호텔 및 리조트 스파 등이 보다 전문적인 내용과 시설을 갖추고 등장하였다. 미국에서는 마사지나 피부 관리와 같은 서비스를 제공하는 데이스파 시장도 성장하였다. 즉 최근에는 스파가 단순히 방문하여 받는 서비스의 개념에서 개인적 삶의 일부로 자리 잡게 되었다. 먼 거리를 여행해야 하는 숙박스파보다는 일상생활 주변에서 부담 없이 전문가의 서비스를 받고자 하는 욕구가 증가하였다. 이런 분위기 속에서 확실하게 자리를 잡은 것이 메디컬스파이다. 의사들은 스파 시장의 성장을 보면서 이 시장과 의료기술을 통합한 새로운 시장을 모색하였다. 따라서 고객들은 의사의 전문적 치료기술과 스파의 안락하고 고급스러움이 융합된 새로운 체험을 원하였다. 따라서 메디컬스파는 질병예방, 미용관리 등의 다양한 욕구를 동시에 충족시켜주게 되었다.

앞으로는 스파 시장의 성장과정 속에서 경쟁은 더욱 치열해질 것이며 이에따라 더욱 차별화된 서비스를 개발하기 위해 노력할 것으로 보인다. 따라서 색다른 서비스의 내용, 고급화된 서비스와 시설, 온라인 마케팅 등의 다양한 노력이 이어질 것으로 보인다. 채식자용 메뉴, 음료의 개발, 아기나 애완동물을 맡아주는 서비스 등이 추가되기도 한다. 홈스파의 개념도 등장하여

집안의 화장실이나 침실 등을 스파시설처럼 꾸미거나 명상실을 갖추려는 수요도 발생하고 있다. 세계적으로 스파가 발달된 곳은 미국을 비롯하여 유럽에서는 이태리, 스위스, 영국 등이며, 아시아에서는 인도와 태국, 중동 지역에서는 사우디아라비아, 요르단 등이 있고, 중남미에는 멕시코와 캐리비안 해역 등에 위치해 있다.

① 치바솜리조트(태국)

태국 후아힌에 있는 치바솜리조트(Chiva-Som Health Resort)는 휴양과 치료를 목적으로 만들어진 해안과 열대 가든에 둘러싸인 리조트이다. 메디컬 트리트먼트, 메디컬 스파 및 수영장을 비롯하여 아쿠아 에어로빅, 헬스 센터, 각종 테라피 시설을 갖추고 있다. 숙박시설도 방갈로(bungalow)와 파빌리온(pavilion) 형태로 되어 개인의 프라이버시가 보장되도록 하였다. 운영 프로그램에는 체류 고객에게는 개인별 건강상담과 체질특성에 맞는 유기농 음식의 제공, 다양한 휴식 및 단련 프로그램과 교육 강좌가 제공된다. 이 밖에도 요가, 필라테스(pilates), 기공, 명상, 스트레칭, 비치 파워워킹, 바디 밸런스, 스트레스 관리, 정신건강 강의, 킥복싱, 마인드컨트롤 등 백 개 이상의 프로그램이 있다.

② 그레고리 스파(싱가포르)

싱가포르의 그레고리 스파(St. Gregory Spa)는 1997년에 오픈한 정통 인도식의 세계적 스파 브랜드이다. 지금은 싱가포르에 3곳, 말레이시아에 2곳, 일본에도 3곳이 운영되고 있다. 그레고리 스파는 스파 이외에도, 피트니스, 아쿠아 수영장, 아로마 증기사우나, 옥외 자쿠지, 산소 라운지 등 다양한 웰니스시설들을 갖추고 있다. 그레고리 스파는 스파 리튜얼, 전통 치유 테라피, 그리고 스파 샘플러 등의 세 가지로 구분되고 각각 여러 가지의 세부 프로그램을 운영하고 있다.

③ 기타(해외)

만다라 스파는 고품격 리조트와 호텔 온천을 선도하는 기업으로 세계 여러 곳에서 많은 업체를 운영하고 있으며, 여러 특급 체인 호텔 내부에서도 스파를 운영하고 있는 세계적인 기업이다. 이곳 외에도 인도의 아난다(Ananda) 리조트는 인도의 전통적인 치료법과 아유르베다 요법을 근간으로 웰빙상품을 운영하고 있다. 그리고 인도네시아의 반얀트리빈탄(Banyan

Tree Bintan) 리조트는 다양한 스파 프로그램을 운영하여 명성을 얻고 있다.

④ 정관장 스파(국내)

국내의 경우, 정관장 스파G(www.spag.co.kr)는 KGC인삼공사에서 선보이는 홍삼 에너지 스파이다. 스파G는 6년 근(根) 홍삼과 전문 스파 프로그램을 접목시킨 도심 속 힐링 스파로 다양한 홍삼 제품으로 몸의 기운을 북돋우고 홍삼 전문 화장품으로 피부를 가꾸며 최첨단 스파 장비로 몸의 순환을 도와 홍삼의 이로운 성분들이 체내에 잘 흡수되고 최적화 될 수 있도록 한다. 홍삼은 식품의약품안전처로부터 면역력 개선과 원기회복, 기억력 개선, 혈액개선 등의 효능을 인정받았다. 이곳은 특화된 홍삼 테라피를 받을 수 있는 독립룸과 혈액순환을 원활하게 해주는 홍삼 스파룸을 갖추고 있다. 더불어 홍삼 농축액을 바른 후 보온과 증기로 홍삼의 영양을 공급해주는 전문 캡슐존과 발의 피로감을 풀어주는 풋스파존, 홍삼원료를 이용해 두피건강을 되살려 주는 헤드 스파존 등도 갖추어져 있다. 또한 홍삼코스메틱을 갖춘 스킨바와 홍삼제품을 맛볼 수 있는 홍삼바도 마련되어 있다. 이곳에서 운영되고 있는 프로그램은 원하는 부위를 집중 공략하는 싱글 프로그램과 패키지 프로그램으로 구성되어 있다. 현재 주 고객은 일본인 관광객을 비롯한 외국 관광객이다.

〈그림 5-22〉 정관장 스파G

⑤ 스파휴리재(국내)

스파휴리재(www.hrj.co.kr)은 인간과 자연의 교감을 추구하고 동서양의 다양한 컨셉을 바탕으로 한 스파로서 스파와 휴식을 위한 일상에서 벗어난 휴식 공간이다. 보건복지부에서 외국인의 뷰티 관광을 활성화하기 위해 전국의 47곳의 뷰티관광 선도업체를 선정했는데 스파휴리재도 함께 선정되었다.

〈그림 5-23〉 스파 휴리재 시설

(2) 해수관광

해수관광은 바닷물, 소금, 해조류 등을 이용한 서비스를 받기 위해 여행하는 것을 의미한다. 해수관광 상품은 진흙 목욕, 수중 샤워, 마사지, 해초 랩 등 다양하다. 이러한 상품들은 휴식, 스킨케어, 불면증 해소, 몸매와 근육관리처럼 각자 나름대로의 효과를 보이고 있다. 세계적으로 유명한 해수관광 목적지는 프랑스, 스페인, 아일랜드, 북아프리카 지역과 중동 지역이다. 지중해 일대에 가장 많이 발달되어 있는데, 2000년대 초에 프랑스 해안에만 70여 곳의 해수관광지가 있는 것으로 조사되었다.

일본 고치현에 있는 우토코 딥씨 테라피센터(Utoco Deep Sea Therapy Center & Hotel)는 2006년에 오픈한 세계 최초로 해양 심층수를 이용한 스파와 부티크호텔로 명성이 높다. 이곳은 프랑스에서 유명한 해양성 기후를 이용한 기후의학요법 또는 해양 요법인 '탈라소테라피(Thalassotherapy)[52]'에 근거해 힐링 테라피를 마련했다. 인근 바다의 수심 700~1000m 깊이에

---

52   탈라소테라피(Thalassotherapy)는 바다를 의미하는 그리스어 Thalassa에서 유래돼 바다가 주는 치료적 효능을 뜻한다. 탈라소테라피에는 바닷바람, 기온, 수온, 머드, 조류, 플랑크톤, 모래 등 여러 요소들이 인체의 화학적 균형을 자연스럽게 회복하는 데 기여한다. 우리가 바닷가에 가면 기분이 상쾌해 짐을 느낄 수 있는데 이것이 하나의 예이다. 또한 따뜻한 바닷물에 몸을 담그게 되면 매우 느리게 미네랄이 피하 층 깊숙이 흡수돼 마치 방전된 배터리가 새로이 충전되는 프로세스와 유사한 과정으로 진행된다고 한다.

있는 해양심층수를 파이프라인으로 끌어올린 100% 해양 심층수로 물 흐름과 수압에 의한 마사지와 워킹을 통해 해수에 포함된 미네랄을 피부에 전달할 수 있는 수영장을 조성하였다.

〈그림 5-24〉 우토코 딥씨 테라피센터

(3) 아유르베다-요가관광

인도의 경우 아유르베다 자연요법이 발달되어 있는데, 주로 유럽과 중동 지역 관광객들이 이용하고 있다. 이 요법은 치료를 위한 재료를 자연에서 채취한다. 케랄라(Kerala) 지역이 보완대체의학 관광지로 유명한데, 이곳에서 제공하는 아유르베다 오일 마사지, 파우더 마사지, 채식음식, 해독 프로그램, 생활습관 교정 등의 상품이 널리 알려져 있다. 아유르베다 그램(Ayurveda Gram)은 방갈로르(Bangalore)에 있는 아유르베다 기관인데 의료관광객에게 신진대사의 활성화를 위해 요가, 명상, 채식주의 다이어트 등의 서비스를 제공한다. 히말라야(Himalayas)에 있는 아유르베다 스파인 아난다(Ananda)는 인도에서 유명한 리조트인데 아로마(aroma) 테라피 마사지, 스트레스 관리 프로그램, 개별 맞춤 요가, 비만관리 등의 프로그램을 제공하고 있다.

요가는 신체에 초점을 맞춘 피트니스와 운동 프로그램으로 간주되기보다, 몸과 마음, 정신의 균형을 추구하는 보다 포괄적인 것으로 인식되고 있다. 요가는 신체적 자세, 호흡, 명상과 영양섭취 등을 일상생활로 통합하는 것이다. 요가관광객은 자신의 삶을 되돌아보고, 바쁜 일상생활의 스트레스로부터 탈출하여 휴식을 취하고, 몸 전체의 균형감을 확보하기 위하여 이곳을 찾는다.

〈그림 5-25〉 요가의 여러가지 자세

(4) 산림치유관광 또는 힐링센터

산림치유는 공기, 경관과 같은 자연환경 요소를 활용하여 인체의 면역력을 높이도록 하는 건강증진 방법이다. 독일, 스위스, 일본과 같은 나라들은 숲의 질병치유 및 건강증진 효과를 활용하여 오래전부터 다양한 산림치유 프로그램을 발전시켜왔다. 독일에 널리 알려진 크나이프(Kneipp)요법도 이런 종류의 하나이다. 이는 냉수욕과 같은 물요법, 산림산책과 같은 운동요법, 허브나 약초 등을 이용한 식물요법, 영양균형을 강조하는 식사요법, 심신과 자연의 조화를 도모하는 조화요법 등으로 이루어져 있다. 독일 바이에른주의 알프스 지역은 기후가 좋은 휴양지에서 음식과 산책을 통해 요양을 할 수 있도록 웰니스 시설을 갖춘 호텔들이 많이 있다. 독일에서는 1차 의료기관의 의사가 환자에게 요양이 필요하다고 진단서를 발급했을 경우, 국가보험이나 개인보험에서 요양의 필요성을 인정하면 요양지의 체류비용이 상당부분 지급되는 제도를 갖추고 있다. 이런 이유로 인하여 독일에서는 산림치유 시설이 치료과정에 많이 이용되고 있다.

일본의 경우 산림치유가 지자체 차원에서 활발하게 추진되어왔다. 나가노현의 시나노미치는 산림요법에 의한 마을 만들기를 시도하여 성공적인 치유의 숲 마을로 변화되었다. 또한 기후현의 미나미히다는 산촌테마공원을 조성하여 자연치유의 장소로 활용되고 있다. 일본 정부, 연구소, 기업과 지자체에서 공동으로 추진한 산림테라피연구회에서는 산림치유효과를 과학적으로 검증하여 의학으로 발전시키고자 힘쓰고 있다. 또한 치유효과가 입증된 숲을 치유의 숲으로 인증하는 산림테라피 인증 제도를 도입하였으며, 산림테라피 가이드나 산림테라피스트들이 양성되고 있다. 산림테라피 가이드는 산림이용객에게 산책이나 운동을 현지 지도하는 사람이고, 산림테라피스트는 가이드 지식에 더해 건강증진 프로그램을 기획하고 운영할 수 있는 전문가를 의미한다.

① 힐리언스(국내)

강원도 홍천에 있는 힐리언스(www.healience.co.kr)는 행복한 삶을 즐기며, 건강하게 살아 갈 수 있도록 하는 웰니스 센터이다. 동 센터는 전문가들의 심도 있는 연구를 통해 현실에 맞는 신개념 생활습관 개선 프로그램을 개발하여 자연 속에서 건강해지는 삶을 추구하도록 하고 있 다. 텔레비전과 에어컨, 냉장고도 없고 휴대폰 수신조차 안 되는 이곳에서는 금연과 절주가 필 수이다. 이용자들은 친환경 에너지 시스템과 친환경 건축자재를 사용해 만들어진 생활공간에 서 친환경 식단으로 식사를 한다. 총 8개의 트레킹 코스와 건강 프로그램, 스파 등을 이용하면 서 지친 몸과 마음이 모두 치유되는 것을 발견할 수 있다. 이곳 프로그램은 식생활과 스트레스 의 강도, 운동습관, 신체상태 등의 포괄적인 점검을 바탕으로 진행되며 점검 결과에 따라 필요 한 변화를 시키기 위한 학습이 진행되고 학습이 생활 속으로 이어져 삶의 일부가 되도록 한다.

〈그림 5-26〉 힐리언스 선마을 전경

② 리솜리조트(국내)

충북 제천에 위치한 리솜리조트(http://www.resom.co.kr/)는 자연친화적 리조트로 개발되 었다. 이 리조트에는 스파 센터, 한방 웰니스센터, 야외명상원 등의 자연치유 공간을 조성하고 도예관, 갤러리, 천문대 등이 있는 컬쳐아트센터와 박물관과 수목원 등 자연속의 복합문화공 간으로 구성되어 있다. 숙박시설 중 테라피룸의 경우 피로회복, 취침, 운동, 독서, 대화 등 상황에 따라 조명을 달리하는 등 편안한 숙박환경을 제공하려고 노력을 한다.

〈그림 5-27〉 리솜리조트 전경

참고문헌
Reference

참고문헌

문화체육관광부. (2014a). 2013 외래관광객 실태조사.

문화체육관광부. (2014b). 2013 한국관광통계.

박종덕 · 홍창식. (2011). 의료관광전략. 현학사.

변정우 · 김양균. (2010). 의료관광 유치 활성화를 위한 해외 홍보마케팅 및 수요예측, 서비스사이언스전국포럼 자료집.

보건복지부. (2009). 글로벌헬스케어산업의 활성화 정책.

보건복지부. (2012). 미래 성장 동력 의료관광.

보건복지부. (2014). 2013년 외국인환자 유치실적 보도자료.

보험연구원. (2010). 외국인환자 의료사고 배상보험 제도화 방안.

삼성경제연구소. (2010). 헬스케어산업의 메가트렌드와 한국의 기회. CEO Information 제788호.

삼정KPMG. (2010). 의료관광객의 한국 선호 경향.

서병로 · 강한승 · 김기홍. (2009). 의료관광산업. 서울: 대왕사.

우봉식. (2009). 의료관광과 한국의료의 미래. 대한의사협회지, 52(9), 844-846.

원종하 · 김민숙. (2011). 의료관광론. 서울: 한올출판사.

유명희. (2011). 의료관광마케팅. 서울: 한올출판사.

유지윤. (2008). 의료관광의 개념과 활성화 기본 방향. 예산춘추, 12, 124-129.

유창근 · 이승헌 · 문혜선. (2013). 의료관광의 이해. 서울: 기문사.

의료기관평가인증원. (2011). 의료기관 인증 조사 자료집.

진기남. (2013). 의료관광 구조와 실제. 서울: 범문에듀케이션.

이연택. (2012). 관광정책학. 서울: 백산출판사.

임형택. (2012). 민관 협력 네크워크 구축을 통한 의료관광 정책형성과정 연구. 호텔레저연구, 14(4), 32-48.

임형택. (2013). 관광법규론. 서울: 한올출판사.

임형택. (2014). 관광 · 호텔마케팅론. 서울: 새로미출판사.

한국개발연구원. (2011). 서비스산업의 대외진출과 해외고용기회의 확대.

한국관광공사. (2010a). 의료관광 실무매뉴얼.

한국관광공사. (2010b). 의료관광 유치 활성화를 위한 해외 홍보마케팅 및 수요예측.

한국관광공사. (2012). 해외 의료관광 수요자조사.

한국관광공사. (2013a). 2013한국의료관광 총람.

한국관광공사. (2013b). 의료관광 우수사례집.

한국무역협회. (2010). 우리나라의 의료관광 추진현황과 성장 전략.

한국문화관광연구원. (2008). 의료관광 활성화 방안 연구.

한국문화관광연구원. (2010). 의료관광 제도 및 정책 관련 해외사례 연구.

한국보건산업진흥원. (2008). 외국인환자 의료분쟁 및 해결방안.

한국보건산업진흥원. (2010). 외국인환자 의료사고배상보험 제도화 방안.

한국보건산업진흥원. (2013a). 2012년 외국인환자 통계.

한국보건산업진흥원. (2013b). 2012년 한국보건산업백서.

현대매디스. (2011). 의료관광 상품기획.

Deloitte. (2008). Medical Tourism: Consumers in search of value. Washington D.C.:
    Deloitte Center for Health Solutions.

Deloitte. (2010). Medical Tourism: The Asian Chapter. Washington D.C.: Deloitte
    Consulting SEA.

ESCAP. (2009). Medical Travel in Asia and the Pacific: Challenges and Opportunities.
    United Nations.

Global Spa Summit LLC. (2011). Wellness Tourism and Medical Tourism: Where do Spas
    fit? Research Report of Global Spa Summit.

JCI. (2011). Joint Commission International accreditation standard for Hospital. IL,
    Oakbrook Terrace: JCI.

Medical Tourism Association. (2012a). Certified International Patient Specialist. Retrieved
    July 16, 2012.

Medical Tourism Association. (2012b). MTA Contact Guidelines for Medical Tourism
    Facilitators. Retrieved Sept. 14, 2012.

Mckinsey & Company. (2008). Mapping the Market for Medical Travel.

Ministry of Tourism Malaysia. (2012). Wellness Zone in Port Dickson, Negeri Sembilan,
    Malaysia.

RNCOS. (2008). Asian Medical Tourism Analysis 2008-2012.

UNWTO. (2012). World Tourism Barometer. Madrid: World Tourism Organization.

WHO. (2010). World Health Statistics, 2010.

찾아보기
Index

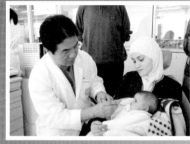

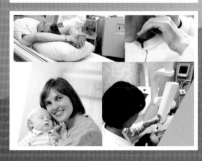

찾아보기

저자 소개 ■■■

임형택

- 서울대학교 사회과학대학 지리학과 졸업 (학사)
- 한양대학교 국제관광대학원 졸업 (석사)
- 한양대학교 일반대학원 관광학과 졸업 (박사)
  * 박사논문: 의료관광정책의 협력적 거버넌스 구축과정 연구(2011)
- (전) 한국관광공사 근무(1992~2011)
  * 의료관광 업무 수행(2008~2011년)
- (현재) 선문대학교 국제레저관광학과 교수(2012~   )

■ 주요저서
- 『관광법규론』(한올출판사, 2013)
- 『관광 · 호텔 마케팅론』(새로미, 2014)
- 관심연구분야: 의료관광, 컨벤션(MICE), 관광정책, 관광마케팅